霍桑探案 ————

——————— 程小青作品

# 霍桑探案

程小青 著
DETECTIVE
HUO SANG

## 断指团

4

海南出版社
·海口·

图书在版编目（CIP）数据

霍桑探案. 4，断指团 / 程小青著. -- 海口：海南
出版社，2025. 1. -- ISBN 978-7-5730-2065-9

Ⅰ. I247.7

中国国家版本馆 CIP 数据核字第 2024C84T95 号

## 霍桑探案 4 断指团

HUO SANG TAN'AN 4 DUANZHI TUAN

作　　者：程小青
策 划 人：彭明哲
责任编辑：高婷婷
插　　画：杨冬梅
封面设计：张　军
责任印制：郄亚喃
印刷装订：河北盛世彩捷印刷有限公司
读者服务：张西贝佳
出版发行：海南出版社
总社地址：海口市金盘开发区建设三横路 2 号
邮　　编：570216
北京地址：北京市朝阳区黄厂路 3 号院 7 号楼 101 室
电　　话：0898-66812392　010-87336670
电子邮箱：hnbook@263.net
经　　销：全国新华书店
版　　次：2025 年 1 月第 1 版
印　　次：2025 年 1 月第 1 次印刷
开　　本：880 mm × 1 230 mm　1/32
印　　张：10.75
字　　数：242 千字
书　　号：ISBN 978-7-5730-2065-9
定　　价：46.00 元

· 目录 ·

## 断指团

## 怪电话

# 催 命 符

## 一张怪符

十月二十三日，傍晚五点钟光景，我忽接到我的老友霍桑打来的一个看似轻松滑稽的电话：

"包朗，今夜你如果没有旁的紧要事，请向尊夫人请两小时假，到我这里来走一趟。我有一种奇怪的东西给你瞧。"

这句"奇怪的东西"，的确富于浓厚的引诱力。我当然也曾问过他是什么奇怪的东西，他却卖关子似的偏不肯说，只叫我到他那里去细谈。他还加上一句取笑的话，如果佩芹方面不给准假，不妨叫伊亲自去接电话，让他代替我请假。其实我和佩芹结婚虽逾十载，夫妇间的感情，自信依然正常地持续，并不逊于婚前的状态，我也并不曾感受过一般人所领受的"闺令森严"的滋味。我们都保守着互信互敬的原则，所以我们的行动，彼此都非常自由，不受丝毫限制，本无所谓请假不请假。这完全是霍桑的打趣，我不能不附带声明一句。但因这一点，我便料想这事情未必怎样严重，因为霍桑既有闲心思打趣，那么他所说的"奇怪的东西"，那奇怪程度也可想而知，决不致有惊骇神秘的事实。不料事实的演变，往往会超出人们料想的范畴。我这一番事前的推测，竟和事实完全相反。这件案子发动时虽似近乎一出滑稽的戏剧，但结局却出乎意料地惊骇动人！其实这回事不但出我意料，在霍桑的意识中，也同样是料不到的。

这一天恰在"活尸"案结束的一星期后。我因着霍桑的授意，为着解释外界对于他的误会起见，便把那案子提前记述。到这天傍晚时分，我已写成了七章，本打算到外边去闲散一下，恰巧霍桑来了这一个富于引诱力的电话。故而我在晚餐完毕以后，便赶到爱文路七十七号去，瞧瞧他所说的奇怪东西。

深秋天气，早晚终比较有些寒意。我坐在黄包车上，一阵阵的尖风，仿佛挟着些针刺，竟刺透了我那件春呢外套，使我打了几个寒噤。但我一走进霍桑的办公室后，他的含有温意的笑容和热诚的招呼，便使我忘却了身体上的寒意。

他正坐在书桌前面的螺旋椅上，书桌上有一盏绿绸罩的电灯，此刻已移至桌子中央。电灯下面，摊着一本英文书。他从椅子上立起来和我握手，又笑着说话：

"你只请了两个钟头假吗？是否可以延长些？"

"你别向我一味调笑。你自己如果需要一个给假的人，那么，你应该接受我那天给你的忠告，赶紧努力！"

我在书桌旁边的一只沙发上坐了下来，顺手从书桌上的烟罐里抽出了一支白金龙，自顾自燃着。霍桑只笑了一笑，并不答辩。他也重新坐在螺旋椅上，把那本摊着的英文书合拢来。我才瞧见那书脊上的金字，是本英译的汉斯·格罗斯的《检验应用科学》。霍桑忽举手把书指了一指。

他说道："这本书很有价值，可惜还没有人译出来。你总知道从前我们官厅方面检验尸体，只靠着那些头脑守旧不学无术的仵作。直到现在，除了少数大都市已采用正式法医以外，这班人还操着生死人命的实权。但在现在的科学时代，暴徒方面的知识既日新月异，这班人凭着些一知半解而大半限于传统的迷信的经验，又怎能应付？因此结果便——"

我耐不住插口道："是的，这个司法上的问题当真非常重要。但你今夜叫我到这里来，是不是就要和我讨论这检验科学的问题？"

霍桑又笑了一笑，也抽出了一支纸烟，缓缓用打火机打火。

他笑道："唉，包朗，你的躁急的脾气，毕竟一辈子也改不掉哩！"

我道："但你明明说有一种奇怪的东西给我瞧啊。"

霍桑点点头，伸手从那件章华出品的玄色哔叽的短褂里，摸出那本光滑的皮面日记簿子来。他从日记簿中翻出了一张折叠的白纸，递给我瞧。

我疑惑道："这就是你所说的'奇怪的东西'吗？"

霍桑衔着纸烟，轻描淡写地点点头：

"正是。你姑且把纸展开来瞧瞧再说。"

我的疑惑仍没有消失，也许霍桑故意和我取笑。我一边瞧瞧那纸，虽还没有展开，但已见有鲜红的颜色从纸背上显露出来。我把那张折成两叠的纸，很小心地展开。我的眼睛在纸上一瞥，果真有些惊异。现在我把那纸上的红字，照样印在下面：

我瞧了一会儿，不禁自言自语地说："真奇怪！这不像是一道符。"

霍桑喷了一口烟，答道："当然不是。道士先生画符，得用黄表纸和银朱。这却是一张优等的舶来信笺，用的又是红墨水。"

我又说："字体也怪得很，又不像是什么一笔草书。"

霍桑点头道:"是的,我们如果要假定这法书的名称,可以叫它符咒型的杜撰草书。但现在你且瞧瞧,你可识得出是什么字?我知道你是个善读当票草书的专家啊。"

我把那纸仔细地瞧了一瞧,答道:"这并不难识,分明是'大输特输'四个字。那左旁一笔绕成的圈子,似乎算不得字。对不对?"

霍桑吸了两口烟,微笑应道:"你的眼力真不错。我费了两三分钟的工夫方才辨认出来,你却只用一分钟。但现在要请你推想一下,这张纸有什么作用?"

我瞧那纸有八英寸长,五英寸阔,是一种西式的信笺纸,纸质纯白坚实,并无线纹。那四个字是用毛笔蘸了红墨水写的。纸上除了这四个奇怪的符形字以外,并无其他字迹,纸的背后也洁白无字。

我说道:"这纸的来历怎样,我还不知道,怎么能凭空推想?"

霍桑又微微笑了一笑:"不错,我当真先应给你一个说明。你还记得有一个杨春波吗?"

我想了一想,答道:"我记得他。他不就是'第二张照'案中的主角?"

霍桑道:"是的——不,他不是主角,只是一个配角。那案中的主角是那个不能忘怀的王智生。杨春波本来也是一个患过色情狂症的纨绔儿,在'第二张照'一案中,我曾利用他解决了那阴险的王智生。他倒对我很有好感。自从那件事情结束以后,杨春波竟把我当作一个顾问看待,曾好几次拿难问题来请我解决。这一张纸也就是他拿来的。"

"可是什么人写给他的?"

"不，那是写给他的朋友的。"

"他的朋友？谁？"

"我也不知道，他不肯说。他说他有一个患难朋友，凭空里接到了这一张纸，不禁不由惊异而害怕起来，故而他把这张纸拿来，叫我推测一下。"

"就是这一张纸吗？有没有信封？"

"当然有的，但他的朋友因着顾忌什么，连姓名都不肯宣露，故而不曾把信封交出来。"

"奇怪，这样子无头无尾，怎么可以瞎猜？霍桑，我看他不但把你当成问难质疑的顾问，简直把你看作神秘的测字先生哩！"

霍桑努起嘴唇，吐出了一长缕烟雾，皱眉说："是啊，因这个缘故，我才请你来讨论一下。"

我默默地吸了一会儿烟："你想杨春波会不会和你开玩笑？"

霍桑摇摇头："那可以保证不会。他还告诉我，他这个朋友曾救他脱离一种危险。有一次，他们俩从回力球场里出来，半路上忽遇见两个'剥猪猡'相好。那晚上杨春波恰巧赢了六七百块钱，被一个匪徒用手枪劫持着，已失却了活动能力。另一个匪徒正要搜摸他的衣袋，他的那个朋友竟不顾危险地踢去了那匪徒的手枪，挥拳把他们打倒，才得转危为安。因此，杨春波和这人虽相识没有好久，却已成了知己。这一次他的朋友接到了这一张莫名其妙的怪符，心中很惊惶不安。杨春波便自告奋勇地代替他解决这个疑难。他就把这张纸拿来给我。"

我一边吸烟，一边低头寻思，室中便形成一片静默。

一会儿，我说道："有些意思了。这个人既然在回力球场里出进，当然是喜欢赌博的；合着这'大输特输'的四个字，不是有些关系了吗？"

霍桑应道："正是，你的见解不错。'赌博'和'输'，当然是有密切的联系的。可是他们认为最奇怪和惊惶的一点，就是这咒语竟会应验。"

"应验？怎样应验？"

"据杨春波说，他的朋友在双十节的早晨接到这一张纸，起初还不放在心上。不料他当日到江湾跑马场去，竟输了五百多块；十三日晚上，他又在跑狗场里输钱；隔了两天，他果然又大输特输。因此，那朋友才害怕起来，认为这真是一道符咒，而且真有什么神秘作用。今天早晨杨春波把这张纸送来的时候，他就问我这符咒里面是否含着什么法术。你想有趣不有趣？"

"他的朋友可也认识这四个字？"

"认识的，这四个字写得原很明显。"

"那么，他的输钱或许是偶然的机缘，或许是他的心理作用，因为他的心理上假使早存着输钱的恐怖，无论买马票或狗票，他的意志既然悄恍，计算自然便不能像往日一般准确。这样，输钱也就是当然的结果。"

霍桑把他的身子在椅子上旋来旋去，又把纸烟的灰凑到烟灰盆上弹去了些，然后才很从容地答话。

他说道："对，这神秘的问题，我已经照样给杨春波解释过。我也推测也许是朋友们的戏弄，可是他还是疑信参半。现在我们要讨论的，就是从这张纸上推想，那个写这咒符的人是一个什么样人。"

我想了一想，答道："这个人的动机如果不是游戏，倒是一个阴谋多智的人物。因为他知道杨春波的朋友喜欢赌博，喜赌的人大半迷信。那人就对症下药，利用了这符咒伤害他的精神。你以为对不对？"

"这一点我完全同意。"

"你有没有别的补充？"

"他是一个有新知识的人。他一定懂得变态心理。"

"很对，他用的红墨水和这种上等的西式信笺，也可以证明他是一个摩登人物。"

"是的。你再瞧瞧这张纸，或许还有些补充的见解。"

我把那张纸拿到灯光里照了一照，完全一色，并无花纹和字母。我摇了摇头。

霍桑道："你总知道普通的狭信笺，似乎还要长些，大概在八英寸半或九英寸。这张纸似乎短了一英寸。你若再仔细些瞧，纸的下端分明用机器刀切齐，上端却并没有胶水的粘贴痕迹，是用快刀裁齐的。那人为什么要把纸裁去一英寸呢？莫非这信笺上本印着有关系的机关名称，或者竟是他自己的姓名，他为掩藏真相起见，特地裁去的吗？"

我赞同道："这理解很近情。假使这信笺不是他借用的而是他自己的用笺，那么，我们可以假定那人也许是一个自由职业的人。"

霍桑应道："是啊，那些新式的律师、教员、医生、美术家和一部分大学生，才会有这种精致的印姓名的西式信笺。"他略略沉吟，又改了口气说："不过这猜想未必准确。我们若能弄到那个信封，那就比较有把握了。"

我的好奇心这时已引动了些："我觉得这里面也许藏着什么阴谋。我们如果能费一番功夫侦查，说不定可以发现些有趣的资料。你何不把杨春波找来，促使他把真相说出来？"

霍桑摇头道："这个不会见效。但我想这件事还有后文，我们用不着心急。不过你不要抱着过高的希望。须知那个写这符咒的人，干不出什么惊人大事的。"

我顿了一顿，问道："何以见得？"

霍桑忽反问我道："你可曾研究过咒诅心理？"

我不知道这句话的用意，瞧着他摇了摇头。

霍桑道："咒诅的作用，无非是用一种廉价的方式，发泄人的愤恨的情绪。譬如王家的小三子，吃了李家大六子的亏，那小三子自知没有力量报复，心中又不服气，便拾了一块墙泥，悄悄地走到李家的门口去，写上'李某某大小乌龟'。这样，这王小三子便可吐一口气，他的报复手段就算实施过了，他的愤恨的情绪也算有了发泄。包朗，你想，如果这一回事不属于游戏性质，存着这种心理的人，可能在实际上干得出什么惊人举动？"

霍桑这番解释使我不能不加承认。同时我联想到那些"徒托空言而不知实干"的标语，也无非是这种心理的另一方面的表现——象征着幻想的欲念。近年来我们所耳闻目见的种种标语，也无不有着这种倾向。想起这倾向会有影响一般民众心理的可能，不禁有些不寒而栗！

我们静默了一会儿，我又想起了一个问句。

我道："霍桑，我们在这一方面既然推车撞壁，没有方法进展，何不从另一方面推想一下？你想那杨春波的朋友又是一个什么样的人？"

霍桑道："他有钱在赌场里挥霍，又能和杨春波这样的人结成知己，可见至少也是一个'纨绔子'；那一次，他能不顾危险，替朋友出力，又可见他的性情必很刚暴。有了这种性情，容易得罪他人而引起人家的怨恨，也是当然的结果。这是我从所知道的事实上推想而得到的结论，你可赞同？"

我还没有回答，忽见霍桑突然坐直了身子，他的目光停在书桌上的绿色的电灯罩上。接着他从螺旋椅上立起身来，发出一种惊骇的呼声：

"包朗，你所希望的资料也许有新发展哩！我听得出那是杨春波的汽车声音啊！"

我敛神一听，果真听得呜呜的汽车声音从东而至，这时候果真已在门外停住。

## 是吉是凶

我的精神顿时振作了许多。当施桂走出去开门的时候，我抱着无限的希望。霍桑早已把办公室的门拉开。一分钟后，我便听得急促的皮鞋声音穿了外面的水泥径走进甬道里来。那杨春波一走到办公室的门口，便伸出手来拉住了霍桑的手，很热烈地牵动着。

他说道："霍先生，我又来讨你的厌了！"他抬头瞧见了我，忽缩回了手迟疑着道："唉，这……这一位我似乎会面过的，一时却想不起来。"

霍桑忽接嘴道："正是，那年你们在半泓园的翡翠亭前会面过的。你怎么这样健忘？"

杨春波想了一想，脸上忽而涨得通红，两只手弄着一顶高价呢帽子的边，不住地转动着："唉，我惭愧得很！这位是包先生。"他也照样奔过来和我握手。

我觉得霍桑当面揭发他的旧疮疤——他在"第二张照"中曾盲目地追求过一个女子——虽属笑话，未免使他难堪。我倒有些替他不安。

我忙笑着应道："不敢当。杨先生，我们好久不见了。请坐。"

我瞧杨春波魁梧的体格、考究的西装、光亮的头发和活泼的眼睛，还和几年前一个样子，不过他脸上的皮色似乎已略略苍老了些。这时他脸上露着些惊惶的神色，显示他这时候造访，实负着重大的任务。

霍桑把白金龙的烟罐送到他的面前，说道："你要不要吸一支国产纸烟，换换口味？"

杨春波瞧着霍桑点点头，似为着证明起见，立刻从那件鼻烟色的短褂的胸口袋里摸出一只银亮的烟匣来。

他慌忙道："霍先生，我早已听了你的劝告，也吸国产烟了啊。你瞧，这是金星牌。"

霍桑带着微笑点了点头。杨春波从霍桑的烟罐里拿了一支，把自己的烟匣合拢了，重新放在袋里。

大家坐定以后，霍桑的眼光兀自射在杨春波脸上，似在揣测他这一次的来意。我记得杨春波的性格也是近乎粗率的。他上一次受了王智生的骗，竟会冒冒失失地赶到半泓园去，抓住了那女子顾英芬献媚求爱；后来他知道了真相，又不问情由地将王智生打了一顿。即此一端，便可以想到他的见解不一定可靠。那么，他眼前的这种惊惶态度，不会也由于神经过敏吧？

霍桑先问道："莫非你的朋友又接到什么符咒了吗？"

杨春波立即把纸烟放在烟灰盆中，伸手到背后的裤袋里去摸出一只皮夹来。

他张大了眼睛，应道："霍先生，你猜着了！正是，又来了一张！"他便从皮夹中拿出一张纸来，授给霍桑。

那张纸和刚才我放在书桌上的一张完全相同——同样是白

色西式信笺，同样是毛笔蘸着红墨水写的画符一般的字体。我现在再照样印在下面：

霍桑瞧了一瞧，又顺手授给我："包朗，你瞧，这一张越发写得像徽州朝奉的大手笔啦。"

我凑近了电灯的光细细地瞧了一瞧，答道："这同样是四个字。不是'出门不利'吗？"

杨春波点头道："当真，'出门不利'！"

霍桑道："这两张纸笔迹相同，就运笔上说，这一张似乎比较流利些。包朗，你在书法上比我高明得多。你瞧这几个字近乎什么体？"

我道："这似乎谈不到体，不过那人终算会用用毛笔罢了。"

我们这样子安闲地讨论书法，那杨春波勉强拿起纸烟吸着，似乎有些不耐。

他又大声道："霍先生，当真！出门不利！"

霍桑问道："这话什么意思？"

杨春波道："我的朋友在大前天二十日早晨接到了这第二张符咒，他下午出门，竟会在黄包车上翻落下来，跌出了一鼻子的血。今天傍晚，他又在电车边上撞了一撞，几乎送掉性命。霍先生，你想那岂不是道道地地的出门不利？"

霍桑不立即回答，斜过目光向我瞧瞧。我同样回射了一眼。我暗忖这当然也是心理影响的结果。我决不能相信符咒真会有什么神秘作用。因此，可以知道杨春波的朋友固然迷信，连杨春波本人分明也同样是迷信的。

霍桑又问道："那么，你现在来有什么用意？"

　　杨春波道："他刚才赶到我家里去，心中十分惊疑。我就向他要了这张纸，拿来请教你老先生。"

　　"有什么见教？"

　　"请问这东西究竟是吉，是凶？"

　　"是吉，是凶？哈哈，你弄错了啊。你如果到张半仙、吴铁口这班人那里去讨教，那才会给你一个断语。我却还没有学会起六壬课的方法啊！"他的语气中充满了讥讽的味道。

　　杨春波赔着笑脸，说道："霍先生，不是这个意思。我要请问你，就是画这符的人，究竟有什么作用？是善意，还是恶意？"

　　霍桑想了一想，答道："这个问句，也不能随意回答，必须解决了一个先决问题才行。"

　　杨春波又把纸烟从口中取下，问："什么先决问题？"

　　霍桑道："你须把你朋友的真相告诉我。"

　　杨春波顿了一顿，才皱紧了眉毛，答道："霍先生，请你原谅，我曾应允他保守秘密。"

　　"为什么？他究竟是一个怎样的大人物，竟不能泄露他的真相？"

　　"并非如此。他的家庭关系很复杂，一说出来，也许要使他感受困难。还有一层，他的交友很广，他又是好虚名的，绝不愿人家知道他发生了这种事情。因此他向我千叮万嘱，不许我宣布他的真相。"

　　霍桑呼了两口烟，又道："他既然已经把秘密的事情告诉了你，你难道不信任我们也能同样给他守秘密吗？"

　　杨春波低头，一边怒喷着烟，一边又弄他的帽子，似觉得难于回答。

一会儿，他仍摇头答道："霍先生，这一点很困难，我已答应了他。"

霍桑冷笑着答道："你真是一个守信的人！"

大家静默了一会儿，室中的烟雾，霎时间增加了浓度。

杨春波又道："霍先生，你为什么要知道他的姓名？"

霍桑道："譬如我第一着要问的：这种符纸可是从邮局里寄去的，或是什么专差送去的——"

"那可以告诉你。这是从邮局里寄去的。"

"那么，我就先得瞧瞧这个封套。这样，他的姓名不是就有泄露的必要了吗？"

"你只要瞧瞧信封，就可以推出那个人的蓄意了吗？"

"瞧了那封套，至少可以有些把握，总比瞎猜好得多。"

杨春波又沉吟了好一会儿："你如果只要那个信封的话，那我也可以从权遵命。不过总要请二位先生绝对守密，否则，我对不起朋友。"

霍桑的精神似乎振作了些，他把螺旋椅旋了转来，面向着来客。

他道："这个你不用叮咛。现在那信封不是在你衣袋中吗？"

杨春波点点头，便又摸出他的皮夹来。他翻了一翻，拿出两个黄色西纸的信封来交给霍桑。我走近去一瞧，信面上用钢笔写着："本城大东门花衣弄二十九号，甘汀荪收。"左面的下角另有"内详"二字。

我自言自语道："我从不曾听得过这甘汀荪的名字。他不见得是怎样大名鼎鼎的人物。为什么如此守密？"

杨春波道："他是赛马会的会员，那边没有一个人不知道他。"

霍桑不答，但丢了烟尾，把这两个信封凑在灯光下面，正面反面地细瞧。

他说道："这两封都是本埠寄发的，每一个封套上各有两个邮印。这封上的邮印是十月九日和十月十日，那是第一封'大输特输'。这一个是十月十九日和十月二十日，不消说是最近'出门不利'的一封了。但这两封信投寄的邮区是彼此不同的。那十日和二十日的印章，都是第十一分局，那分明是花衣弄附近的发信邮局。但第一封十月九日收信的邮印是二十四分局，第二封十月十九日收信的邮印是第五分局。第二十四分局似在杨树浦方面，第五分局大概在新闻一带。这前后两封信的投寄地点，为什么隔离得这样远？不是那人因着要掩饰他所住的地点，故意如此的吧？但信封上面的钢笔字是用粗笔尖的自来墨水笔写的，并且写得很流利，又不像有掩藏真相的企图。这是一个显明的矛盾点。那真有些奇怪了。"

他解释了一遍，把这两个信封放在桌上，又拿起了那张"出门不利"的纸和先前那张"大输特输"的纸叠在一起，仔细地比对。

他又解释道："这两张纸当真完全相同，不过第二张略略长出半分。包朗，你瞧，这一点更足以证明那信笺的头的确是用刀裁去的，因为裁割时并无一定尺寸，自然前后会有长短的差别了。"

我对于霍桑的见解完全赞同，当时只点了点头。

杨春波问道："霍先生，你现在有些把握没有？"

霍桑应道："比较地说，自然进步得多了。现在我问你，这位甘先生对于写信的人是谁，是不是有所怀疑？譬如他对于信面上的笔迹是否认识？"

杨春波摇头道："他不知道是谁写的。他说这字迹他也从来不曾见过。"他将纸烟尾投进了烟灰盆。

"我想这写信的人假使不出于戏弄，那么，一定是一个和他有仇恨的人。他如果能仔细追想一下，谅来总可以有些端倪。"

"这一点我也问过，他对我也不肯说。他只说他并无仇敌。"

霍桑把两个信封和信笺折叠好了，夹在书桌上的那本《检验应用科学》里面。

他又旋转身来，说道："春波兄，贵友这样子藏头露尾，我也无能为力。"他低头想了一想："现在你希望我做些什么？"

杨春波道："他的意思是要知道这两张纸是不是真正的符咒。"

霍桑沉吟着道："唉，这话我怎样回答？你告诉他，正式的符咒是用朱砂笔写在黄表纸上的。这两张纸当然不是。"

"这里面是否会有什么法术？"

"唉，这个我不知道。但据我所信，就是正式的符咒，也断不会有什么法术。假使画符真有神秘的法术，那么，我们的国家受了种种不能忍受的耻辱，只要请那龙虎山上的张大真人画几道符，便可以雪耻报仇了！你还有别的话吗？"

杨春波道："那么，这个人究竟是善意还是恶意？"

霍桑抚摸着自己的下颌想了一想，答道："如果不是游戏，那当然是恶意了。你可告诉贵友，叫他放心。这个人只能弄弄鬼戏，在背地里诅咒，料想不至于干出什么事来。只要贵友不迷信诅咒，绝不会发生什么效力。这就是我能力所及的贡献。其他问题，他既不肯实说，我实在也无从效劳。"

杨春波立起身来，说道："霍先生，你想那人可会干出什么可怕的事情来？"

霍桑道："我想不会，至多再寄两封这样的鬼画符来。"

杨春波整一整衣领，准备走出去的样子，跨到办公室的门口，忽又站住了。

他道："霍先生，这两个信封？"

霍桑接嘴道："这个你留在这里不妨。须知这种东西留在贵友身上，反而使他不安。你只要说你代他保存着好啦。"

杨春波迟疑道："假使他要向我拿回？"

"那你可以随时来拿去。"

"那么，总要请你们保守秘密。"

"这个不成问题。你尽管放心。"

杨春波离去以后，那壁炉檐上的小钟正打十下，我也向霍桑告辞。

霍桑笑着说道："你的请假时刻已满限了？好，我也不使你为难。这件事我料想还有下文，你如果需要这样的资料，我可以随时通知你。"

我道："那人如果始终守着秘密，隔着靴子搔痒，那也没有多大意味。"

霍桑道："我觉得他的秘密里面就含着有价值的资料。如此这事情再有发展，他守密的防线一定会被攻破的。"

我回到自己家里和佩芹谈起那两张奇怪符咒的事，但我尊重我们许诺杨春波的诺言，并不曾提起甘汀苏的姓名。

伊笑着说道："我看这回事正像是孩子们闹着玩的把戏。"

我应道："是啊，但有两个人竟会相信这里面也许有神秘的法术。这两个人又都不是年老的古董，从表面上看，那姓杨的明明是一个摩登的新人物。摩登人物竟会有这样的迷信，你道可笑不可笑？"

佩芹微笑着答道:"有好些人只有摩登在外貌,摩登在享用,本来没有摩登头脑的啊。"

我不禁感喟:"是啊,我们眼前所缺少的,就是摩登的头脑。这种现象的因素,不能不归咎于教育的失败了!"

佩芹忽大声笑道:"你这种牢骚话,给一般所谓摩登人物听去了,你自己的头脑,就会受不摩登的讥评哩!"

霍桑所告诉我的这件事还有下文的话,竟给予我浓厚的希望,时时都盼望他有新的消息。可是我等了一天,竟使我完全失望。到了傍晚,我有些忍耐不住,自动打了一个电话向霍桑发问,却仍不能满足我的希望。

他说道:"杨春波方面完全没有消息。我曾到花衣弄去悄悄地访查了一回,也没有多大端倪。"

我问道:"唔,那么,多少总有些?你知道了些什么?"

霍桑道:"我查到他的父亲甘东坪从前开过木行,是一位乡绅,年龄还不出六十。那汀荪是他的立嗣儿子。汀荪本是老人的内侄,本来姓稽,曾在民立中学里读过书,现在已三十二岁。他并没有职业,也像他嗣父一般地在家纳福。这些就是我所调查的成绩。至于他的家庭内幕的情形,我还无从着手。你请耐性些等几天吧。"

我的忍耐功夫本来是很缺乏的。我等过了第二天,依旧没有消息,认为霍桑的预料偶然失算,便定意把这件事抛开,免得挂在心上自寻烦恼。但在二十五日晚餐时分,霍桑来了一个电话,这件事果然有了惊人的发展。

# 一段家庭秘史

霍桑的电话虽很简短，语气却十二分紧张。

他道："包朗，你赶快来，这件事有新发展了。我此刻正等着那甘汀荪。你最好在他来以前赶到。你能立刻动身吗？"

我忙应道："可以，可以，我的晚饭已将完毕，立刻就可出发。但你可是说那甘汀荪要自己来见你吗？"

霍桑应道："正是。你现在不必啰唆，赶快来吧。喂，喂，你最好从后面进来，先和施桂接洽一声，不要乱闯。"

我挂好了电话，精神上已十二分兴奋，剩下的小半碗饭，竟不想再吃。我和佩芹说了一句，便匆匆出门。

我坐在黄包车上，一路猜想发展的程度。莫非霍桑的料想不中，那个画符咒的人不单是在纸上诅咒，竟有什么实际行动？否则，这个畏首畏尾的甘汀荪，又怎会亲自去见霍桑？我想不出霍桑为什么不许我从前门进去。不过这一点也足以反证情势的严重。

我胡思乱想了二十分钟光景，我的车子方才在距离霍桑寓所三四家门面的一条小弄口停住。我下车以后，先瞧见霍桑的寓所门前并无停着的车辆，但我仍遵从霍桑的意思，进了小弄从后门里进去。施桂果真在厨房里吃夜饭。

我问道："施桂，怎么样？"

施桂答道："没有什么。霍先生一个人在办公室中，你不妨自己进去。"

我暗忖霍桑叫我兜一个圈子，似未免小题大做。我走进办公室时，见霍桑仍像前天一般地坐在螺旋椅上读那本汉斯·格罗斯的《检验应用科学》。

我先开口道："你的前门戒严着吗？可是布置着电网？"

霍桑脸上并无笑容，起来把办公室的门关了。他低声道："你还不知道哩。刚才杨春波打电话来和我接洽，他的朋友甘汀荪准备来见我，要求我不许让第二个人旁听，我已答应了。你想，他如果先到，你直闯进来，岂不坏事？"

我道："那么，你和他今夜的谈话，我是没有参与的可能了。"

"是的，但你照样可以旁听。我已给你预备好一个旁听的地方。"他用手向后面的一间餐室指了一指。

我记得那餐室的板壁上有一个双角辅币大小的木节孔。那木节是活动的，只需移去了那木节，便可看可听，办公室中的人绝不会知道。

我微笑道："但我在里面偷听，不是破坏了你对那来客的信约吗？"

"幸亏这不是犯罪的举动，我的良心上不至于内疚。不过我若不破坏信约，又怕你在背后诅咒我啊。"

"好了，别再说笑话。你说的新发展又是怎么一回事？"

霍桑侧着头听了听外面，才缓缓答道："杨春波告诉我，甘汀荪又接得了第三道符。"

我道："唉，原来又接到了一道符！"我的热望不禁打了一个折扣。

"你不要失望。这一道符和前两次的不同。我猜想这是有严重性的。"

"严重性？这符上写些什么？"

"只有三个字，又加着一把宝剑的图形。"

"哪三个字？"

"七日死！"

我一听这三个字，不能不承认这一次确乎不能和前两次同日而语。这不像是诅咒，竟像是一种预谋杀人的警告了！

我问道："符在哪里？"

霍桑答道："我不是告诉你这是杨春波从电话中告诉我的吗？这张符还在甘汀苏手里，等一会儿你总可以瞧见的。"他又侧着头向门外听听，又低声道："门外有黄包车子了，赶快进去。"他忽又拉住我，附着我的耳朵说："你不要咳嗽才好。"

我急急走到餐室中时，听得施桂已走出去开门。我把餐室的门轻轻关上，又将铁栓闩住。餐室中沉黑无光，但并无问题，因为我对于这餐室中的部位配置，几乎一尺一寸都是很熟悉的。我摸到了那个有节孔的板壁前面，果真安放着一只温柔的沙发，旁边另有一只茶几。我伸手在茶几上摸了一摸，除了一壶热茶以外，还有一只茶杯，一罐烟，一只烟灰盆，纸烟罐的盖上还有一个打火机。霍桑布置得这样周到，使我感到一种安适和愉快。

这时我听得霍桑已在办公室的门口招呼：

"甘汀苏先生吗？请进来。"

有一个人走进了办公室，接着又有办公室的门关合的声音。我摸着板壁上的那个木节。木节上本装着一枚小小的螺旋钉，轻轻一拔，办公室中的灯光立刻从节孔里透射进来。我坐到沙发椅上，我的眼睛恰巧凑在木节孔上。

办公室中除了霍桑以外，果真只有甘汀苏一个人，那杨春波并没有陪着同来。甘汀苏的座位恰巧和我的木节孔成一直线，故而他的声音相貌，完全在我的视觉和听觉的控制之下。他是一个高大身材的人，不很肥，肌肉似乎坚实有力。他的皮肤白皙，脸型是长方的，一双乌溜溜的眼睛，正瞧着霍桑发呆，无疑地露着惊疑不定的神气。他身上也穿着一身灰色的西装，不过已不十分新，远不及杨春波的讲究。据霍桑昨天告诉我，他还只三十二岁，但他的头顶上的头发只剩了薄薄的一层，虽仍膏抹得非常光亮，究竟掩不住那种苍老的神气，看上去已近三十五六。

当我从板壁孔中端详的时候，那来客干咳了几声，霍桑已照例用香烟敬客，施桂也端上了茶。不一会儿，主客们的谈话就顺利地开始。

霍桑先说道："甘先生，贵友春波兄已经和我接洽过，我已答应了你的请求。这室中并没有第三个人，并且我已吩咐我的仆人，在这时间将任何来客一概挡驾。你不论有什么话，尽管放胆说好啦。"

甘汀苏操着本地口音说道："霍先生，我非常惭愧，这件事怕要牵涉我的家里的事情……嗯……家里的丑事！"他低头顿了一顿，接着说："先生，俗话说'家丑不可外扬'，故而我本打算忍着痛不说。可是现在这件事有些危险了，我觉得不能不说。春波曾竭力地担保我，他说霍先生是能绝对守秘密的，此刻我才冒昧来请教。"

霍桑应道："这一点你尽可放心。我所经历的种种为难的事情，如果有守密的必要，我都是绝对保守的。现在你不是又接到一张奇怪的符咒吗？"

甘汀苏一边点着头，一边从衣袋中摸出一封信来，郑重地授给霍桑。霍桑接过先凑到灯光下面，把信封的反面和正面瞧了一瞧。

他点头道："当真是一个人的笔迹。这封信你昨天接到的吗？投寄的印章是在前天二十三日，时间也像上两封一般，在傍晚六时，但投寄的邮区又和上两封不同，这是第十七分局。十七分局在哪方面呢？我倒记不清了。总之，这三封信的投寄地点不但不同，而且彼此隔离得很远。"他又把信封内的信纸抽出："唉，'七日死'。信纸和笔迹也和上两封完全相同，而且信笺的上端也同样是裁去的。"他说着顺手把信纸和信封放在书桌面上。

甘汀苏带着恐怖的神气，说道："霍先生，我老实说，我因着上两次的经验，昨天晚上接到了这一张符，心里着实有些害怕，一夜没有睡着。今天上午我没有出门，下午春波兄到我家里去，约我一块儿出来吃晚饭。我和他商量了一下，他竭力撺掇我到这里来请教。霍先生，你想我究竟有没有性命危险？"

霍桑安慰道："那绝不会的，只要你自己不惊慌。你想，假使一张纸上写了三个字，就能够伤人的性命，那么，世界上杀人的事情，为什么还用得着刀枪毒药？"

"但上两次的符咒，的确都是应验的。"

"这是因为你自己心虚而弄假成真的。现在你必须放弃这一种迷信，那才有办法。"

甘汀苏果真安稳了些，吸了两口纸烟，身子也挺一挺直，靠着了椅背。他干咳了一声，带着希望的语气，问道："霍先生，你有什么办法？"

霍桑道："我们应查明白这寄信的人，控告他阴谋恫吓的罪，至少使他不再有这种阴谋的举动。"

甘汀苏连连点头道："对！对！你想用什么方法查明他？"

霍桑喷出了一口烟，缓缓答道："我在回答你这个问句以前，必须先向你问几句话。你应据实回答，那才有方法可想。"

甘汀苏诚恳地应道："霍先生，你要问什么话？我是准备说实话来的。"

霍桑点点头，旋转身去抽出一支纸烟，用着缓慢的动作擦火点着。室中便静了一静。我把眼睛凑在板壁孔中，扭着腰部，也感到些疲乏，因把背在沙发上靠了一靠，又轻轻开了烟罐，抽出一支纸烟，趁那甘汀苏再度干咳的机会，用打火机擦着了火，很舒服地吐吸着。不一会儿，霍桑已开始发问。我觉得没有再扭转了腰偷瞧的必要，就把背靠在沙发上，一心利用我的听觉。

"第一，你对于这信封上的笔迹究竟认识不认识？"

"我不认识。但……但是我猜得出。"

"那么，据你猜想起来，这个人是谁？"

"我想我知道的。"

"那很好。他叫什么名字？"

"我不知道。"

"他的地点呢？"

"我也完全不知。"

"这奇怪了。你能不能说得明白些？你既然说知道那个人，怎么又不知道他的姓名和地点？"

经过了一声干咳，室中又静默了。我连忙仰起身来，又把眼睛凑到板壁孔上。甘汀苏的纸烟已丢掉，两只手把握在沙发的靠手上，他的手指在一张一握，他的头也沉倒了，似乎有什么疑难问题一时不容易出口。一会儿，他突然抬起头来，睁着双目，好像已决意发表什么严重的事实。我也就重新恢复我的安适状态。

"霍先生，这一点就要说到我的家庭丑史了。我敢说，画这符的人就是我的……我的妹妹的……唉，我真说不出！"

"你尽说不妨。我绝不会宣扬出去。"

"他是我妹妹的姘夫！"

"唉，这也不成什么大问题啊。令妹可是同胞的吗？"

"不，伊叫丽芸，本是我的表妹。我在十三岁时，我的父母都故世，我立嗣给我的姑夫甘东坪，我就做了甘家的人。所以在名义上我和伊是嫡亲兄妹。"

"令妹出阁了没有？"

"还没有。"

"那么，在现在时代，一个未婚女子结交一个男朋友，也算不了什么，更加不上'姘夫'的名称。你何必这样子守旧？"

"不，伊虽没有出阁，但伊从小已许给了我的表弟褚星六。表弟现在大学三年级，毕了业就要结婚。现在伊干出了这种事情，岂不是家门之丑？"

"唉！这也是观念不同，你这个见解不一定对。好，我们姑且把那人叫作令妹的情人，好不好？但你怎样和他结怨的呢？"

"有一天晚上——我想想看，大概已有一个月了。那晚上，我从外面回去，时间在十点钟光景。我们平常本从后门里出入，后门上装着一把弹簧锁，我有一把钥匙，回家时本用不着仆人开门。那晚上我喝了些酒，回家得特别早些，天气还没有这样子冷。我穿了一件单绸长衫，脚上穿绿皮底的中国鞋子，故而走路时没有声响。

"我走到后门口时，正要摸出钥匙来开门，忽见那后门开着一两寸光景。我有些疑心，向门缝间瞧瞧，披屋中的电灯并不曾开亮。我疑心有什么小贼进去了。因为我的父亲素来是早起早睡的，他老人家一睡，仆人们也大都贪懒早睡。因此，这时候后门开着，我料想一定出了岔子。我乘着酒性，用力把后门一推。后门外面本来有一盏电灯，电灯光照到里面的披屋，我瞧见有两个一黑一白的人形，合并作一团——唉！我说出来真丢脸！原来他们两个正拥抱着干什么无耻勾当啊！"

我又向板壁孔中瞧瞧，甘汀荪低了头，似乎羞愧得抬不起来。霍桑仍衔着纸烟，闭目养神似的静听着。略停一停，他张开了眼睛，缓缓地问话：

"我想这两个人，一个定是令妹，一个是伊的情人。对不对？"

"正是。"

"那时你怎么办呢？"

"他们一瞧见我，大吃一惊，连忙分开。我见那男的穿着一身深色的西装，面皮似乎很白。丽芸穿着一件白色的颀衫，打扮得香气扑鼻。那时我怒火直冲，一直奔跑进去，举起右手向着那男子一掌，掴在他的颊上。他呆住了不想回手，我又用力一拳。他越觉得抵挡不住，便像小贼般地向后门口逃出去。"

"唉，可惜你那晚上多饮了些酒！"

"为什么？"

"否则，你自然不会有这种鲁莽举动。"

"我的举动鲁莽？霍先生，这是什么话？一个男子抱住了人家已许婚的女子接吻，难道是应当的吗？"

"应当不应当，他们大概是顾不到了。这样的动作，在舶来电影上原是司空见惯的。他们情不自禁，就把所受的电影教育，实地表演一下罢了。但是你究竟未免过火。伊并不是你的未婚妻。论情论法，你都无权干涉。"

"我的表弟星六和我感情很好。我若是袖手旁观，未免对不住他。"

"这究竟是你的越权行动。好，我们姑且不讨论权限问题。你妹妹当时怎么样？"

"伊一边哭着，一边向我咒骂，急急逃到前面去。当时我曾追出后门，想要抓住那西装男子。他却逃得很快，一眨眼便不见影踪。"

"这个人你以前曾否见过？"

"没有。当时虽在暗中，我约略瞧见他的状貌，并不认识。从那天以后，他曾否再来和伊私会，我也不得而知。但我却没有再撞见过他。因此，他的姓名住址我都不知道。"

"你又怎么样对付你的妹妹？"

"我把这件事告诉我父亲。他也不知道伊有这样的事，曾当着我的面将伊斥骂一顿。我觉得这样的处置未免太轻。不过伊究竟是他亲生的女儿，往日里他原是非常疼爱伊的。"

"令妹今年几岁了？"

"二十岁。"

"在学校里读书吗？"

"现在不读了。去年寒假期内，伊忽患肠痈，在医院里躺了四十多天。因这一搁，以后就没有进过学校。"

"伊本来在什么学校里读书？"

"南强女子中学，二年级。"

"伊平日和些什么人交往？"

"伊可算是没有朋友的，别说男朋友，女同学也难得上门。伊自己也不常出去，偶然瞧瞧电影，总是家父或那个莫大姐陪着伊一块儿去的。"

"唉，令尊也喜欢看电影？那莫大姐是不是你们的仆人？"

"正是，伊在我们家里做了两年。"

"那么，据你推想，伊怎样和那个男子相识的？"

"这个我不知道。我也曾仔细想过，实在推想不出。或许伊去年在学校里时就和那混蛋结识了。"

"或者如此。伊平日可有书信往来？"

"很少，一个月至多一封两封。自从那件事发生以后，我曾留心一切信件，伊似乎不曾接到过一封信。"

室中又静默了，似乎他们的谈话已告一个段落。我又仰起头来像看西洋镜一般地偷看隔室中的景象，已略略有些变动。

## 紧急报告

霍桑已立起身来，他的两手插在玄色哗叽的裤袋中，在书室中踱来踱去。那甘汀荪仍直挺挺地坐在那沙发上，仰起了头，目光跟着霍桑的走动而瞧来瞧去，分明在等霍桑的裁判。过了一会儿，霍桑又回到螺旋椅上，继续问话：

"你想这三封信会不会是令妹写的？"

"不会的，伊写的字像蚯蚓一般，我认得出。"

"那么，你怎么知道这信一定是伊的情人写给你的？"

"因为我没有别的冤家，从来也不曾接到过这样的东西。那晚上的事发生在九月底左右，隔了一个多星期，在双十节早晨，我就接到第一张劳什子的符。我自己寻思，除了他没有别人。"

"这三封信都是你亲手接到的吗？"

"不，第一封是我亲手接到的，第二封和这一封都是在我晚上回去时收着的。因为第一班邮差，有时在早上九点钟就送到，有时却迟到十点半才来。我在十点钟前总已出门，直到晚上才回去。所以第二、第三两张符，都是仆人们收下了给我放在房中，我回去时才瞧见。"

"你可知道什么人代你把这两封信收下来的？"

"我曾问过，第二封'出门不利'的信，是苏州老妈子给我收的。这一封是莫大姐送到我房中去的。"

"你接到了这符以后曾查问过吗？"

"没有。我不曾宣布过。我接到了第一张符，就有些惊异，马上吩咐莫大姐和苏州老妈子，如果有我的信，应小心收藏。至于信的内容，我绝对不曾向任何人提起过。据我观察，丽芸的神气越发傲慢难堪，伊不但不理睬我，有时在客堂中撞见，伊常凶狠狠地瞧我，仿佛暗示：'现在要给你颜色看了！'因此，我越发怀疑是伊姘夫的诡计。"

谈话的语声又静寂了一会儿。我忽而喉痒起来，几乎要咳嗽的样子，急忙丢了烟尾，喝了一口热茶，方才解决了这个难题。因为我也要听听霍桑的断语怎样，不愿意在这时候离开。隔了一会儿，霍桑果然又开口了：

"你家除了令尊令妹和两个女仆以外，还有什么别的人？"

"还有一个烧饭的张阿三。"

"你没有夫人吗？"

"死掉了两年，我没有续娶，也没有孩子。"

"你也没有嗣母吗？"

"嗣母已死了好久。还有一个姓高的姨娘，也在前年夏天患霍乱死掉了。丽芸就是这姨娘养的。"

"那么，你家中除了令妹以外，没有别的人和你过不去吗？"

"没有——不过那阿三也非常可恶。有一次他曾被我捆过一下，但这还是今年春天的事。"

"你为什么打他？"

"这种底下人最势利。有一天我在家里吃晚饭，我问他为什么红烧肉只有肥的，没有瘦的。他转了背忽在咕哝着：'吃闲饭还要嫌瘦嫌肥。'这话被我听得，我忍不住，才捆了他一下。他凶狠狠地竟想回手，当场被家父喝住。"

"唉，你倒善于用手！"

"如果明枪交战，我什么都不怕。可是躲在暗地里放冷箭，我倒有些受不住。但阿三是一个粗坯，这回事他一定干不出的。"

"你再仔细想想，你在外面的朋友很多，难道没有一个和你过不去的？"

"我相信没有——不过，今年夏天有一个朋友叫盛家森的，曾因着买狗票的借款和我吵过一次。我因他逼得厉害，不给我一些面子，也几乎动手。后来我把钱还了他，他就重新和我做朋友，上礼拜他还曾到我家里去瞧过我。我想他也绝不会有这种阴谋。所以我想来想去，除了丽芸的姘夫，不会有第二个人。"

霍桑没有答话，又酿成片刻的静寂。我正要旋转去瞧，甘汀荪又说话了：

"霍先生，你只要能够查明白他的姓名地址，那我就感激不尽。至于以后的交涉，我尽可以自己来办。我只怕他也许请了什么有法术的道士，画了这种劳什子的符，谋害我的性命！"

"唉，你又来了！我想不到像你这样的年龄，又多少受过些新教育，竟会这样子迷信。"

"这不能算我迷信。我在小说上见过不少用妖法神符害人性命的事。况且双十节那天，我在跑马场里的确输掉了……"

"我知道了，你不必再说。这是你自己的心理作用。现在你最要紧的，必须抛弃这无意思的迷信，否则也许当真会闹出乱子来。"

"好，霍先生，你打算用什么方法调查他？"

"我们可以从两方面进行：一方面，我打算到南强女学方面去调查一下；另一方面，你最好在家里留心些。我想令妹总有什么方法和伊的情人通信息的。"

"这倒很为难。我平日白天不常在家里，那三个仆人又不见得肯听我的话，代替我侦查伊的行动。"

霍桑又站了起来，似乎已准备送客：

"那么，你姑且留心些，说不定会有什么机缘。我如果有什么信息，会随时通知春波兄的。"

"谢谢霍先生。但这一番话，你不能给任何人说起，否则我真不能在外面做人了。"

"你不必一再叮咛。不过你须听从我的叮嘱才好。再会吧。"

我等到霍桑送甘汀荪走出了前门，就立起来伸一伸腰。我先开亮了餐室中的电灯，将那板壁孔上的木节重新塞好，又拔去了门上的铁栓，走进办公室去。

霍桑回进来时，笑着向我说道："包朗，你刚才险些露出马脚。"

我答道："什么事？我借重了你的热茶，咳嗽都没有咳出来。"

霍桑道："你的纸烟的烟雾，曾一缕缕从那小孔中吹送出来。幸亏他粗心没有瞧见。"

我笑道："唉，这一着我倒没有注意。"

霍桑又笑道："你如果犯了罪，就在类乎这样的不注意上，要给人家利用了做把柄哩。现在我问你，据你观察，这甘汀荪是一个什么样的人。"

"他是个专门享乐不作别用的浪荡子，而且还近乎流气。"

"是。他的性格方面呢？"

"我看他的性情很粗暴，胸无城府，但因着喜欢赌博，又非常迷信。"

霍桑点头道："很对，很对。包朗，你的观察力委实有了惊人的进步。不过他的迷信的原因，不止好赌的一端，他的知识也太浅薄了。知识浅薄的人，理智失却作用，对于一切事物，势不能有明了理解；因为不能理解，便不得不认为神秘而处处迷信了。所以这种人体格虽很勇伟，胆力也不弱，可是一遇到比较复杂的事情，便没法应付，类似那些理智充分而体格不健全的，同样无用。"

我道："这种人成事不足，肇祸有余。他尽可以开罪了别人，他自己还不知不觉。"

"是啊，我也有这样的见解，可惜他得罪什么人，自己却指不出来。就所知的事实而论，现在我们探讨的对象，只能集中在他的妹妹甘丽芸身上。"

"你想用什么方法查明伊的情人？"

"最简捷的方法，自然是当面和伊谈一谈，不过事实上办不到。"

"即使办到，关于这样隐秘的事情，伊也不容易出口；并且你既然还毫无把握，伊也绝不会贸贸然承认。"

霍桑想了一想，摇头道："这倒还说不定。现在最困难的，我不能直接去见伊。我想先从南强女学方面入手。若能找到一个居间的介绍人，那么无论直接间接，多少总可以得到些线索。"

"这样说，你的进行步骤一定很费时日。但那'七日死'的警告，你想不会有危险吗？"

"我想不会。像甘汀荪这样的人，如果有人要直接加害他的性命，那也需要相当的脑力和体力。你想这个假定的写警告的人，那晚上吃了甘汀荪的一掌，便会毫无抵抗地转身逃走，这种人又岂是甘汀荪的对手？"他说着从书桌面上取起那第三张符咒授给我瞧。

这一张比前两张多了一种符号，现在我照样附在后面：

我把那纸瞧了一瞧，说道："我瞧这'七日死'三字上面，加着一种宝剑形的符号，下面还连着一点，很像是新式标点符号里的感叹号。对不对？"

霍桑道："正是，我也这样假定。符咒上虽有这种撇笔，但往往连着几点圆点。这符号明明是感叹符号。因此，可以印证我们上一天的假定——这个人一定是一个有些新知识的。"

"我们如果能找着了这人和他开一个谈判，那一定是很有趣的。"

霍桑点头道："是啊，我也有同样的希望。我相信这希望终可以达到，只要你能耐性些等几天。"

十月二十六日，我等候了一天，完全没有消息。二十七日又挨过了，霍桑仍照样没有报告。我没法可施，只耐着性等候。再过一天，在二十八日的下午三点钟光景，霍桑的电话又来了。

他说他曾到南强女校里去调查过两次，查得这甘丽芸在校的时候行为还算端谨。霍桑找着了一个此刻在三年级里的丽芸的同班生，但也说不曾听到过丽芸在校时有什么男朋友。这同班生和丽芸并没有深切的交谊，不肯做居间的介绍人。霍桑在这方面已觉失望，故而打算下一天到甘家附近去守候，希望找着一个多嘴的仆人，或许可以利用着探听些消息。因为他料想那丽芸的秘密，家里的仆役们总有些知情的。

我听的这个报告，在效果上可算是等于零，但我的希望并不就因此消灭。到了二十九日早晨九点半钟，我正在继续写稿，霍桑又来第二次报告。这却是一种紧急报告了。

他说道：“甘汀荪死了！事情很紧急，你乘着汽车来吧。”

唉，他竟死了！这消息不但出乎我的意料，还引起了我的不安的感觉。因为霍桑预料这件事不会有什么真戏，现在弄假成真，甘汀荪竟然死了。我虽还不知道他怎样死的，但霍桑的预料已不免失败。我记得在“白衣怪”一案中，他也曾有过这样的错误。这一次难道竟一误再误？

我打电话雇了一辆汽车，在两分钟内已收拾纸笔，别了佩芹出门。车行不到五分钟，已驶到了霍桑寓所的门前。我还没有下车，施桂已在门口招呼：

“包先生。请你把汽车回绝了，霍先生在里面等你。”

我奔进办公室时，霍桑正背负着手在办公室中乱走。他的脸色沉着，额上的筋脉偾张，眼睛里露出严峻的异光。他的办公室中也像充满着紧张的空气。

他站住了说道：“包朗，事情坏了！我又不幸失算！”

他的声调有些凄婉刺耳，他的神气也懊恼不宁。我却找不出慰解的话。

我问道："他可是被谋杀的？"

霍桑摇头道："我不知道。刚才杨春波来了一个电话，只说甘汀荪死了，叫我不要走开，他立刻就来。我已通知了汪银林，这回事不但严重，我还觉得非常内疚。"他把两只手交搓着，脚尖也在地板上顿着："唉！人们的心理的变幻，真是不容易测度啊！"

我听得门外有汽车停止，侦探长汪银林来了。霍桑和他招呼以后，便把事情的经过，用极简洁的语句告诉汪银林，又把那三个信封和三张怪符给他瞧。汪银林是霍桑多年的老友，他和霍桑合作的历史，凡知道霍桑的人，大概也都知道，我此刻已用不着再行介绍。他听了霍桑简单的解释，倒说出了几句安慰的话：

"霍先生，你用不着不安。这种事的确太近于儿戏了。谁想得到假戏会成真戏？"

汽车声再度刺激我的听觉。霍桑还没有回答，杨春波忽也气息咻咻地赶进来了。他一走进办公室来，乱点几下头，便喘息着报告：

"唉，霍先生，他死得可疑，一定是被人谋死的！我相信一定如此！一定如此！"

霍桑用手在杨春波的肩上拍了一拍，安慰道："好，好，你姑且定一定神，仔细些告诉我们。我来给你介绍一下，这一位是警厅侦探长汪银林先生。"

杨春波向汪银林点了点头，说道："我刚才从甘家出来，本想直接赶来。我怕他们变动形迹，故而又到东区警署里去报告。现在我们赶快走吧。"

霍桑道："可是往花衣弄甘家去？"

杨春波点点头，一边还不住地喘着。

霍桑又道："甘汀苏死在他家里吗？你且静一静。他怎样死的？"

杨春波道："我想……我想他是被人谋死的！"

汪银林插口道："你暂且不要'想'，只把眼前的事实说出来。"

杨春波瞧着汪银林的脸，一双呆滞的眼睛雾了一雾，却不答话。

霍桑又说道："他可是被手枪杀死的，还是中毒而死？"

杨春波才摇头道："都不是。他是吊死的——大概是勒死以后被人吊上去的。"

汪银林道："你又要随便下断语了，真头痛！霍先生，我想此刻的时间很宝贵，我们应赶紧去瞧瞧再说。"

霍桑赞同了。我们为便利谈话起见，四个人便一同乘了汪银林的汽车，向大东门进发。杨春波坐来的汽车却空着跟在后面。

## 察　勘

汽车的机轮既动，霍桑又向杨春波发问：

"你怎样会知道这个消息？"

"他的吊死，还是我发现的呢！"

"原来如此。现在请你把经过的情形说一说。"

杨春波想了一想，摸摸他的额角，便开始陈说：

"这几天汀苏因为你的安慰，精神上好像爽快得多。昨天夜里我们还在大西洋吃夜饭，他谈得很高兴。我因而约他今天一同乘汽车到吴淞去玩玩，他也答应了，约定八点钟到柳荫路我家里去一同出发。今天早晨我一早起来，准备好了等他，等到九点钟，他仍不来。我忍不住，他家里又没电话，我便赶到花衣弄去。不料他……他竟已死了！"

"你再说得仔细些。你怎样发现他的？"

"他家里有一个后门，在一条小弄里，他们家里人常从后门里出入。我走进后门时，瞧见一个老妈子提着一只小篮从里面出来。我问伊汀苏是否在家，伊应了一声'还在楼上'，便自顾自出去。我走进了小天井，又瞧见一个年轻的女仆在灶间里。我问伊汀苏已否起身，伊说他已起身了好久。我便一直走上楼去。汀苏住在楼上的西次间中，我平日去访他，往往一直到他的卧室里去，毫无顾忌，故而我刚出了楼梯，便不客气地就去敲西次间的房门。我当时有些着恼，他既没有生病，并且又早已起身，为什么迟迟失约？

"我在门上敲了两下，又喊了一声'汀苏'，里面却没有回音。我索性推门进去，再高喊了一声，不禁怀疑起来。原来不但没有回音，卧室中竟空无一人！我还以为他故意作弄我，也许躲到前面的厢房楼去了。那次间和厢房之间有六扇有画的板窗分隔着。那时中间两扇画窗，有一扇略略开了几寸。我走过去把门窗推开，探头进去一看，忽见汀苏吊在一根短梁下面！"

杨春波停了一停，车厢中的四个人都默默相对，只听得车辆的轧轧声音和马路上的电车、汽车的喧闹声响组成一片。汪银林瞧着杨春波的脸，目光兀自打旋，似露出些怀疑的意味。一会儿，他就向杨春波发问：

"你发现以后又怎么样？"

"我当时大吃一惊,不禁喊了一声,却仍没有人答应。那时幸亏在青天白日的早晨,假使在深夜时分,我也许会吓死!我又开了厢房的窗,向下面大声喊着:'不好了!死了人哩!'接着我才听得楼下的东厢房中有女子的惊呼声音。我放着胆子,走到吊死的人的身旁,用手摸摸他的手,已冷得像冰。我冒着险想要把汀荪抱下来,但抱了一会儿,不能成功,只觉得他的腰腿已经僵硬,显见已没有希望。这时候他的妹妹丽芸带着那个年轻女仆走进了汀荪的卧室里。她们一走到长窗门口,向厢房中望了一望,立刻倒退过去。我就走到卧室中向他的妹妹问道:'他怎样会吊死的?'伊摇摇头道:'我不知道。'伊说时脸色惨白,身子发抖,神气上非常恐怖。我觉得在这种情形之下一定问不出什么,便匆匆地退出来了。"

大家又静了一静。汪银林仍呆瞧着春波。不一会儿,霍桑又接着问话:

"你出来后就打电话给我吗?"

杨春波应道:"正是。我在花衣弄口的一家参号里打了一个电话给你,本打算直接赶来。后来我又想到有些不妥,索性乘车到东区警署里去,报告甘家出了命案。那姚署长听了,答应立刻派人去察勘,接着我就赶到爱文路去接你。"

汪银林仍瞧着他问道:"你在死者的卧室中耽搁了多少时候?"

杨春波也向汪银林瞅了一眼,有些疑迟的样子:

"这个我没有注意,大概不过几分钟罢了。"

"几分钟?你一个人上去,没有人陪着你吗?"

"我说过了啊,那时候他家里似乎只有他的妹妹丽芸,还有一个年轻的女仆莫大姐,别的人都出去了。"

"你可知道他们往哪里去的？"

"这个……我知道他的父亲天天要去喝早茶的。那个老妈子已出去，我在进后门时碰见的。还有那个厨子，大概已往——唉，汪先生，你为什么问得这样仔细？"他说时又向汪银林瞧瞧。他的语气分明已感觉到汪银林的问话显然对他有些怀疑。

我瞧瞧霍桑，他只默默地旁听，似在寻思什么，并不干涉。汪银林又沉着脸儿回答：

"没有什么。这是一件可疑的命案，你又是第一个发现的人，我不能不问得仔细些。你说你常在他家里出进，可是平日也不待通报常常直接闯进他的卧室里去的吗？"

"是的，我们非常熟悉，故而不拘形迹。"

"那么，你昨夜里约他今天到吴淞去，可有别的人知道？"

"没有。我们只有两个人同吃夜饭，吃过了夜饭，又到光明戏院去瞧了一会儿电影，就分手回家。"

假使这个当儿汽车还没有到目的地，汪银林的问话势必延续下去，我虽不知他要问些什么，但会使杨春波感到更甚的难堪，那是意想中事。

汽车在花衣弄口停住，我们四个便从甘家的前门里进去。前门口有一个穿黑呢制服的警士守着。我们知道姚署长已在里面察勘。

那是一宅旧式的三上三下连两厢的楼房，前面有一个墙门，左右两间下房，中间隔着一方天井，约有十五尺深，三丈光景阔，那些新式的住屋，天井就没有这样的宽大。那屋子是朝南的，居中一个大厅似的客堂，也很宽阔，左右两间次间，各连着一间厢房。楼上的屋子也相同。那楼梯在客堂后面，后面另有一小方天井。左右各有两间披屋。左面的披屋是灶间，右面的披屋是仆人的餐室。那扇日常出入的后门，就通这一间仆人的餐室。那天甘汀荪所说的他撞破他妹妹和一个男子幽会的地点，也就在这仆人的餐室里面。那灶间的西面，另有一方空地，做成一个绝好的晾衣场所。

我为使读者们容易明了起见，再将屋中人的卧室先提一提。那朝东的楼下厢房，连着半个次间，是甘丽芸的卧室；那年轻的莫大姐，就和伊同睡。其余半间是一个女客房，平日是空闲着的。朝西的楼下厢房是甘东坪的书室，次间却做了餐室客座间。东坪的卧室在楼上东次间中，东厢房也连着的。那苏州老妈子就睡在老主人的后房。楼上西次间就是死者甘汀荪的卧室。那发案的地点——楼上西厢房里——堆积着些家具杂物，平日本关闭不用；现在这凶案偏发生在这一间里，那也是值得注意的一点。还有楼上的中间也布置着些椅桌字画，像一间客座；但发案的时候，这楼上中间里排着一个铺位，这一点姑且等后文记述。

我们四个人一走进客堂，出来招待的就是那个少女丽芸。伊生得很瘦小，我们虽知道伊已二十岁，瞧去还只十七八岁。伊有一个瓜子形的脸儿，皮肤很白嫩，我瞧那是天然的颜色，并不是雪花霜一类的功效。伊的一双活泼的眼睛，一张樱红的小口和一个比例匀整的鼻子，不但表示伊的美丽，还显得伊富于智慧。伊的头发已经剪去，却并不蓬松，身上穿一件玄色素绸的夹颀袍，也很朴素。这时伊紧蹙着双眉，满脸愁容。伊向汪银林招呼的时候，态度也很大方。

汪银林问道："你父亲在里面吗？"

伊答道："他还在茶馆里。刚才杨先生来发觉了我哥哥的惨状，我吓得没有办法。阿三到菜市场去还没有回来，吴妈又出去了，我又不敢差莫大姐出去。因为我一个人在这里，实在怕得很。后来伊出去差了那弄口烟纸店里的学徒桂生，到湖心亭去叫我爸爸回来。先生们，坐一会儿。他就可以来了。"

汪银林问道："他天天要出去喝茶的吗？"

伊答道："正是，他一清早出去，总要十一点过后才回来。他早晨洗脸吃点心读报，都是在茶馆里的。"

"那么，姚署长呢？"

"他来得不久，此刻在楼上察看。"

"好，我们也上去瞧瞧。"

我们穿过客堂的时候，我瞧见那椅桌器具都是红木的，并且式样很古，两壁的字画，都是古色古香，不是近人的笔墨。正中一张八尺的五老图，也是陈老莲的手笔，勾勒挺拔，神气十足。那副珊瑚笺的对联是陆凤石的楷书，笔致却似乎柔弱些。

楼梯很宽大，梯脚在东，梯端在西。我们上了楼梯，迎面有一扇关着的东次间的后房门。我们知道是吴妈的卧室。我们绕过梯栏，方才到西次间甘汀苏的卧房门口。汪银林先在门口咳一声嗽，我便听得姚署长在里面发问：

"谁？"

汪银林应道："是我。国英兄，你的老朋友霍先生和包先生也一同来哩。"他说着便首先走进卧室里去。

我们三个人跟进去时，那个穿制服的姚国英署长便赶过来招呼。

他惊异道："唉，诸位先生，你们怎么得讯这样子快？我还没有呈报啊。"

汪银林道："我们的消息是直接的，就是这位杨春波先生去报告霍先生的。"

姚国英点点头:"唉,刚才也是这位杨先生到署里去报告的。但我不知道他竟去劳动霍先生。"

霍桑一踏进卧室,他的眼睛便忙碌异常。他的眼光向四周打了一个旋,就凝注在铜床的背后。那是一张双人铜床,向南排着,床上挂着一顶中国式的旧纺绸的帐子。我们停留的所在和那铜床的背后还距离四五尺光景。

霍桑忽发问道:"国英兄,你已把尸体移下来了吗?"

姚国英点头道:"正是,我已把他放在床上。请到前面来瞧瞧。"他就首先绕到床前面去。

姚国英在警探界上的资格很老,和霍桑也合作过好几次。他的自信力很强,办事倒也谨慎,他和霍桑的感情也总算不坏。不过我刚才听他的口气,好像有些不欢迎霍桑参加的意味。如果不是我神经过敏,这倒是不能不顾虑的。

我们走到床前,便见铜床上横着甘汀苏的尸体,身上穿着一件梳洗时穿的蓝白条纹的毛巾浴衣,胸口上露出一件乳白色的羊毛衫。他的脸色惨白,眼睛微微张开,灰色的嘴唇也微微开着。他的头发倒却还整齐,两只脚却都赤着,床前也没有鞋子。因为地板已陈旧了,已瞧不出什么足印。我又瞧见床上的一条玫瑰红绉纱的薄棉被,乱着没有折叠,一个白布套的枕头,已染了一大块发垢的污痕。

姚国英走到床边,指着死者的颈项,说道:"请瞧,这里有一条显明的缢痕,八字不交,而且只有一条。"

汪银林果真偻着身子,凑到死人的颈项边去细细地瞧了一瞧。

他道:"的确只有一条血痕。"

霍桑仍站在床边，似已远远地瞧清楚了，他并不发表什么，只点了点头。

姚国英说道："这明明是自己吊死的，因此，我觉得这件事没有烦劳霍先生的必要。"

霍桑又点点头。他忽偻着身子，先扒开了死者眼皮察看，又伸手把那死人的牙齿摸了一摸，又凑近去细细一瞧。这时他的鼻子忽连连嗅动，接着紧皱了双眉，立刻站直了身子。

姚国英问道："霍先生，你瞧什么？"

霍桑缓缓答道："他的舌子却没有露出来。"

姚国英道："也许因着牙关紧闭的缘故。"

霍桑带着怀疑声道："是的，但他的舌尖也并不抵着牙关。还有一点，他脚底上并无灰尘。他怎样走到厢房里去的呢？"

姚国英忙应道："他本来穿着拖鞋的，我在动手将他放下来以前，有一只拖鞋还套在他的脚上，另一只落在地上。这一双拖鞋在厢房里，我还没有拿过来哩。"

我们都走向那厢房里去。厢房和卧室之间隔着六扇盘花的旧式板窗，糊着画花卉的窗心，倒也不俗。这时中间有两扇开着。姚国英首先进去，汪银林和霍桑跟在后面。因着厢房比较狭小，并且堆满了衣橱木箱等物，我和杨春波便在门口站住。

这屋子是旧式建筑，上面并无承尘泥幔。这厢房更比较低些，我瞧见那第二根横梁上，挂着一根白色的扁丝带，下方结了个环子。在这环子下面略略偏后一些，有一只榉木的方凳，方凳的前面有两只拖鞋，却排成了丁字形，并且距离两尺光景。

姚国英弯着腰在地板上将两只分开的拖鞋捡了起来，又指着那上面的丝带环子向霍桑等解释：

"他就是吊在这条带上的，两脚悬空，离地板有五六寸光景。这一只方凳放在他的后面，我还没有移动过。我想他起先拿了丝带踏在这方凳上，将带穿在横梁上，结好环子，随即把头套在环中。那时他的两足向前一踏，身体便即荡空。在这种情势之下，数分钟就可以气绝致命的。"

姚国英说完，自己便踏上了那方凳，两手拉住了他前面的环，拉到他的头颈里去试了一试。

他又说道："你们瞧，我如果把两脚脱离了这方凳，不会和他一个样子吗？"他说着随手把丝带的结解开，将带拿下，接着便从方凳上跳下来。

汪银林用手把方凳推了一推，说道："这方凳很重，的确不容易翻倒。"

霍桑旋转头来问杨春波道："春波兄，刚才你进来时也曾瞧见这方凳吗？"

杨春波寻思道："我没有注意。当时我惊惶异常，我的眼睛完全注视在汀荪身上，不曾瞧到他的身后。"

"你刚才说你曾抱着他，要将他放下。你怎样抱他的呢？"

"他吊的时候面向窗口，我是在他前面抱的。"

霍桑凑到那方凳面上细细地察看。

姚国英带着抱歉的语气，说道："唉，不错，这凳面上也许有足印可寻。不会被我弄坏了吧？"

霍桑伸出他的左手，一边答道："还好，这方凳靠窗的一边，果真有两个鞋印，不过非常浅淡。请你把那只拖鞋给我。"他接过了姚国英授给他的那双红棕色纹皮的拖鞋，放在方凳边上合了一合。他又点头道："是的，正是这双拖鞋。但这方凳面上并不像别的东西一般地积满了灰尘，料想本来不是放在这厢房里的。"

姚国英道:"我想这凳子定是从卧室中拿过来,专门垫脚用的。"

霍桑点头道:"好,我们再到卧室里去瞧瞧。"

## 一个烟尾

我们走进了汀苏的卧室,姚国英忙着找寻那方凳的原位,我却乘机瞧这卧室的布置。这卧室朝东壁上有一个装着铁直棱的窗口,两扇有木格的长玻璃窗,分明是由旧式的明瓦窗改造的,故而这次间中光线倒也不弱。那铜床的一端,靠着西面和中间分界的隔墙,床的正面向南,有一只红木的妆台,就靠隔墙排列着。妆台上放着些香烟罐,火柴,烟灰盆,茶壶,茶杯,一只小瓷盅,两个玻璃花瓶,却放得杂乱无章。妆台的南面有两扇通中间的板门,这时用木闩闩着,靠门放着一只新式沙发。这门似乎并不出入。靠东窗的一边,有一只大理石面子的面汤台,台上有一只搪瓷面盆,面盆边上挂着一块折叠的面巾。此外还有些木梳,发膏,漱口杯,牙粉瓶,肥皂缸一类的东西。面汤台的南面,有一口新式玻璃面衣橱,也是红木质的。衣橱前放着两只长背的藤垫椅子。

姚国英忽指着西边两扇画窗,说道:"霍先生,这就是放方凳的所在。"

霍桑已将那双皮拖鞋放在床前的地板上,正站在妆台前。他回过头来点了点头,接着就将那妆台的靠床的一只抽屉抽开。抽屉中有一只黑纹皮的皮夹,一只四号明面的金表,还有一只赛银壳的纸烟盒。霍桑将皮夹打开,里面有三四张五元的钞票，一方图章和一把钥匙。霍桑在几张名片中间翻了一翻，忽抽出了一张细瞧。

他惊异道："唉，这大概是他的欠项的纪录吧？蒋方绥，一千元；小王，三百元；盛家森，一百元。……喂，春波兄他也欠你钱吗？"

杨春波皱紧了眉毛，用舌子舔着他的嘴唇，踌躇着不答。

汪银林又将怀疑的目光瞧着他，催逼道："你为什么不说？他究竟欠你钱吗？"

杨春波低声道："欠的。"

霍桑又问道："多少？"

杨春波道："一共一千四百元。"

霍桑点头道："对的，这里也照样写着。这数目分两次借的：第一次，八百元；第二次，六百元。对不对？"

杨春波点了点头，却不答话，目光却沉下了。

霍桑又用手要抽开靠近沙发的一只抽屉，那抽屉锁着。他瞧了一瞧，便从那皮夹中拣出来一把钥匙，塞在锁孔中旋了一旋，竟应手而开。他在抽屉中翻了一翻，忽又发出惊异的声调：

"唉，这抽屉很杂乱，莫非有人翻动过了吗？这里有三种票子：狗票，马票和当票。狗票的数目最多，竟积到二寸厚了！当票也不算少。当款的数目，要算这两张最大：一张是一千二百；一张是九百。包朗，你是读当票的专家，请过来瞧瞧当的是什么东西？"

我暗忖霍桑这样给我夸张，岂不要使我当场出丑？我本不曾当过朝奉，只曾向这班人讨教过一二。当票上的字，唯一的秘诀，就是将字写别和分割，对于几种普通的东西，他们有特别的专门名词；并且他们写得很熟，一笔连串，不熟悉的便瞧不出来。我把那两张当票接过细细一瞧，幸亏都认得出。

我答道："这一千二百元的，是一只钻戒，已当了十二个月；九百元的，是一条珠项圈，时间更久，还是去年五月里当的，再过一月，就要满期没收了。"

姚国英又表示他的见解："现在很明白了。这个人大概喜欢赌博，赌输了钱，便将他妻子的遗物去典质。现在典质和借贷都已到了绝路，就不得不自杀。霍先生，你以为怎样？"

霍桑点头道："他的经济状况无疑是很坏的。"

汪银林正解开了死者身上的那件浴衣的绳结，细细察验他的身体。

霍桑问道："他身上有别的伤痕吗？"

汪银林摇头答道："完全没有。"他说着，重新将浴衣盖好，立直了身子。

霍桑忽又凑到死者的嘴唇近边嗅了一嗅。接着他又走到面汤台前瞧瞧洗脸水，又翻开了面盆边上折叠的面巾，同样用鼻子嗅了一嗅。

汪银林问道："他曾洗过脸吗？"

霍桑忽抬头答道："你也来嗅嗅。这是什么臭味？"

汪银林果真凑到面盆上嗅了一嗅，说道："似乎有些甜味，大概是生发膏臭味？"

姚国英忽抢着说道："对了！从这种种情势上推测，我刚才的见解似乎更近事实。"

霍桑瞧着他问道："何以见得？"

"他今天早晨起身以后，正在洗脸的当儿，忽而想到他自己经济的压迫，便发生自杀的意念。因为这种赌徒们，在赌时昏昏迷迷，往往不顾利害地一掷千金，只有在清晨神志清明的当儿，才有觉悟的机会。可惜他的觉悟已晚，一想到自身的危险，便不得不一死了之。霍先生，你认为这见解对不对？"

霍桑沉着目光，喃喃地说："很有哲学意味。"

汪银林又旋转身去问杨春波道："你昨夜里有没有跟他谈起过借款问题？"

杨春波慌忙答道："没有。我们只谈着到吴淞去的话。"

这时候楼下忽发出一阵喧闹的声音，仿佛有什么人来了。

姚国英说道："这里都已瞧过了，我们到楼下去吧。"

霍桑应道："好，银林兄，这条丝带你拿着，让他们瞧瞧是什么人的。这些皮夹一类的东西，不妨留着，让检察官来收拾。最好请一个专家医生来，并且请他们就来检验——唉，且慢，那枕头下面是什么东西呀？"他说着，又回到床前面去，把枕头翻开，忽现出一个黄色的西纸信封。他惊呼道："唉，这里还有第四张符哩！"

姚国英也站住了脚步，回到床前面来。我见霍桑手中拿着的那个信封，正和以前的三个相同，信面上的钢笔字，也出于一个人的手笔。

霍桑说道："唉！这个邮印是二十七日六时发的。今天是二十九日，昨天就应该送到。这封信是投寄在第五分局的。包朗，我记得第二封信，也有第五分局的印章。对不对？"

我答道："正是，你说的第五分局似乎在新闸方面。"

姚国英显着莫名其妙的神气，想要发话，但霍桑已很小心地将信中的信笺抽出：

"唉！果真又是一张怪符！"

我们大家走过去瞧。这符又和前三张不同。我们几个人瞧了一瞧，大家面面相觑，没有说话。

霍桑解释道："这是很显明的，上面三点定是个'三'字，就是'三日死'三字，下面是新标点的叹号'！'我们上一次假定那剑形的一竖一点是叹号，现在可以证明了。"

姚国英惊诧道："这是什么意思？奇怪！"

霍桑答道："这里面有一段小小的故事。春波兄，你把这回事简单些说给姚署长听听。"

当杨春波给姚署长解释那怪符历史的时候，霍桑将那符信小心地折好，放在他的衣袋里。他又走到床前面去，翻开了下面的褥子搜寻，却没有什么。接着，他又蹲下向床下窥探，忽又回到床背后去。我不知他发现了什么，便跟着他走过去瞧。他走到了床背后，又蹲下身子，从地板上拾起了一个有一寸光景长的纸烟尾。他拿了烟尾凑到鼻子上嗅嗅，又走到朝东窗口去细瞧。一会儿，他又回到妆台前，把那罐使馆牌烟罐的盖开了，向罐内瞧了一瞧。他又开了靠床的那只抽屉，重新把那只赛银壳烟盒取出，捻开了盒盖，里面还剩两支纸烟。

姚国英听完了那怪符的故事，失望道："唉，这里面还有这样一幕鬼戏！这案子倒反而复杂哩！"

霍桑不理会他，自顾自地问道："姚署长，春波兄，刚才你们上楼以后可曾吸过烟？"

姚国英和杨春波都旋转头来，回答没有。

霍桑把拾得的烟尾承在手掌中，说道："这烟尾落在床背后靠近床脚的地板上，我们进门时竟没有注意。这烟尾很新鲜，烟丝粗黑，虽已瞧不出什么牌子，但一定是廉价纸烟。死者的烟罐和烟盒里面，却都是高价的舶来品使馆牌。这样，可以证明这烟尾绝不是他丢在地板上的。"

汪银林道："那么，今天早晨一定有一个吸纸烟的人进来过了。"

霍桑点头道："这推理很对，因为烟尾的一端，还不曾干透，一定是今天早晨丢下的。"

汪银林的眼光又斜睨到杨春波的脸上，紧闭了嘴，似在暗暗点头。杨春波似有些惊慌。

杨春波忽自动辩白道："今天早晨我当真到这室中来过的，但我吸的是金星牌纸烟，烟丝细长而黄嫩。你们尽可以瞧。"他又从他的那件鼻烟色西装的胸口袋里，摸出那只银烟盒来。

汪银林冷冷地答道："我并不是说你啊。你为什么自己心虚呢？"

霍桑把那烟尾放在他自己的烟盒里面，一边解围似的说："我相信这种烟的确不是春波兄吸的。唉！楼下又有什么人回来了。我们下去吧。"

我们由霍桑引导着，鱼贯地走出死者的卧室。霍桑走到中间的门口，又站住了探头向里面张望。那楼梯与中间之间，隔着一层板壁，连着两扇旧式的板门，这时那门开着。

霍桑道："这中间里面也有一只床铺，像是一只临时的客铺，昨夜里好像有人睡过。什么人呢？"

他的问话并没有人回答，接着我们一行人便走下楼去。

客堂中有一个老者，正在和那少女丽芸谈话。旁边有一个身材高大穿短衣的男子和一个年龄在五六十之间的老妇，都出神似的听着。我后来知道那老者就是死者的嗣父甘东坪，短衣男子是厨子阿三，老妇是苏州吴妈。

甘东坪生得倒也气概不凡，宽阔的肩膊，挺直的腰背，红润润的面颊和发话时洪亮的声音，都不见衰老之态。他的头发虽有些花白，但神气上至多只有五十的年龄。他穿着一件低领的旧式圆花黑线绸的薄棉袍子，袖子很长，腰身很阔，假使罩上一件马褂，倒很有旧官僚神气。他的脚上穿一双阔梁的缎鞋，一条破绉纱的绸夹裤，用带扎着脚管。他一听得我们的脚步声音进入了客堂，便旋转身来，把两只长袖掩盖的手，按在胸前连连拱着。

他招呼道："先生们，劳驾，劳驾——唉，姚署长，你也来了。我真想不到，这孩子竟干出这种勾当。他已没有希望了吗？"

姚国英摇头道："他已完全硬了，至少已死了两三个钟头。"

老人皱眉顿足地说："唉！这真是家门不幸！先生们，请坐，请坐。"

我们坐定以后，那莫大姐端着茶盘出来，向我们五个人一个个敬茶。我瞧这莫大姐的年纪约有二十四五，蛋圆形的脸儿，红润润的，不瘦不肥，皮色虽然黑些，五官端正，眉目清澈，倒也俊俏不俗。伊的身材比丽芸高些，上身穿一件淡蓝自由布的单衫，下面系一条黑绉的大脚管裤子，一双天然脚上穿着白色细纱袜和黑哔叽的鞋子，打扮也很整洁。伊送过了茶，又拿着香烟罐出来敬客，举止上也很灵敏。

姚国英问道："甘先生，你对于这回事，事前是否知情？"

老人答道："我完全不知。我每天早晨总是风雨不更地要到城隍庙的湖心亭去的。昨夜他在什么时候回家，我也不知道。诸位不要见笑，我们父子间会面的机会很少：我出去时他没有起来，他回来时我却早已睡了。今天我出去时还只七点钟。我下楼时，吴妈正在打扫客堂，我女儿也才刚起身。直到刚才弄口烟纸店里的桂生到茶馆里去告诉我汀苏已吊死了，我才慌忙赶回。所以这一回事，正像晴天霹雳，我完全料想不到。"

汪银林问道:"那么,我们先问问几个仆人。吴妈是不是起得最早的一个?"

甘东坪应道:"正是,伊每天起身得最早。吴妈,你走出来,几位先生要向你问几句话。"

一会儿,那个苏州妈子已从白漆的屏门后面出现。伊穿一件黑厂布的棉袄,头发花白,腰背也有些弯曲,但两只眼睛骨碌碌地流转不定。伊的神气非常老练,绝无恐慌的样子。伊走到那张红木的方桌面前站住,伊的眼睛向两面椅子上的人瞧了一瞧,便等候问话。

汪银林问道:"吴妈,你今天早晨几点钟起身?"

吴妈答道:"大约六点半钟,天还没有亮足。"

我觉得伊的年龄虽老,声音却仍尖俏,说话时也不像一般年老仆妇们那般没有层次。苏州妇女的声音,的确有使人陶醉的音乐意味,我好久没听到吴音,这时倒很有兴味。

汪银林又道:"你起身以后干些什么事?你应仔细些说。"

老妇仍不慌不忙地说道:"我起身以后,先去买豆腐浆——这是我天天的早课——回来后就打扫客堂。那时我见老爷下楼来,喝了豆腐浆就出去,小姐也起身了。我就出去泡水,预备大家洗脸,但大少爷和高先生的洗脸水,都是莫大姐送上去的——"

汪银林插口问道:"高先生?他是谁?"

甘东坪抢着答道:"他是丽芸的舅舅,叫高骏卿,在无锡勤益面粉厂里办事,前天从无锡来的,在这里耽搁了两夜,就住在这客堂楼上。他定意乘今天早晨的特别快车回无锡去,因为知道我一早要出去喝茶,故而昨夜里预先和我话别。今天早晨我出去时,他还没有醒,我也不曾惊动他。吴妈,高先生是什么时候出门的?"

老妇道:"他吃过早饭才走,八点钟已敲过了好一会儿。"

霍桑对于这一点似乎很注意。他下楼后始终静默,这时才第一次开口。

他问道:"甘先生,请问这位令亲也会吸纸烟吗?"

甘东坪答道:"不吸的。我们家里只有汀苏吸纸烟。先生,你为什么问到这个?"

霍桑答道:"我们刚才在楼上找着了一个香烟头,好像今天早晨有什么人进去过。"

老人呆了一呆,忽把眼光瞧到杨春波的脸上,却不发话。

汪银林继续问道:"吴妈,你说下去,以后你又干些什么事情?"

老妇道:"我泡了水回来,就到灶间里去烧粥,接着,我照常到楼上去收拾老爷的房间,又到楼下来打扫书房。到了八点半光景,那位高先生出去,他赏了一块钱,给我和莫大姐平分。我吃过了粥,和莫大姐分了赏钱,又到后院里洗了两双袜套,就出去买一个裤腰布,小姐也叫我顺便买些零碎东西。我出后门时,瞧见这位杨少爷进来。等到我买了裤腰布回来,才知道大少爷已吊死了。"

汪银林道:"这样说,你今天不曾见过大少爷?"

那苏州吴妈摇摇头,说:"没有,我不曾见他下楼。"

霍桑忽然低声向汪银林建议道:"这一点你还是问问莫大姐,伊也许比较明了些。"

汪银林点点头,又挥一挥手,说道:"你去叫莫大姐出来。"

吴妈点点头,便很从容地回身走到屏门后去。

## 丽芸的谈话

莫大姐站立在吴妈的原地位上，伊的一只手撑在桌上，低着头，似乎略略有些害羞。

汪银林说道："你把今天起身后所做的事情，仔细些告诉我们。"

莫大姐道："我和小姐差不多同时起身的，起身后，我就到后院里去洗衣。在吴妈烧粥的时候，小姐叫我把洗脸水送到楼上去，因为那时高先生已起来了。我才刚送了洗脸水下来，大少爷也在楼窗上喊洗脸水，我就重新提了洗脸水上楼，送到大少爷房里去。"

汪银林道："那时几点钟？"

那女子疑迟了一下，答道："我不知道。但那时候高先生还没有下楼吃粥，大概还不到八点钟。"

霍桑忽然接嘴道："时间很对。但你送洗脸水进去时，可曾瞧见大少爷？"

"瞧见的。"

"他在做什么？"

"他……他已起身了，穿了一件浴衣。"

"嗯，他坐着还是站着？"

"他站在衣橱面前，用生发膏在抹他的头发。"

"可曾和你说话？"

"没有。"

"那么，你在他房中耽搁了多少时候？"

"没有多少时候，我把铜壶中的水倒在面盆中，又注满了漱口杯，就下楼来的。"

"他的洗脸水，天天是你送上去的吗？"

"正是，不过有时候我若在做别的事，吴妈也常送洗脸水上去。"

"今天他喊洗脸水时吴妈也听见了吗？"

"我不知道。那时伊在灶下烧粥。但小姐在对面厢房里，我想伊总也听见了。"

霍桑点点头道："好，你说下去吧。以后怎样？"

莫大姐想了一想，又继续说道："我送罢了洗脸水，又回到后院中去洗衣，后来在吃粥的时候，吴妈分给我半块钱。吃过粥后，我重新到后院里去，直到小姐来喊我，告诉我杨少爷在楼上叫呼，我才陪伊上楼。我瞧见了大少爷可怕的形状，几乎吓死！后来小姐叫我到弄口烟纸店去，差桂生到湖心亭去请老爷回来，接着，我仍回进来陪着小姐。"

姚国英旁听了一会儿，这时有些不耐缄默，就发表他的结论。

他道："从时间上推算，汀苏大概是在八点和九点之间死的。汪探长，你想对不对？"

汪银林沉吟了一下，答道："正是，八点钟时，他还在梳发洗脸；九点过后，这位杨先生上楼去时，便发现他已吊死。他死的时候，的确在这一个钟头里面。"他说着，回头瞧瞧杨春波，又瞧瞧霍桑。

杨春波沉倒了头，两只手插在西装袋里，好似有些发窘。霍桑却凝视着壁上的几条山水屏条，似乎他的思想在别的方面，并不注意到汪银林的暗示。

他突然问道："还有那个张阿三呢？我们再听听他的说法。"

这建议得到了汪银林的接受，那老主人便吩咐莫大姐退去，叫厨子张阿三进来。三分钟后，那身材高大的阿三，已走进客堂里来。他的高度似乎比霍桑还高一寸，宽阔的肩膊，苍黑的方脸，两条浓眉罩着一双黑眼，都显示他富于体力。他穿一身玄色假羽绸的夹袄裤，对胸钮子，里面衬着雪白的短衫，左胸口表袋里，露出一根白银的粗表链。他的声浪很粗壮，答语也比那两个女仆简单得多。

他说道："我今天起身很迟，吃过了粥，就到菜市场去。这回事我完全不知道。"

霍桑凝视着他问道："你在什么地方吃粥的？"

"在后门里的披屋里。"

"那是在什么时候？"

"我不仔细，大约在八点过后，因为我吃粥完毕的时候，那位姓高的客人方才出去。"

"那时候可有别的人从后门里出进？"

"没有。"

"你和吴妈莫大姐一块儿吃粥的吗？"

"不，她们在灶间里吃的。我吃好了粥，把粥碟拿到灶间里去时，她们正盛好了粥，还没有吃。我就提了篮到菜市上去了。"

霍桑想了一想，又问道："你今天可曾瞧见过大少爷？"

那厨子很坚决地摇摇头："没有。"

"你今天不曾上楼去过吗？"

"没有。我吃完了粥就出去了。"

霍桑忽换了一个问题："你平日吸什么牌子的纸烟？"

"我……不吸纸烟。"

霍桑突然立起身来，表现一种意外的举动。他奔到那阿三面前，握住了他的两手，反复地瞧了一瞧，严肃道："你为什么骗我？你的右手的食指和中指间，还有黄色的烟痕！"

那厨子似非常惊恐，想赶紧缩手，却挣扎不脱。他断续地答道："我……我从前本来是吸烟的，不过……不过近来却戒烟了。"

霍桑放了他的手，婉和道："原来如此。你几时开始戒纸烟的？"

阿三吞吐着答道："我……我戒了三天，故而烟痕还没洗掉。"

霍桑点点头，说道："好，你到后面去吧。"

汪银林似已领悟到霍桑最后的问话有什么用意，等到那厨子退出了客堂，他便回头向甘东坪问话：

"甘先生，你可知道他当真是新近戒烟吗？"

那老人疑迟了一下，答道："这个我不很仔细，你可问问小女。但你们为什么查问得这样仔细？莫非汀荪的死——"

汪银林接嘴道："他是自己吊死的，但我们相信今天早晨有人到他卧室中去过，并且他的抽屉也有人翻动过，故而我们不能不查一个明白。"

甘东坪连连点头道："唉，什么人上去过呢？为什么翻动他的抽屉？这的确应当查查明白。"他提高了声调喊道："丽芸，你走出来！"

不多一会儿，那丽芸便从东厢房中出现。伊走进了客堂，鞠了一个躬，在靠近长窗的一只圆凳上斜侧着身子坐下来。伊手中执着一块白巾，低着头，等候我们询问。

甘东坪道："丽芸，今天早晨可有什么人到你哥哥房里去？"

伊摇头道："没有人，只有这一位杨先生——"伊顿住了，抬头向杨春波瞧瞧。

霍桑接嘴道："是的，他是发现令兄吊死的人，我们已知道了。除他以外，你想有没有别的人进去过？"

伊答道："没有了。刚才我听见吴妈、莫大姐和阿三的话，完全是合乎事实的。"

汪银林插口道："你想你的舅舅可曾到你哥哥房里去过？"

"不会的，他洗好了脸就下楼来吃粥，吃完粥就动身。"

"当他下楼以前，你哥哥正在洗脸，你怎知道他不会走进去瞧瞧你哥哥呢？"

"我想不会的，因为他们是不招呼的。"

"唉，舅甥间竟不招呼？为什么呢？"

甘东坪忽然代替答道："唉，这回事我来解说。这孩子近来越发荒唐，每夜里总要半夜时分回来。前天晚上，骏卿训斥了他几句，汀荪竟不服气，彼此曾口角过几句，因此大家便不招呼了。"

汪银林点点头，向霍桑瞧瞧。霍桑仍毫无表示。

汪银林又问道："你舅舅在什么时候动身的？"

丽芸答道："他出门时约在八点一刻。他说他还要去买些东西，准备乘十点钟的特别快车回无锡去。"

"那么，你舅舅动身以后，吴妈和莫大姐都在灶间里吃粥，吃罢了粥，她们又到后院里去洗东西。那时候阿三也到外面去买菜了。在这个当儿，可有什么人来过？"

"没有——完全没有。"

"那时候假使有人从后门里进来，吴妈和莫大姐当然不会注意。那人走进来后，也许直接上楼。你想可会有这样的事？"

那女子沉吟了一下，又摇头道："不会的，如果有人上楼了，楼梯上总有声音，我一定听得到。"

汪银林又问道："你在东厢房里，隔着这样一个客堂，那人或许故意放轻脚步，你想你也可以听得出上楼声音吗？"

伊低头想了一想，又用白巾抹一抹嘴唇。一会儿，伊答道："今天早晨我在这次间里裁一件衬衫。如果楼梯上有什么声音，我一定听得。"

"那么，你始终不曾听到楼上有什么声音吗？"

"完全没有。"

霍桑静听了好久，这时又解围似的插话。

他道："这一点大概没有疑问了。现在还有一句话，莫大姐说，刚才令兄在厢房楼窗上喊洗脸水。你可也听见吗？"

伊点头道："听见的。"

"他喊什么人送洗脸水上去？"

伊将那块按着嘴唇的白巾放在盖覆玄色素绸顾袍的膝头上，迟疑着道："他只喊洗脸水，不曾喊什么人。"

"还有一句。那阿三可是新近戒纸烟的吗？"

"这几天我的确不见他吸纸烟了。"

霍桑点点头，便立起身来，像要告辞的样子。那老人也立起来准备送客。

汪银林忽从衣袋中摸出了那条丝带，给东坪和丽芸瞧视。

他问道："这条带是什么人的？"

甘东坪接过来瞧了一瞧："这带我没有见过。丽芸，你知道吗？"

那女子摇摇头道："我不知道。我可以问问吴妈。"伊说着拿了丝带走到白漆屏门后去。

霍桑利用着这个左右无人的机会，走到老人的身旁，放低了声音问道："甘先生，据你推想，令郎为了什么原因竟会自寻短见？"

老人顿了一顿，答道："我不知道。不过我在去年年底，曾给他料理了一千一百元债务。现在我每月给他五十块钱零用，他似乎还不够用。这一回事，他或许就为着这经济问题，但他也不至于这样子蠢。这孩子性情很爽直，我倒很疼爱他。他欠了钱，我总给他料理。我想他似乎不会因此而送了性命。"

"那么，你想他可还有别的原因？"

"我委实想不出。"

霍桑忽从衣袋中摸出那封怪信，抽出了里面的信纸，用手指执着纸角展开来：

"甘先生，这一张符，你可曾见过？"

老人露着惊骇的眼光，连连摇着头："奇怪，奇怪！我没有见过。这是什么东西呀？"

"这是'三日死'三个字，是一种诅咒性的怪符，我们刚才在令郎的枕头底下发现的。"

老人又向霍桑手中的信封面上瞧了一瞧，寻思道："唉，这信是邮局里来的。奇怪，奇怪！他放在枕头底下吗？他是很迷信的，莫非他——"

霍桑催问道："甘先生，你有什么意见？"

老人又顿了一顿，反问道："你想他不会因为这咒语的恐吓，便干出这没主见的举动来吧？"

"他既然迷信，这也是有可能的。但这封信你想是什么人寄给他的？"

"我完全没有头绪。这信封上的笔迹，我也不曾见过。"

"那么，这封信应当昨天送到，你可知道是不是他自己接到的？"

甘东坪又摇头道："我不知道。吴妈和莫大姐时常代替他收信，你可以问一问。"

这时他的女儿已领着那老婆子进来。

丽芸说道："吴妈认得出这一条是哥哥的裤带。"

汪银林问老妇道："你怎样知道的？"

吴妈答道："我给他洗过一次。他穿西装时用皮带，穿中装时就要用这条丝带。"

霍桑又把信封给老妇瞧瞧，问道："这封信昨天可是你给他收下的？"

老妇摇头道："不是，昨天没有信来。但我记得在一个礼拜以前，我曾给他收接过这样一封信。"

霍桑点点头，顺手将信封放进衣袋里去。

汪银林回头向姚国英道："好，国英兄，你赶紧准备正式呈报，请求检验官就来检验。"

姚国英答应了，向老人道："甘先生，我想在法院里来检验以前，楼上的东西不要让任何人移动。"

甘东坪点头道："好，我一定不让任何人上楼。"

我们五个人挨次退出，姚国英走在前面，霍桑殿后。他走到灶间面前的小天井中，忽又站住了向灶间里的莫大姐和阿三招手，问他们昨天曾否给死者接收过信，这一男一女都回答没有。

甘东坪又说道："那么，大概是他自己接收的了。"

霍桑道："他昨天什么时候出去？"

老人转问那年轻的女仆道："莫大姐，你可知道？"

那女仆道："他大约在九点半光景出去，但在午后五六点钟，他曾回来过一次，上楼去拿什么东西，后来又重新出去的。"

霍桑似很满意，便不再问话，跟着其余的人从后门里出来。甘东坪送到后门口，就拱手送客。

这条后门外的小弄，只有四五丈深浅，除了甘家的后门，还有两家小户人家，一家的门关着，另一家的门里有一个戴眼镜的老婆子正在粘火柴匣子。当我们走过的时候，这老妇似乎因为骤然间看见一群人走过，引动了伊的好奇心，便推起了那副铜边眼镜，停了手向我们呆瞧。

我们走到弄口，姚国英声言要回署里去准备报告，就和我们作别。杨春波在这件事上，分明感到十二分难受，死了一个朋友，又受了汪银林怀疑的诘问，当然非常没趣。他起先似乎认为甘汀荪的死，出于阴谋被害，故而很起劲地来报告我们，但自从被汪银林带着怀疑的口气诘问以后，他便不再发表什么意见。他分明感觉到他如果再有什么建议，说不定会招揽到自己身上去。这时候他真像一只樊笼里的小鸟，盼望着自由。他向霍桑声明，他要回家去料理些事情，霍桑并不挽留。他就踏上了跟来的汽车和我们分手。

霍桑说道："银林兄，我要借用你的汽车送我们回去，我还有几句话和你谈一谈。"

## 意外消息

我们三个人上了汪银林的汽车，汪银林已领会到霍桑在上车前的一句话有着重要意味。他等汽车一开动，便向霍桑问话。

他说道："霍先生，你有什么话说？"

霍桑在他脸上瞧了一瞧，静悄悄地说道："我想你总也知道了吧？甘汀荪是被人谋杀的！"

这句话不但出于汪银林的意料，连我也呆了一呆。因为刚才姚国英和汪银林所指示的吊死的证据，在我眼中也不得不认为是事实，霍桑虽没有肯定的表示，但也不曾反对过。此刻他怎么凭空翻案？

汪银林顿了一顿，诧异道："唉，谋杀的？当真吗？我老实说，我倒不知道。但我们明明瞧见他身上并无伤痕。"

霍桑点头道："正是，没有伤痕。"

"他头颈里的八字不交的缢痕，不是也很清楚吗？"

"的确，很清楚。不过不是他自己吊上去的！"

汪银林沉吟了一下，似有所领悟："莫非他是被人毒死以后，再给人吊上去的？"

霍桑摇头道："不，死后上吊，头颈里不会有这样有血痕的缢痕。他的确是吊死的，不过不是自动，却是被动。"

汪银林紧蹙着双眉，说道："奇怪！我真不懂了！难道他会被人强迫着上吊？"

霍桑微笑道："也不是，像他这样的性格，谁也没有强迫他的能力。我刚才不是叫你在脸盆边上的面巾上嗅过一嗅吗？你说有些甜味，认为是生发膏的气味。我现在不妨公开纠正你。你是错误的。那是'以太'的气味，甜味中还有些辣味呢。"

汪银林呆住了不答，只目灼灼瞧着霍桑。我也有些惊异。

我插口道："莫不是医生们在施行割症时所用的'以太'？"

霍桑点头道："正是。'以太'是一种最易见效的麻醉药。从前医生用克罗仿谟，但往往易引起严重的心脏反应。以太却比较可靠，不过气味很浓烈。如果有一盎司①的重量，给一个病人在鼻子里吸收以后，在六个钟头，或八个钟头以内，还有余臭。但像这种状态，那臭味一定可以延长到十个钟头以上。刚才我因着死者的舌子并不露出，我又嗅着了浓烈的以太气味，便知道他是被人用以太蒙倒了以后，又吸收了好一会儿，再被吊上去的。后来我觉得那面盆边上的面巾，同样地略略还有些以太臭味。可见那凶手曾用过那面巾，而且事后又曾在这盆水里洗过手并洗过浸以太的东西，故而那折叠的面巾上所染的以太，还没有挥发完尽。"

汪银林又静默了一会儿，似在咀嚼霍桑的解释。他对于霍桑的见解，本是绝对信任的，但这番解释，已超出他的知识范围，他在接受以前，不能不采取郑重态度。

他又问道："霍先生，我并不是怀疑你。这个推断，你想不会有错误吗？"

霍桑道："我相信不会错误。此外我还有一种相合的证据。凡人吸收了以太，眼珠会收小，舌头也向内紧缩，因此，他上吊以后，他的舌头不但不曾露出，而且也并不抵着牙齿。等一会儿你可先向检验官接洽一声，最好带一位专门医生去，这一点就可以明白了。"

汪银林点点头，似才表示完全信服。

他喃喃地说道："既然如此，这件事却有些纠纷难办了。你想他在什么时候死的？"

霍桑道："时间问题，刚才姚国英所说的八点九点之间的假定，的确很近。我曾瞧过汀苏的脸和眼角，今天他当真曾洗

————————————

① 1盎司约为28.35克。

过脸的，并不是隔夜面孔。莫大姐送洗脸水上去，大概在八点前后。他洗脸以后，突然被什么人用以太蒙倒，那人又让他吸嗅了一会儿以太，然后再把他抱到厢房里去吊着。"

我又插话道："这个人倒需要充分的胆力和体力，否则一定干不了。"

霍桑点头道："正是。不过那人若乘他不备，也不致有对抗的危险。譬如当他低头在洗脸的时候，或者在转身的当儿，骤然间用浸透以太的东西，按在他的口鼻上面，他就来不及抵抗，至多只有数秒钟或一分钟的挣扎。不过那凶手的心思却非常周密，因为那人把汀苏抱到丝带上去时，他就穿着死者的皮面拖鞋。等到他从方凳上走下来后，方才换上自己的鞋子，再把拖鞋套在死者的足上。"

汪银林道："但据姚国英说，只有一只拖鞋套在足上。"

霍桑道："那一只也许是被杨春波想抱他下来时碰下来的。"

汪银林忽想起了什么似的说道："唉，这个姓杨的家伙，在时间上非常可疑。你可相信他完全没有关系吗？"

霍桑寻思了一下，答道："就时间上说，他当真有充分的机会，但他是介绍这怪符的居间人——"

汪银林忙着接嘴道："那劳什子的符，也许就是他在暗中捣鬼。他把这件事介绍给你，说不定就要借你做一种护身的幌子。"

霍桑低头，喃喃地说道："我却想不出他有什么动机。"

汪银林应声道："死者欠他一千四百块钱。这不能算动机吗？"

"你以为他杀死了汀苏，就可以索回他的债款了吗？"

"他也许向汀苏讨债，汀苏不还他。他以为汀苏有钱不还，便下这毒手。那只锁着的抽屉，不是曾被人翻阅过吗？"

"是的，那抽屉里有好几叠安置整齐的马票、狗票，但每一叠的底下部分，却反而杂乱，因此，我才假定有人翻弄过。但那人翻捡的目的，似在搜寻什么文件，或细小的东西。假使要寻钞票银洋，那可以一望而知，用不着到票子底下去翻捡。银林兄，此刻我以为还有更重要的线索，你暂且把那杨春波搁一搁，不要搅乱我们的视线。"

汪银林顿了一顿，问道："那么，你以为我们的视线应集中在什么人身上？"

霍桑道："就是那个甘丽芸了。"

"那个小姑娘？这样一个瘦小的女子，会干得出这种可怖的事？"

"我并不说这事是伊直接干的，伊当然没有这样的气力。但伊却握住这迷阵的钥匙——唉，敝寓到了。你如果肯破费几分钟工夫，请到里面去坐一坐，我们可以讨论一种进行的步骤。"

汪银林答应了。我们就走下汽车，进入办公室去。霍桑先向我说话：

"包朗，我为维持公道起见，现在再不能给甘汀苏守秘密了。关于这女子丽芸和汀苏间的纠葛的经过，你详细些向银林兄说一说，我到楼上去换一件衬衫，即刻就来。"

我和汪银林坐定以后，大家都烧着了烟——汪银林是吸惯雪茄的——我就把甘汀苏那天所讲的一番话复述了一遍。汪银林听了，又经过了一番思索，便发出一句改变了观念的评语：

"这样看来，这女子当真不能不注意了。"

一会儿霍桑已加入我们的谈话。他躺到那只藤椅上后，烧着了一支纸烟，便继续发表他的见解。

他道："刚才伊因着我们假定汀荪是自己吊死的，伊以为那阴谋当真不曾被发觉，便竭力地庇护着，希望这件事就此掩饰过去。你总记得，我们先问到那高骏卿，又问到八点九点之间是否有外人偷掩着进去，伊一口否认，不许我们在这方面有所查问。不但如此，伊又庇护着那厨子阿三，证明他这几天不吸纸烟。这种种都足证明伊愿意使这件事烟消火灭。为什么呢？不是伊明明希望着这件事若能风平浪静地过去，有利于伊预先计划的阴谋吗？"

汪银林道："那么，伊的动机是什么？莫非就在报仇？"

"报仇只是一个因素。我想那老人很有些产业，汀荪死后，不是伊一个人承袭了吗？"

汪银林吸了一口气，想了一想，又道："既然如此，我尽可以立刻将伊拘捕。"

霍桑沉吟了一下，带着微笑问道："拘捕了怎样？你可打算用私刑逼伊的口供？要不得！你须想一想，这是什么时代？我们站在什么地位？不，这举动不但劳而无功，简直是打草惊蛇，使他们有所准备，反而斩断我们自己的线索。"

"还有什么线索？"

"我以为伊只是这悲剧中的一个要角，那幕背后导演的，却另有其人。"

"你想主谋的会不会就是那个画符的情人？"

"正是。那人一连寄了四次怪符，最后一次'三日死'三字，又果真应验。这个人怎能轻视？不过这最后的第四封怪符的信，不在他的皮夹里或抽屉里，却在他的枕头底下发现，我有些不懂。"他皱着双眉开始吸烟。

一会儿，汪银林又问道："但这个人究竟是谁？若不叫那女子自己说出来，我们又从什么地方去找？"

霍桑用手指弹着纸烟，沉吟着说道："这固然有些困难，但也绝不至于完全没有办法。我想伊和他之间，虽没有公开地通信，总也有通消息的方法。我们若能找着了这一条线索，那便可以迎刃而解。"

汪银林吐着烟问道："你想那几个仆人，可会就是通信息的媒介？"

"也许如此。不过我们若没有证据，凭空向他们去胁问，也不是办法。我们只要瞧伊庇护着这几个仆人，便可知他们自然也要袒护伊的。"

"那么，你怎样进行？不会太迂缓吗？"

霍桑仰直了身子，又带着微笑说道："银林兄，须知我也同样性急的，但急进如果没用，那也徒然。现在关于这画符人的侦查，我可以担任，你也可以从另一方面进行。你能把那个无锡勤益厂里的高骏卿找来吗？"

"唉，不错，这个人的确不能放过，我可以负责把他找来。我想还有那个烧饭的阿三——"他丢了雪茄烟尾站起来。

"是的，但他至多只是一个配角。我以为在主角没有查明以前，姑且不要惊动任何人，免得他或伊加紧戒备。"他站了起来，"银林兄，我还有种希望。如果检察官检察的结果能够延搁到明天宣布，那也是有利于这案子进行的。"

汪银林辞去以后，霍桑又对我说："包朗，这件事很复杂，我现在还测度不到它的究竟。不过眼前的两条线索，都有急速进行的必要。我立刻就要出去，不能留你在这里吃中饭了。而且我的任务有些秘密性质，你也不必同去。你不如暂且回府，我一有消息，再行通知你。"

这件疑案的侦查，此刻已到了一个转折的阶段，表面的经过事实，我们既已得到了相当的认识，此后便要向探索内幕方面进行。这探索的工作，霍桑虽不让我参与，但那结果怎样，我迟早当然可以知道。

我回到自己家里时，已是午膳时分。饭后我虽想继续写些稿子，可是我的思绪因着那怪符案的缠扰，竟没法集中。到了午后四点钟光景，我就打一个电话到霍桑寓里去问问。接电话的是施桂，霍桑虽还没有回寓，我却从施桂嘴里得到了一种意外的消息。

施桂说道："刚才东区的署长姚国英来过一个电话，据说他区里有一个站在花衣路岗位的警士，报告今天早晨七点半光景，有一个穿西装的少年，曾走进花衣路北面的小弄里去。这小弄中就是甘家的后门，此外只有两家小户人家。那个西装少年却不像小户人家的人物。不过那警士当时并没有仔细留意，只见那少年走进弄里去，后来却不曾注意他出来。姚署长认为这一着对于霍先生假定有人上楼去的见解，或许有些关系，故而特地叫我转告霍先生，但我还没法通知他哩。"

这消息当真重要。姚国英还不知道甘汀荪是被人谋杀的，只以为这西装少年有到过甘汀荪卧室里去的嫌疑。其实这个人还有着凶手的嫌疑哩！这少年是谁？莫非就是丽芸的情人？如果是的，他在这个当儿到发案地点去，岂不是有行凶的可能？不过从时间上看，他进弄时只有七点半钟，那时候丽芸的舅舅高骏卿还没有动身，甘汀荪也许还没有起身洗脸。这样，时间上不是又有些冲突？我思索了一会儿，又成立了下面一种结论：

"他也许在七点半时进去，乘着没有人瞧见，在什么地方——或许竟就在丽芸的卧室中——暂时藏匿；等到那高骏卿出门以后，他才溜进去动手。这个假定，在时间和情势上都可以合符。"

这结论我自己认为非常满意，但不知道霍桑在什么地方，我竟没法通知他。可是不到十分钟工夫，霍桑的电话来了。他的电话很简单，叫我立刻到花衣路北口的乐意楼茶馆里去。我知道这案子一定已有了进展。霍桑是难得上茶馆的，此刻竟在茶馆里等我，莫非他另有别的约会？

我费了二十分钟工夫，便找到了花衣路北口的乐意楼。这茶馆的地点，和甘家后门的那条小弄距离只有七八家门面。茶馆中的茶客，各等人都有，大概以劳动阶级居多，不过这时候晚茶时间没有开始，有许多桌子依旧空着。我在楼下寻了一会儿，不见霍桑，就一直走上楼去，才见霍桑靠阳台坐着。他身上已换了一件灰色绉纱的长夹衫，脚上也穿了缎鞋，他的桌子上没有别的人。

我坐了下来，问道："你等谁？"

霍桑喝了一口雨前，又给我斟了一杯，含笑道："我等你。其实，今天我已喝了两次茶，我刚才从湖心亭来。"

"你到湖心亭去？干什么？"

"喝茶。"

"不是。你平日常诅咒那些喝板茶的人的无聊，你自己绝不会无缘无故去做茶馆撑头。你是去探听甘东坪的吗？"

霍桑嘻了一嘻，点点头，便摸出纸烟来烧吸。

我诧异道："你想这老人也有关系？"

霍桑吐了一口烟，答道："我为周密起见，对于任何一条可能的线索，都不能轻视忽略。不过我调查的结果，在时间上这老人并无关系。我知道他真是湖心亭的常川的老顾客，每天一清早就到，到十一点钟才回去，的确是风雨不更。今天早晨八点九点之间，他正和另一个老茶客着围棋，不曾离开过一步。"

我道："唉，这就是你半天工夫的结果？"

霍桑吐出一缕烟雾，仍安闲地答道："你还不满意？……哼！你的眼睛里在告诉我，你有更好的消息给我？是不是？"他的头凑近我。

我微笑着答道："正是，我所知道的消息，比这个也许高出十倍。不过这不是我直接得来的。"我随即把施桂告诉我的消息说了一遍。

霍桑听了，反不及先前那么起劲，仍自顾自地吸烟，分明绝不认为惊奇。我倒有些失望，摸出纸烟来解闷。

我又道："这消息你莫非早已知道了？"

霍桑仍缓缓地点着头，答道："是啊，我知道得比这个还详细，并且是直接得来的！"他说时瞧瞧他的手表，又侧着身子向阳台下面瞧了一瞧。

我问道："你是在等候什么人吗？"

他仍没精打采地说道："是，我等一个卖豆腐花的朋友。"

我烧着了烟，笑道："哈！你调查的成绩，一定不止于你刚才所说的一点。你还卖关子！"

"我可曾卖关子？你自己心太急了啊。刚才我只说出了一点，你的脸上就表示不满。"

"唉，不错，我承认太冒失。现在请你告诉我，你查明了些什么？"

霍桑点点头，又吐吸了几口烟，才开始陈说他的调查经过。

# 青鸟使

他说道："姚国英所报告的，今天早晨有一个西装少年到那小弄里去，我也已知道，但我所知道的，比他更确定和详细。这少年就是丽芸的情人，我敢说也就是画那几张催命符的主角。他在今年夏天，差不多每晚上都去和丽芸厮玩。在最近的两三星期中，他忽绝迹不来。今天早晨七点半左右，他又来过一次。他今天穿一身藏青哔叽有白线细条纹的西装，分明又是来瞧丽芸的。"

霍桑说到这里，又略略停顿，重新把身子凑近阳台边去，向街面上探望。

我乘势道："这消息当比较详细了。但你从哪方面探出来的？"

霍桑把右手张开了五指，向我演了一个手势，答道："我花了这个代价买来的。刚才你总也瞧见那小弄里有一个粘火柴匣子的老婆子吧？"

"伊不是戴铜边眼镜的吗？"

"正是。伊姓毛，伊的儿子叫毛瑞龙，是做铜匠的。起先伊还假装不肯多嘴——其实伊道道地地是一个喜管闲事的太太——后来，我借重了一张花纸才达到目的。不过这代价也很值得。"

"伊还说些什么？"

伊在时间上不能怎样确定。伊说今天早晨伊才刚开门，便看见那西装少年从伊门前经过。伊见惯了他，故而并没有特别留意。他当然是到甘家里去的，不过什么时候出来，伊也没有瞧见。据伊说，当夏天夜里的时候，伊常瞧见丽芸和这少年在后门口唧唧哝哝地密谈，所以他是伊的情人，已完全没有疑问。"

"但这少年的姓名地点，这老婆子谅来不见得会知道吧？"

"这希望固然太奢，但伊已告诉我他们间通消息的方法。"

"唉！这一点确有价值！他们用什么方法通信？"

"据毛老婆子的观察，丽芸平日的确难得出门。我又曾到这里的第十一分局去调查过，甘丽芸的信也实在少见。但那老婆子觉得有一点非常可疑，就是在近来几礼拜中，每天傍晚有一个卖豆腐花的人一到，丽芸总亲自出来买一碗豆腐花。伊家里有不少仆人，伊何必亲自出来？这一点自然要引起人家——尤其是那毛老太——的怀疑。并且有时候甘家后门关着，那卖豆腐花的无锡老头儿，总要在后门高声喊叫；假使不开门，他竟会上前去敲门。这一点，却是经过了我的提示，那老妇才想起来的。"

"你认为这个卖豆腐花的人，还担任了'青鸟使'的兼职吗？"

"我料想如此，故而我定意在这里等候这一位非法邮差。无论如何，我总要试一下子。"

这时候我忽听得一种尖锐而延长的"豆腐花"的喊卖声音，从街面上直送到我耳朵里。霍桑急忙丢了烟尾，侧转了身子，把头伸到阳台外去。一会儿，他进来向我说话：

"果真是一个老头。"

"那声音真是无锡口音。"

霍桑忽举起一只手，似禁止我说话的样子：

"豆——腐——花——"一阵悠扬而曳长的声浪从街上传进来。

霍桑点点头道："这声调倒有音乐意味。是的——无锡口音！"

我立起身来说道："现在怎样？"

霍桑又打一个手势叫我坐下："你耐性些，他绝不会逃走。"他又到阳台边去探望。一会儿，他又回头来低声说道："他果真进小弄里去了。你穿着西装，行动上不方便，让我一个人去瞧瞧。"他说完便立起身来，回身走下楼去。

我的纸烟也将烧完，一个人坐着，觉得躁急不安。这卖豆腐花的老人，果真是他们中间的通信人吗？那么，我们就可能从这老人身上查明丽芸的情人的真相？再进一步，我们会不会就可以揭破这案子的秘幕？如此，这无锡老头儿正掌握着全案的枢纽哩！我又想到那人竟会利用这种小贩来通信，也可算奇思妙想，因此可以想见那人的工于心计。我因着希望的急切，越觉得惴惴不安，只怕这里面也许有什么误会。

我枯坐了一会儿，仍不见霍桑上楼。我走到阳台边去瞧瞧，那小弄口空荡无人，也不见霍桑，但那豆腐花担分明还在小弄里不曾出来。我等了十分钟光景，一眼不眨地瞧着那弄口，仍瞧不出什么。忽听得霍桑在背后叫我，他已经回到茶馆来了。

他惊喜道："包朗，我们下去吧。"

他且说且从一只小皮夹中摸出一张角票，又向那堂倌招一招手。

我问道："怎么样？你的想法已证实了吗？"

霍桑点点头道："是，他们已'交易而退，各得其所'了。那老头儿就要出来哩。"

我们下楼的时候，我觉得霍桑精神上非常兴奋，他的眼睛闪闪有光，下楼梯时的脚步也特别轻松。我们一走出乐意楼的门口，我的眼光便向南面的小弄口瞧着。一个头发花白的老头儿，挑着一副豆腐花担已平稳地出了小弄口，我想急急追上前去，霍桑却伸手拉住了我。

他低声道："何必如此？怕他插了翅膀飞去？"

我道："你打算怎样？"

"我们慢慢儿走，等他走到比较冷僻的所在，再动手。若在这里附近闹起来，走漏了风声，反而不妙。"

我们已走到小弄口，弄口只有两个孩子蹲在地上玩玻璃丸，甘家后门口却静寂无人。我们继续前进，又走过甘家前门的那条花衣弄。我瞧瞧前面的那副豆腐花担又在另一条弄口歇住，那有音乐意味的"豆——腐——花——"的声调，又抑扬转折地乘风吹进我的耳朵。霍桑故意放慢脚步，但并未停止。

我低声问道："你想怎样动手？"

霍桑道："第一步，不妨'先礼后兵'，用婉和的方法和他商量。他如果不肯就范，那才不能不用些压力。所以我们谈判的地点，最好离警士的岗位近一些。"

那豆腐花担因着没有生意，略停一停，又继续前进。我们仍远远地跟着。

我又问道："你刚才瞧见他拿信送给那女子吗？"

霍桑道："这个没有看清楚。但我看见丽芸果真亲自出来买豆腐花的。他们的授受本是非常秘密的，我站得远，瞧不清楚。但我想丽芸还有回信在这老头儿身上——唉，他转弯了。那边不是水阁桥街吗？"

那豆腐花担转了弯，我们的脚步也就加速了些。转角上有一个巡警，街上店铺较少，住户居多，比花衣路静一些。霍桑

一转了弯，忽又拉拉我的衣袖，似乎叫我加紧脚步。一会儿我
们俩已超出到那豆腐花担的前面。那里又有一条小弄，霍桑先
转弯走进弄口，我也照样跟着。

霍桑说道："这里还静。我们就等一等吧。"

这时那悠扬的声调也跟着送到了小弄口，霍桑便提高了喉
咙喊叫："喂，豆腐花，挑进来。"

那无锡老头儿以为有生意来了，便挑进了弄口，把担子停
住。他一边拿起碗来，一边向我们俩瞧瞧，似在诧异我穿着西
装，怎么会沿路买豆腐花吃。

霍桑很内行地说："五个铜子一碗，两碗——加辣！"

那老头儿的动作非常熟练，不一会儿，便将两碗豆腐花盛
好。我和霍桑各接了一碗，霍桑便自顾自地喝着。我因为我们
的近边有两个中年妇人站在一个后门口闲谈，倒有些不好意
思。霍桑却毫不在意，装作很自然的样子。他一边吃着，一边
开始向老头儿搭讪：

"你每天可以卖多少钱？"

那老人已不再疑心，操着无锡口音答话：

"三四百个铜子。"

"够得到对合钱吗？"

"不到的。现在生意难做，酱油，麻油，都比以前加上一
倍，本钱大哩。"

"唉，生意的确很难做——这酱油的滋味倒不坏。喂，再
添一碗，重辣。"

那老头儿似觉得这主顾不坏，脸上现出高兴的神气。这添
的一碗，他竟特别讨好，比第一碗盛得更满。我也勉强吃了
半碗。

霍桑又说："你住在什么地方？"

"西门方浜桥。"

"唔，那边不是有一位先生叫你带一封信给那位甘小姐吗？"

那无锡老头儿万万想不到有这突如其来的问话，不禁震了一震。他突然抬起头来，向霍桑目灼灼地呆瞧。

他摇头说道："我不知道你说些什么。"

霍桑仍带着笑容，低声说道："老朋友，你用不着瞒我，我已完全知道。你给他送信，今天已不是第一次。我们还是老老实实地讲。我并不想难为你，只要你肯告诉我那个托你寄信的人的姓名，我就谢你十块钱。"

"重赏之下，必有勇夫"，这话有时也不灵验。那老头儿仍咬紧了牙关，答道："我完全不知道。我不曾给什么人送过信。"

"喂，你再想一想，他叫你送信，给你多少酬报呀？我想不见得怎样多。现在我告诉你，你这送信的差使也不能再干下去了。你只要说出了他的姓名，就可以平平安安地拿十块钱，以外的事都与你不相干。"霍桑说着，便放了碗摸出皮夹来，拿出一张十元的钞票放在他的担上。

那老头儿瞧瞧霍桑，又瞧瞧钞票，意思上似有些活动，可是经过一会儿思忖，他仍摇着头不肯说话。

霍桑又说道："你须明白，我现在和你商量，完全是顾怜你这种劳苦的小贩。倘使你不明白我的好意，我将你带到警察局里去，那就不怕你不说。那时你不但没有钱拿，还不免要吃连带的官司。"

那老头儿的嘴唇有些发颤，两只油腻的手用力交搓着，却仍呆住了不说。我觉得在这情势之下，似乎不能不用些压力。

不过他在这件事上，至多只贪了几个钱，并没有直接的关系，要是凭空连累他，委实也有些不忍。

霍桑依旧温和地说道："你快说吧，我不能多等。否则，你不能怪我，我只好去喊岗警了。我知道你身上还有甘小姐的一封信，你一到警察局里去，要赖也赖不掉。"

这句话又使他怔了一怔，他的右手不自觉地向那件油光光的黑布袄的胸口袋上摸了一摸，又急忙把手缩住。他的眼珠转了一转，经过了一度利害的考虑，便终于屈服了。

他说道："你只要知道他的姓名吗？"

"是的。"

"他叫华济民。"

"华济民？做什么事的？"

"你说你只要知道他的姓名啊。"

"姓名和职业，总是有连带关系的。你多说一句，也没有出进。"

"他是当西医的。"

我认为这答话一定没有疑问，因为我们早假定这人是一个懂得心理学的新人物，西医恰合这个资格。我又记得这名字似乎很熟。

我不禁插口问道："唉，他是不是住在小北门口？"

那老头儿回脸来瞧瞧我，哭丧着点点头。

霍桑道："好，现在你可以把钱收好。我们的交易已经完啦。"他又拿起了碗吃着。

这时候小弄中那两个闲谈的妇人中的一个，忽然拿了一只碗走过来买豆腐花。我为掩饰起见，喊了一声"添一碗"。那老人用着敏捷的动作收好了钞票，又忙着盛豆腐花。一会儿，那妇人拿了碗回到屋子里去，我们更清静了些。霍桑似觉得这交涉非常顺利，便企图再进一步。

他又说道："老朋友，我们再谈一种交易。你把胸口袋里的那封信给我瞧一瞧，我再给你两块钱。"他又第二次放碗，开他的皮夹："你放心，这封信我只要瞧一瞧，仍旧可以还你的。"

这一次虽非重赏，交易却比前一次顺利得多。他毫无疑惑地从里面衣袋中摸出一个淡蓝色的西纸信封来，不过他拿着信封并不脱手，只把信面给霍桑瞧。那信面上只写着"济哥收"三个字，它的内容当然瞧不出。

霍桑道："你把信给我，我决不拆坏，瞧一瞧就可还你。"他说着不等老头儿同意，便伸手将那信引渡过来，随即从袋中拿出小刀。他喃喃地说："伊封口时似乎非常急促，并没有粘牢。"他用刀尖略一剖割，信封盖立刻打开。信封里面有一小方白纸，只写着十九个钢笔字，字迹很潦草，下面附加着单字的具名：

　　他死了，法官已验过，情势严重。信已找着，余后详。

　　　　　　　　　　　　　　　　　　　　　　芸

霍桑瞧了一瞧，便照样折好，重新将信笺纳入信封里面，交还给那卖豆腐花的老人，顺手拿起那只还剩一半的豆腐花碗。

他说道："你收好了，拿些糨糊封一封。这封信你打算什么时候送去？"

老人看见霍桑的举动果真诚实不欺，他的眼睛中也露出了

信任和感激的神气。他将信重新放入他的胸口袋中。

他答道："我不送去的。因为华先生说不定什么时候在家，这信必须他亲自接收，故而他总是自己到我家里去拿的。"

"那么，他平日在什么时候到你家里去？"

"总在我回担以后，时间却不一定——有时在七点过后吃夜饭的时候，有时却迟到夜里十点钟。因为他总要等出诊回去，才到我家里向我要信。"

"他们俩天天有信的吗？"

"是，差不多天天有信。他将信拿去以后，有时在当夜，有时到下一天早晨，再给我一封回信，等到下半天，我把那信带给甘小姐。"

"你住在方浜桥几号？"

"十七号，老虎灶隔壁。"

霍桑点点头，又放下了他手中的空碗："好，我们走啦。不过我有一句忠告，今天你幸亏遇见了我，否则，你的冤枉官司不知要吃到哪一天才会出头。以后你应规规矩矩做生意，不可再贪这种小利。今天晚上他来拿信的时候，你可把这信交给他。他如果再有信给你，你应立即拒绝。你对他说甘家里已出了命案，你不能再给他送信，他也决不能强迫你送的。别的话你可以一概不谈，那就没有你的事。你明白吗？"

那老人拱着两手，感激地说道："多谢先生，多谢先生！我一定照办。"

霍桑点点头，便首先走出小弄。我跟到外面，想要问他怎样进行。他忽自言自语地说话：

"这个老头儿怪可怜，我虽破费了些功夫，又花了十二大元，却免除了一个无辜人的连累。我的良心上倒很觉安慰。"

我道："但那封信明明是重要的笔据，你怎么轻轻放过？"

霍桑仍向花衣路的北口行走，一边答道："这个没有问题，迟早终要到我们的手里的。我已拟定了进行的计划。我们回寓去细细地谈吧。"

## 强盗！强盗！

回寓以后，我一时竟没有机会和霍桑谈话。他忙着吩咐苏妈提早预备夜饭，又打了一个电话给汪银林，汪银林却不在厅里。接着他又忙着洗澡换衣，直到天快断黑，他方才下楼。他又拿下了一件自由呢的长袍叫我更换。我问他换衣的目的，他笑着给我解释：

"时间很局促，我不能细谈。我们今天夜里要尝一回普通生活的滋味，去喝一碗老虎汤。你这样子装束，当然不相配。"

"老虎汤？"

"那就是到老虎灶上去喝茶，三个铜子一碗，顶便宜。快换衣裳吧。"

我才知道他还要到卖豆腐花的无锡老人那边去，便依了他的话，赶紧换好衣服。苏妈已预备好夜饭。霍桑在吃夜饭时又不肯开口，我仍没有发问的机会。夜饭完了，霍桑又叫我打一个电话到龙大车行里去雇一辆汽车。我的电话刚打罢，汪银林的电话却跟着来了。霍桑便从餐室中赶出来。

他说道："包朗，汪银林吗？让我来接。我正要找他。"

我就把电话听筒授给他，站在旁边静听。

霍桑应道："是的……唉，检验医官已宣布是被杀吗？这一点现在已没有问题，宣布了也不妨……唉，唉……他说些什么？……你就打算拘捕伊？……唉，这个……也好，听你的便好啦……我现在要从另一方面进行，最好你立刻给我弄一张搜查的公文来，我不能不借重些法律的力量……倪金寿？好，我们在方浜桥十七号隔壁老虎灶上等他。"

霍桑挂断了电话，才回头来给我解释："汪银林已将那个厨子张阿三拘住了。他曾在阿三的卧室中搜查，查见他的桌子抽屉里有两盒金驼牌纸烟，烟丝粗而黑，和我们在汀苏床脚下找得的烟尾相同，故而就将阿三带回厅去。但阿三只承认今天早晨吃粥以后，丽芸曾叫他到楼上去过一次，别的却不肯招认。现在汪银林打算将丽芸一并逮捕，特地来征求我的同意。"

我问道："阿三可曾说丽芸差他上楼去干什么？"

"他还不肯说，只承认伊叫他上去瞧瞧汀苏是否还在楼上。据他说那时他瞧见房里没有人，便下楼去回报。"

我道："这明明是谎话。我看这阿三也许就是实行动手的工具。"

霍桑点点头："我也有同样的见解。其实只要我们抓着了这案中的主角，主角一说真话，阿三的牙关自然也咬不紧。"

他又奔到楼上去拿了一支手枪，也同样穿了一件黑布袍子，便急匆匆拉着我出门。不料我们刚要上汽车的当儿，又来了一个意外的打岔，那杨春波忽乘着汽车赶来，我们不得不站住了和他招呼。

杨春波郑重其事地说："霍先生，我告诉你，今天在甘家时，那位汪侦探长似乎怀疑着我，我倒反蒙着'热心肠招是非'的危险。我为了洗刷自己的嫌疑，今天我也奔走了一天，现在……现在我报告你一个消息……"他忽又顿住了，呆瞧着霍桑和我发怔。

霍桑婉声问道："说啊，什么消息？"

杨春波张开了嘴，却又发不出声。末后他勉强说："那丽芸……"

霍桑仍忍耐着说："丽芸？丽芸什么？快说啊！"

杨春波睁着眼睛，下了决心似的说道："我相信汀荪的死如果真有什么疑问，那一定是丽芸弄的诡计！"

霍桑皱着双眉，有些不耐的样子，答道："那么，这不是消息，是你的推论啊。春波兄，我现在没有工夫。你如果有什么真实的消息，快说为妙，否则，你若要和我讨论你的推论，那只能请你改日光临了。"

杨春波忙道："我真来告诉你一个消息。我知道丽芸的未婚夫褚星六已在提议和丽芸退婚，但丽芸的父亲还不肯赞同。因此，我们可以推想丽芸势必会想到定是汀荪宣布了伊的丑史，才会有这一回丢脸的事。伊因为怨恨汀荪，或许就——"

霍桑又挥手阻止他的议论，接嘴道："好啦，我明白了，现在我还有事。我可以告诉你，汀荪果真是被谋杀的，但丽芸是不是主谋，我们也还不知，不过不久就可以见分晓。你现在不用着急，别的话改日再谈。"

我们跳上汽车，马上向西门方面行进。我才捉住了一个谈话的机会。

我道："我看各方面的情势现在都已集中在甘丽芸和华济民二人的身上。对不对？"

霍桑点点头，并不答话，我当然还不能就此满意。

我又道："你想刚才伊写给华济民的那封信，可能就算是伊犯罪的证据？"

霍桑想了一想，方始答道："这封信很含混，尤其是第一句'他死了'三个字。我委实捉摸不定。"

"这很像是报告他们的计划已经成功。是吗？"

"是的，很像，但语气还欠确定，不能算是直接谋杀的证据。还有，伊所找着的是什么信，我也推想不出。"

"伊还有情势严重的话。"

"不错，但这也可以算作检察官宣告谋杀和阿三被捕的报告。"他略一沉吟，"这封信的语气实在非常含混。不过这闷葫芦也许今夜里就可以打破，你暂时耐一耐吧。"

他把背靠着车座，又恢复了静默态度，他的眼光不时向车厢外探视，显得他心中也和我一般的焦灼。

我们到方浜桥口下车的时候，已经七点半钟。霍桑向司机吩咐了几句，便领着我沿着朝北一排的屋子行进。我们走过了六七家门面，便瞧见那瘦长身材的副探长倪金寿，站在一爿只卖熟水不卖茶的老虎灶门前。霍桑和倪金寿打了一个招呼，便低低地告诉他我们今夜的计划。

他道："我们现在要等一个人到十七号里去拿一封信，然后再跟着那人同去。我本以为这老虎灶同时卖茶，我们可以歇一歇脚。现在却不得不变计了。我们不能集中地站在一起，免得引人家注目。金寿兄，你已到了多少时候？可曾见一个穿西装的人到十七号里去？"

"没有。我到这里不过两三分钟。"

霍桑又道："好，你们且站开，我进去问问。我想他不至于已经来过。"

霍桑走进那十七号小屋里去时，我和倪金寿就一东一西地向两面散开。我走过了几家门面，还没有站住，回转头去一瞧，忽见霍桑已急匆匆地退回来，奔到了街上。他一边挥手向倪金寿招呼，一边向我停留的所在奔过来。

他带着惊骇的声浪向我说："我们给杨春波耽搁了！他已经来过，信已拿去，幸亏还只一刻钟光景。我们赶快去！"

我道："到他的诊所里去？"这时倪金寿也赶到我们的面前。

霍桑点头道："他的诊所就在近边。但我们必须想一个近身之计，然后才能随机应付。包朗，你到门口时，暂时装作病人的样子。金寿兄，你可装护持病人的人，我先进去接洽。无论如何，我们赚进了门再说。"

我暗忖这一着真是未免失策了。霍桑的本意，大概要等那华济民到这无锡老人家里去拿信时，当场把他捉住，然后从他身上搜出那封丽芸的信来。不幸因着杨春波的耽搁，错过了时机，现在这封信既已落到了华济民的手中，拿回来自然有些困难。我们走到了停着的汽车面前，就急急上车。霍桑向司机挥一挥手，那汽车立即向小北门驶去。不到两分钟，汽车已停在小北门口。霍桑先下车去瞧了一瞧，便回头来低声向我说道："你们下来。包朗，你要扮演起来了。金寿兄，你护持他的左臂，我来护持他的右臂。"

我就闭了眼睛，低着头，被霍桑和倪金寿左右扶着，在水泥的人行道上行走。我只觉得走了六七步路，忽听得霍桑嘴里发出低低的惊呼，接着他又拉我急走。

霍桑提高了声音，呼道："唉！华医生，请慢一步！这里有一个病人，要恳求你诊一诊。"

我的眼睛虽依旧闭着，耳朵却并没有装聋的必要。

一个本地口音的人说道："此刻我不看病了。你们明天来！"

"唉，好先生，他患的是急症！请你做做好事！慢一步出去！"

我才知那华济民大概刚要出去，却被霍桑在门口阻住。这时我觉得霍桑已扶着我走上阶石，似乎不等华医生的许可，便自动地进门。

"唉，你们不要进来，我没有工夫！"

"你救救他的性命吧！好先生，请你给他诊一诊，我们立刻就走。"

"你们可以到那边福民医院里去。"

"我们只信任华医生你啊！"

其实这时候我们早已进门，我的脚非常明白。我在地板上走了三四步，便又停住，我才偷眼瞧瞧。一个穿藏青夹细白条哔叽西装的人，正背向着我，用钥匙在开一扇诊疗室的门。我索性向门外瞧瞧，有一辆克罗米轮子黑漆的新包车，停在水泥人行道下面，车上的两盏水电灯正闪闪发光。一会儿，我又被挟进了诊室，"括"的一声，电灯开亮了，同时有一股药味直刺我的鼻管。我坐到了一只椅子上，倪金寿和霍桑方才放手。

那医生勉强问道："他生的什么病？"

霍桑答道："中的烟毒。"

"鸦片烟？你可知道服了多少？"

我觉得他的手摸到我的眼睛上面，开始用手指翻开我的眼皮，我却仍紧紧闭着。他的手又来诊我的脉搏。

霍桑答道："我想他一口气吸了三支。"

"三支？三钱吗？"

"白金龙！"

"什么？三支白金龙？"

"是啊！他中的纸烟毒，不是鸦片毒！——包朗，你的眼睛张开来吧！免得华医生费力啦！"

这命令我自然立刻遵从。我张开了眼睛，骤然间见了灿亮的电灯，眼睛略略有些昏花。这是一间诊室，收拾得非常整洁，除了许多诊察的用具以外，还排着一口药橱，一只书桌和几只客椅茶几。那华济民正站在我的面前，年纪似乎还不到三十，生得美秀不俗。他的脸儿带些圆形，嘴唇红润，眼睛上戴着一副玳瑁边眼镜，眉毛却稀薄而狭长，略略带些女性型。他额顶上的头发也不浓厚，似乎已开始秃落。他的手从我的手腕上缩回去以后，忽交握着靠在他自己的腹部。他的眼光在我们三个人的脸上转来转去，显示他心中的莫名其妙。

霍桑婉声说道："华先生，请坐下来。我的朋友不过多吸了两支纸烟，一时有些眩晕。我说他中毒，当真未免小题大做。抱歉得很。"

那少年旋转头去瞧着霍桑，诧异道："那么，你们进来做什么？"

"我们想借你的诊室歇一歇脚。"

"歇一歇脚？笑话！这里是歇脚的茶馆酒铺吗？快出去，我没有工夫。"

霍桑仍安闲地说："好，但你此刻不是要出去吗？"

华济民厉声答道："是，快走！"

"到哪里去呀？"霍桑仍笑嘻嘻地并不对抗。

"这不干你们的事！"他的语声已含着显明的怒气，他的薄而红润的嘴唇也紧闭了。

霍桑仍赔着笑脸说道："华先生，别发火。我好意来通报你一声，你现在如果要到花衣路北面的小弄里去，那是非常危险的哪！你万万去不得！"

这句话一发，华济民的态度顿时发生变异。他交握的两手立即放开，十个手指完全伸直，电灯光照在他的脸上，显得他的嘴唇张开，面颊上的健康颜色霎时间也已消灭不见。他的眼睛里也有一种骇光从镜片后面透出。他走到书桌面前，把身子靠在桌边上定一定神。他向我们三个人再端详了一下，才勉强向霍桑问话，可是他的声浪却已带些颤动：

"你们是什么人？这……这话有什么意思？"

霍桑早已坐在我的旁边的另一把椅子上。他安闲地摸出纸烟盒来，慢吞吞地擦火烧着纸烟。倪金寿也坐下来。

他缓缓答道："你还不明白我的话？我想我们为经济时间起见，还是少说废话的好。我们来报告一个消息，你的计划已经成功，那甘汀荪已经死了！"

我明明瞧见华济民的身子震了一震，如果他的身子不靠着书桌，两只手也不向后撑住，说不定会跌倒或倒退。他顿了一顿，才定了主意似的沉着脸答话：

"真奇怪！你们说些什么，我完全不懂。我不知道甘汀荪是谁？"

"那才太奇怪啦。你即使是贵人健忘，可是那一掴之仇，总也不至于完全忘掉啊。"

"呸！你们想要敲诈我？哼！你们的眼睛简直是瞎啦！"

霍桑道："华先生，我猜想你的时间也跟我们一样很宝贵。你何必说这种绕圈子的废话？我想你还是知趣些，大家开诚布公地谈一谈，那倒还有商量的余地。"

他仍厉声道："商量什么？快滚出去！我不认识你们。"

倪金寿有些耐不住的样子，站起来说道："霍先生，这个人太不识相，我们犯不着和他斗嘴，不如就痛快地将他——"

霍桑也立起来，点点头应道："好，那么，我们先找些印证的东西。包朗，你把书桌的抽屉抽开来，瞧瞧有没有可以对笔迹的文件……唉！书桌上不是有一本印姓名的信笺簿吗？瞧，那白色的纸不是相同的吗？……唉……笔筒里还有一支红墨水的毛笔。华先生，你也太轻意了！画符用的纸和笔，怎么可以随便放在外面？"

我立起身来，刚要向书桌面前走去，抽开那抽屉。那华济民忽而抢在前面，奔到药橱旁边的电话机面前，伸手握住了电话听筒，做出一种无聊的示威举动：

"你们想搜劫我的东西吗？你们简直是强盗！快出去，否则……"

霍桑仍冷冷地答道："否则怎么样？打电话报告警察厅吗？这又何必多此一举？我来给你介绍。这一位就是副侦探长倪金寿先生。金寿兄，你身上不是带着搜查公文吗？"

华济民呆住了。他的眼睛瞧着倪金寿从衣袋中摸出来的一张公文，他的手依旧搁在听筒上面，倒有些放不下来的样子。我早已走到书桌的抽屉面前，抽屉都锁着。

我问道："钥匙呢？"

那少年医生的神经不见得怎样坚强，似乎经不起惊吓。起先他一味无理性地抵赖，这时却仍呆立在电话机面前，那只右手依旧尴尬地把握着听筒，不动也不答，面色却惨白得可怕。

霍桑又婉声说："华先生，你须明白些。你所干的事，我们都已知道。"

这少年已浑身发抖，放下了电话听筒，忽从齿缝中迸出声音来答道："胡说！我干了什么事？"

"你自己总知道，何必再问我？现在有两条路：第一条路就是我刚才提议的，请你自动将经过情形开诚布公地谈一谈；第二条路，那不能不委屈你暂时做一做被动的人了。"

"混蛋！你竟信口乱说！我不知道什么，也不曾干过什么！"

霍桑皱着眉毛，也有些着恼的样子，发令道："好，金寿兄，包朗，你们抓住了他的两只手，让我先搜一搜他的身上！"

倪金寿的举动比我更敏捷，他蹿前一步，便抓住了华济民的左臂。我正想同样地捉住他的右臂，他忽握着拳头向我的脸上猛击过来。我把头一偏，身子一蹲，乘势捉住了他的拳头。他的两手虽失效用，两只脚便代替着活动，向前乱踢，使霍桑不能近身。霍桑忽也蹲下了身子，捉住了他的右脚，挟在他的左臂下面，一刹那间他的右手便迅速地摸到了这少年的哔叽外褂的胸口袋里。这少年医生忽像一只被捆缚的猪，挣扎不脱，便高声乱喊：

"强盗！——强盗！——阿林，快来！快来！"

霍桑失望道："唉！这袋是空的，包朗，你分一只手到他的背后的裤袋里去摸摸。"

我觉得他的右手很有力量，我一只手倒有些管束不住。正在这挣扎的当儿，那等在门外的包车夫阿林，果然奔进来瞧视。但他见了我们一共有三个人，似乎自知敌不过，不敢动手，立即退回出去。这时倪金寿却已腾出了一手，摸进了华济民的背后的裤袋里去。

我听得包车夫在门外喊叫："警察，警察，这里有强盗！"

倪金寿已摸出了一只皮夹，向地板上一丢。霍桑放了华济民的右脚，旋转身子从地板上将皮夹拾起，急急翻开来瞧了一瞧，便发出惊喜的呼声：

"唉！在这里，这一封就是丽芸写的信！……唉！这里还有一张记衣账的片子：'薄花呢西服，二十九元。'这个'衣'字'花'字'九'字，都和信封上的字迹相同。够了，够了……唉！好极，警察先生来了，那倒可以省掉我们的麻烦。"

有两个警士，已奔到诊室门口，各执一支手枪，凝注着我和倪金寿，装出一种示威的姿势。那个包车夫阿林，也跟在警士的背后。

一个警士问道："谁是强盗？"

倪金寿接嘴道："弟兄们，这不是强盗，这是个杀人嫌疑犯。我是副探长倪金寿。"

内中有一个警士，忽把手枪移到左手里，赶紧用右手接着帽子上的鸭舌，行了一个举手礼。

"倪探长，我认识你。"

"那很好。你就把他带到署里去，请署长立刻转解总厅里去。喂，这个包车夫应一起带去。"

警士们的枪管立刻变换了方向，一个凝注着华济民，另一个便就近抵住了阿林的胸口。我和倪金寿放手以后，那华济民竟不再挣扎，他呆木木地站着，他的理智似已恢复了常态，领悟到再行乱挣，不会占什么便宜。

霍桑将拾起的皮夹交给倪金寿，说道："金寿兄，这信暂时由我保管，我想妥当些，你还是押着他们同去。外面有汽车等着，你们尽可以坐了去。这屋子也得派一个弟兄看守。"

倪金寿接受了霍桑的提议，我和霍桑就先从诊疗室出来。门外的石阶上已围集了一大群人，我们好容易从人群中穿到外面。霍桑向司机接洽了一声，我们便雇了黄包车往警厅里去。

## "好！我说实话"

这时已八点半。我觉得这件案子进行虽然顺利，但真凶是谁，究竟还没有查明。华济民和甘丽芸的关系固然已经证实，但要他直截供认，大概还要费些周折。一刻钟后，我们已进了警厅，一直走进汪银林的办公室去。一阵浓烈的雪茄烟臭味，先过来迎接，却刺鼻难受。汪银林正衔着雪茄，交抱着双手，在室中乱走。

他瞧见了我们，站住惊喜道："唉！霍先生，包先生，请坐，请坐。你们进行得怎样？可顺利吗？"

霍桑在一只安适的藤椅上坐下，答道："总算顺利。你呢？"

汪银林举起左手搔搔他的头皮，皱着眉毛说道："这女子真刁难，什么都不承认。我真苦于没有办法。"

霍桑笑嘻嘻地说道："我早对你说过，凭空抓来了，原是没有办法的。现在你也不用担忧，办法在这里。"他从衣袋中摸出一封信来，交给汪银林瞧："这封信就是甘丽芸写给华济民的，我们刚才从华济民的衣袋中搜出来。你且瞧瞧。"

汪银林接过信展开来瞧了一瞧，忽而惊呼道："唉！伊真厉害！这东西可以算是伊行凶的铁证了！伊却还咬紧牙齿，一味狡赖。"

"现在有了这一封信，情势似乎已有些不同。我想你等一等再把伊请出来谈谈，或许可以得到更好些的结果。"

汪银林点点头，便把那信摊开在书桌上，伸手按了按电铃。一会儿，有一个听差开门进来。

汪银林吩咐道："把刚才的那个女子带进来。"

霍桑乘这个空闲，就把他侦查的经过，简略地向汪银林说了一遍。

汪银林沉吟了一下，说道："既然如此，那卖豆腐花的老人尽可做一个证人。"

霍桑道："不错，但像这种做小本生意的人，委实吃苦不起，如果没有必要，我想用不着牵累他。"

一会儿，甘丽芸已姗姗地走进汪银林的办公室来。伊虽不曾穿着高跟皮鞋，但伊走路时的婀娜的姿态，倒也很美。伊仍穿着那件黑素绸夹顾袍，电灯光中，照见伊的脸色越发惨白。伊向我们三个人瞧了一瞧，并不招呼，低头站着。

霍桑忙立起身来，将一把椅子移到伊的近旁。他说道："甘小姐，请坐。"

伊略一踌躇，果真坐了下来。霍桑也回到他的原位，恰和伊对面。我坐在霍桑的旁边。汪银林坐在他的书桌后面，距离上比较，最远。

霍桑先婉声说道："甘小姐，我老实告诉你，事情既已闹到如此地步，你还是据实而说的好。你现在能不能开诚地和我们谈一谈？"

伊顿了一顿，摇摇头答道："我不知道说什么。我所知道的事，早晨已经告诉你们了。"

霍桑仍带着笑说道："甘小姐，你须知道，此刻不是一味抵赖的时候了。你所干的事，大部分我们都已知道，况且还有人证物证。你如果明白利害，能够爽爽快快地告诉我们，那么，我们也许可以原谅你的处境，给你设法。否则，你不但害你自己，而且还要牵累好几个人。你再想想，你这样的态度，可能算聪明吗？"

伊仍低着头沉吟，摸出白巾来抿着嘴。一会儿，伊答道：

"你可是说阿三？他牵累了我，不是我牵累他。他完全瞎说。"

霍桑忙接嘴道："阿三固然不足惜，但你怎么对得住那个卖豆腐花的老头儿呢？"

伊一听这句，不期然而然地抬起头来，一双惊恐的眼睛向霍桑瞧去。

霍桑似没有瞧见，仍自顾自地说道："还有那位华医生，此刻也处在很危险的境地啊。"

伊突然抬起头来，惊诧道："什么？华医生？"

霍桑点点头道："是啊！就是你叫他'济哥'的华济民医生！"

"他！……他吗？……唉，我……我不认识他！"

汪银林拿下了口中的雪茄，不耐烦地用拳击着桌子："喂，你的话也太没有意思了。你自己瞧吧，这不是你写给他的信？"

这几句话，在那女子的耳中，仿佛有一个晴空的霹雳似的效用。伊的身子震了一震，随即把惊骇的目光向书桌上一瞥，伊又将白巾按住了嘴唇，浑身便都战栗起来。略停一停，伊忽又回头去瞧着霍桑，目光中似乎已没有敌对的意味。

伊颤声答道："唉，先生，这封信哪里来的？"

霍桑答道："那自然是华医生自己给我们的。"

"他……他现在怎样？"

"他也在拘留室里——我已说过，他的地位很危险。"

"为什么呀？"

"就因着他有谋害你哥哥的嫌疑。"

伊突地立起身来，乱摇着手中的白巾，伊的凝滞的眼光中忽而露出疯狂神气：

"不是的！不是的！——你们错了！"

霍桑仍婉声答道："我们错疑他了吗？好，但愿如此。不过你总得说一个明白才好。"

伊不住地喘着，仍提高了声浪答道："我哥哥是不是被人谋死，我不知道，但这件事和济民实在完全没有关系。"

"当真吗？好，现在你坐下来，定一定神。只要你的说话完全实在，他的危险立刻可以解除。明白些说一句，现在他的性命的安危，完全在你能不能说实话。"

伊用手按摩着伊自己的胸口，慢慢地重新坐下："好！我说实话！我说实话！"

伊的语气坚决而有力，伊的头也不再沉倒。我觉得这时候伊的情感完全为庇护伊的情人的观念所控制，似乎已准备牺牲一切。这时室中完全静寂。汪银林虽仍保守着旁观态度，但他的雪茄的烟雾已比较节制，脸上也不见了先前那种懊丧神气。

过了一会儿，伊就开始陈说伊的恋史：

"先生，我要说明这一回事，不能不从头说起。我和济民的相识，还在去年的冬尽春初，那时济民还在福民医院里当助理医生，不曾自立诊所。我患了肠痛，到福民医院去接受手术，后来就是他给我治疗好的。我们相处了四十多天，我觉得他很细心熨帖，便由友谊而发生了恋爱。我出院以后，他偶然到我家里去，和我在后门外立谈几句。因为我的父亲和哥哥都很守旧，我又从小许了褚家，故而我和他的交谊没法公开。上月二十七日的晚上，他又到我家里去瞧我，我和他在披屋中谈话，忽被我哥哥撞见，彼此几乎冲突起来。从此以后，他怕我再受委屈，就不敢再到我家里去。"

霍桑乘着伊略略休息的机会，立起来走到那铜壶旁边，斟了一杯热茶，放在伊面前的茶几上。那女子略略弯了弯腰，随即端起杯子来喝了一口，又用白巾抹抹嘴唇。

霍桑又婉声提了一句："从那时以后，你们就利用着那无锡老头儿做通信人，是不是？"

伊点点头："正是，这老人很忠心，从来没有失误过。不料昨天傍晚，他来的时候，我恰在房中换衣，一时不能出来接他的信。那时我哥哥恰巧回去，看见那老人手里拿着一封信，一边在后门口边高喊，一边向后门里张望。我哥哥把济民给我的信一抢，便走上楼去。等到我走出来的时候，那老头儿把失信的事向我哭诉。我自然着急，但也不敢向我哥哥去讨回。我哥哥到楼上去拿了什么东西重新出来，没有说一句话。但我觉得这封信既落在他的手中，心里实在不安，我昨夜的一夜，真急得没有睡着。"

"因着要找回这封信，你今天早晨才到他的卧室中去？是吗？"

"是啊。因为哥哥出外时，总是把房门锁着的，我没法进去搜寻。晚上他睡时虽不闩门，我却没有胆子进去。今天早晨莫大姐把洗脸水送上去以后，过了一会儿，还不见他下楼吃粥。后来我舅舅去了。我记得舅舅吃粥时，似乎曾听得楼梯上有走动的声音。我想我哥哥也许到近边去买什么东西，他的房门或许暂时开着。这是一个机会。我就差阿三到楼上去，瞧瞧我所料想的是不是实在。他上去了一趟，立刻下楼来报告，房门当真开着，里面并没有人。我就悄悄地走上楼去，房中果真没人。我先开了镜台的大抽屉找寻，发现了他的皮夹，皮夹中并没有信，却有一把钥匙。我就利用了这钥匙，开了另一只抽屉，翻了一翻，那封信果真藏在许多跑狗票的底下，竟还没有拆过。那时我非常欢喜，就重新锁好了抽屉，又将钥匙照样放在皮夹里面，急急回下楼来。我怕我哥哥发觉了要和我争吵，就躲在房里不敢出来，直到杨先生在楼上呼叫，我才到后院里去叫了莫大姐一同上楼……先生，这就是经过的事实，一句没有谎话。"

室中静了一静，汪银林把雪茄放下来，瞧瞧霍桑，眼光中带着疑问，似乎他对于甘丽芸的话还不敢深信，要取决于霍桑。霍桑脸上仍静穆如常，并无表示。据我的主观，伊的故事从逻辑上看，当真找不出什么破绽，故而我对于信和疑的两方面，信的成分倒居多数。

一会儿，霍桑又问道："你在什么时候差阿三上楼去瞧的？"

丽芸道："钟点我没有注意，但我记得那时候在舅舅出门以后，阿三才刚吃粥完毕。"伊略顿一顿，又仰面补充："先生，我还有一句老实话。阿三当真是吸纸烟的，那时候他大概衔着纸烟上楼，无意中却把烟尾丢在楼上。早晨时我怕肇出事来，故而代替着他说谎，这一点也要请先生们原谅。"

"阿三到楼上去耽搁了多少时候？"

"不久，至多一两分钟。"

"他下楼后怎样报告？你说得仔细些。"

"他说：'大少爷的房门略略开着。我轻轻推开了房门，向里面瞧瞧，不见他在里面。我又悄悄绕到床前面去，床上也空荡无人，我便马上下楼来。'他说的大概就是这几句话。"

"你听了他的报告，马上就上楼去吗？"

"是的，我上楼以后所见的景象，和阿三所说的相同。"

"那时候阿三在哪里呢？"

"他下楼报告我以后，就出去买菜的。"

"那么，你自己在楼上耽搁了多少时候？"

"时间很短。我心中非常着急，怕我哥哥上楼撞见。幸亏那封信，我一找就着。我想前后不过五六分钟。"

"那时候卧室中有没有异状？"

"完全没有。"

"那两扇通厢房的画窗，开着还是关着？"

"这个……我没有细瞧，但大概是关着，否则我当然要瞧到厢房里去。"

霍桑交握着两手，凝注了目光，沉吟了一下，似在思索其他的问题。一会儿，他果然继续发问：

"那么，你从楼上抽屉里找回来的信，此刻可在你身上？"

"不，这信我已藏在我卧室中的箱子里。"

"信上说些什么？你还记得吗？"

丽芸的头忽又低沉下去，那块有着遮羞压惊双重作用的白巾，又一度在伊的口鼻间活动，似乎这问话伊又有些难于回答。

霍桑催着道："你尽说不妨。我相信这里没有顽固的十八世纪的古董先生。我们也是主张恋爱自由的。即使这封信关系恋爱问题，你也用不着顾忌。"

伊缓缓摇着头，答道："不是这个。这封信是济民安慰我的——关于我的退婚问题。"伊的头又沉到了伊的胸口，手中拿着的那块白巾又按住了伊的嘴。

"退婚问题？哪方面提出的呢？"

"褚家提出的。那位姓方的媒人曾和我父亲谈过一次，我父亲却认为这是耻辱的事，不肯赞成。"

"退婚的理由是什么呢？"

伊踌躇了一下，答道："我不知道，他们似乎不曾说出什么理由，但据我父亲料想，一定是我哥哥去搬了嘴舌。在二十七日那天早晨，我父亲因此将我大骂一顿。我把这回事写信告诉了济民，所以济民这一封回信都是些安慰的话。他说退婚并不算羞辱，反而可以成全我们的愿望。他叫我对于父亲的责骂暂时忍耐。"

"信上可有关于汀苏的话？"

伊又疑迟了一下，才道："有的，他说我哥哥若能出去，我们的前途便可减少一种障碍。"

"出去？这话什么意思？"

"我哥哥本来要搬出去住，只是父亲不肯。济民曾因此画了几张游戏性质的符，希望他实践他分居的志愿。"

霍桑疑讶道："唉！那几张符的作用，就要使你哥哥搬出去？我倒有些不懂！"

丽芸解释道："我哥哥很迷信。济民听到他有分居的提议，便利用他的迷信的心理，写了几张符寄给他，使他不能安居，以便他早一天搬出去住。我哥哥接信以后，当真又向我父亲商量分居，可惜我父亲仍固执不答应。先生，请不要误会。他寄符的目的，只是游戏性的恐吓，并没有其他作用。"

"那么，我们在他枕头底下所发现的那张'三日死'的符，你可知道是什么人接到的？"

"我不曾留意，大概昨天早晨哥哥出门时自己接到的。"

问答的声浪到这里又暂时停顿。汪银林似不耐枯坐，便立起来在室中踱着。霍桑也摸出了纸烟，默默地吐吸。那女子仍静悄悄坐着。伊的两手放在膝上，眼睛却在霍桑脸上瞟了几瞟，似在偷偷地探测霍桑的心思。

一会儿，霍桑又婉声问道："你还有什么别的话要告诉我们？”

伊摇头道：“没有了。我所知道的事，已完全说出来了。”

“你再想想，有没有遗漏的地方？”

“当真没有了。你们若要问关于我哥哥被害的事，我委实完全不知。”

霍桑点点头：“好，你的话假使完全实在，那么，我们可以相信你在这件事上当真没有直接的关系。不过那位华济民先生，却还不能一律而论。”

伊又突然抬起头来，电灯光直射在伊的灰白的脸上，那先前的惊惶的神气，又一度在伊的脸上显露。

伊高声道：“为什么？他也同样没有关系的啊！”

“你似乎没有说这话的资格。因为他的举动你还不曾完全知道，你当然也不能保证他在这凶案上完全无关。”

“他还有什么举动？”

“据我们所知，他在今天清早曾悄悄到过你家里去。这一点你既不曾告诉我们，显见他这举动你还不知道哩！”

办公室的门上有叩击声音，霍桑的谈话不得不暂告一个段落。

## 两个矛盾点

那推门进来的就是副侦探长倪金寿。他向我们招呼了一下，便报告那华济民已经解到总厅。

他先向霍桑瞧瞧，又瞧着汪银林，说道：“他到了西区署里，态度已完全改变了。他显着恐怖状态，说话时吞吞吐吐，浑身发抖。现在他虽还不肯承认，其实他的声音状态，已明明白白地告诉人，他是这案中的凶手！"

汪银林很有把握似的接口应道："对，现在不怕他不承认了。你去把他带进来。"

倪金寿正要回身出去，霍桑忽举起右手来阻止：

"金寿兄，这位甘女士的话已完毕了，你顺便陪伊出去。"

那女子忽也颤巍巍地立直了身子，模仿着霍桑的举动，举着执白巾的右手，阻止倪金寿的行动。

伊大声说："唉！且慢，我果真还漏掉了一节，现在我记起来了。我情愿告诉你们。"

倪金寿停了脚步，旋转头来瞧伊，又瞧瞧霍桑，他的右手却仍握在门钮上。

霍桑说道："你漏掉了一节什么？"

丽芸答道："济民在今天早晨，当真到我家里去过。"

汪银林忽冷冷地作讥讽声道："你的记性未免太坏了！这样一件重要的事情，又发生在今天早晨，你刚才竟会忘掉！"

我也觉得伊的漏掉的话，明明是托词，伊分明还想隐藏什么，并不曾和我们开诚布公。因此，我就连带地怀疑到伊刚才的一番口供，也未必完全实在。

霍桑说道："好，你且坐下来说。金寿兄，你也暂且坐一坐。"

那女子静了一静，开始说道："今天早晨，我父亲出门后不到三四分钟，济民当真来瞧过我。"

霍桑问道："有什么事？"

"他昨夜里听了无锡人的报告，知道他昨天给我的一封信已被我哥哥抢去。他也有些着急，故而一早赶来瞧我。我告诉他信还没有拿着。他因着信上的笔迹，或许会被我哥哥比认出来，惹出意外的纠纷，故而叫我想一个方法把这信找回来。后来我到楼上去搜信，一半也就因着济民的惶急不安，才冒险去搜寻的。"

"他在什么地方和你会面？"

"在后门口的披屋里。"

"他耽搁了多少时候？"

"不多，不多，他谈了几句话就走，不过三四分钟。"

"只有三四分钟？那时除你以外，可有别的人瞧见济民？"

"没有，苏州妈子正出去泡水了，莫大姐在后院里洗衣，阿三和我的舅舅哥哥都还没有起身。"

"那么，你们这种晨会可是天天举行的？"

"不，他已好久不到我家去。我已说过，今天早晨，他是为着那封信特地来的。"

"既然如此，他来的时候，你不见得会预先守在门口。你怎样知道的呢？"

伊的手指在搓捻那黑绸顾袍的钮子，低着头，又有些疑迟的样子："他……他自己进去的。他见后门虚掩着，便走进披屋，直到后面的小天井里。"

"唔，当真？说下去。"

"那时我恰巧在客堂里，瞧见了他，就走出来领他到披屋里去。"

"唉，他竟能自己进去？他竟如此胆大，不怕撞见别人吗？"

伊的头又沉倒了，将白巾掩住了嘴，似在考虑答语，一时却说不出。

汪银林冷笑道："你想再制造几句骗小孩的话，来哄骗我们吗？"

伊忙摇头道："不，我说的完全是实话。不过……唉，我现在也不必顾忌什么，索性说穿了。我和济民的事，莫大姐和吴妈都知道的。济民知道我父亲天天一清早就出来，那时候我哥哥也绝不会起身，故而他敢直闯进去。"

霍桑点头道："原来如此。但今天早晨他进门时既然没人瞧见，事实上尽可以悄悄地先上楼去。当你瞧见他在天井中时，或许他已经从楼上下来——"

伊不等霍桑说完，忽举起执白巾的手用力乱摇："没有，没有。我瞧见他时，他告诉我才刚进门，后来他在披屋中站了一站，就回身退出。"

"但他如果把上楼去的事隐藏着不告诉你，不是也可能吗？"

"那也绝不会的。先生，他上楼去干什么事？我老实说，他是怕我哥哥的。"

汪银林一边用手指弹着桌子，一边冷冷地说道："假使他有了对付的东西，那就不会怕你哥哥了啊！"

伊旋转头来，挺直了头颈，昂起了伊的惨白的脸，把含怒的眼光向汪银林睁着：

"先生，你的话有什么意思？"

汪银林玩弄着那支夹在指缝中的熄灭的雪茄。他并不瞧伊，却瞧着书桌上那封展开的丽芸所写的信：

"我们知道以太的麻醉力很大，如果用一块浸透以太的手巾，悄悄地按在什么人的口鼻上，那人便会失却抵抗的能力。贵友今天早晨如果也带了这样法宝到楼上后，那就绝不会畏惧你的哥哥了。"

伊忽变了面色，厉声道："你不要乱说！他……他绝不会干这种可怕的事！"

汪银林不理会伊的剖白，仍自顾自地说道："但事实上，你哥哥是先被以太蒙倒，然后被人吊死——"

伊忽又抢口道："什么？他是被以太蒙倒的吗？"

"是啊！难道检察官还不曾公开宣告你哥哥致死的原因吗？你若问问霍先生，他就可以告诉你这以太的药理和效力。"

霍桑接嘴道："正是，令兄的确是被以太蒙倒的。今天早晨我曾亲自嗅出这蒙药的臭味。"

这时候伊失血的嘴唇忽完全张开，眼光停滞着不动，仿佛正瞧着什么远处。伊的手指也不自觉地开放了，那块白巾落在伊的膝上。接着伊的嘴里似发出低低的哎哟声音，伊的头随即沉到伊那起伏急促的胸口上。我虽不知道伊这种变态发生于哪一种感觉，但我不能不承认这里面一定含有深意。

霍桑忙追问道："唉！你有什么感想？你可以说出来。"

伊连连摇头道："没有，没有！我不知道。"伊说完了又拿起白巾，紧握着两手，低头静默。

汪银林又说道："现在已很明白，以太是强烈的蒙药，只有医生才知道利用——"

伊又发狂似的立起身来，大呼道："不是，不是，这话真是冤枉他了！今天早晨我看见他时，他的确刚刚从后门里进去。诸位先生，我求你们不要误会！"伊的语声中带着凄厉，几乎要哭出来了。

汪银林仍毫无怜悯地说道："他在见你以前，或者果真不曾上楼，但他在和你分别以后，或者他想到了他所写的那封信既已落在你哥哥的手中，当真有些危险，故而一转念间，他重新又回进后门，打算自己去拿回那封信。这一次他就直接上楼，不曾给你知道。那时你哥哥恰在洗脸，他就拿出——"

伊又乱摇着两手："不，不会！他如果再上去，吴妈或莫大姐一定会告诉我。"

汪银林道："那时候她们也许在后院里，或者在灶间里，故而没有瞧见他。"

伊的身子靠着书桌，又沉着目光想了一想，接着又连连摇头："不，我相信他绝不会干这种可怕的事。"

霍桑旁听了一会儿，连连打了两个呵欠，显露着些倦意。他又瞧着那女子继续发问：

"好，甘小姐，你再坐一坐，你既然确信这件事不是济民干的，那么，你想是什么人干的？"

伊不再听从霍桑的命令，依旧站在书桌前面。伊并不向霍桑瞧视，仍低垂了目光答话：

"我不知道。"

"你既然要给你的知己朋友辩护，解救他的危险，那你就得贡献些意见，使这件疑案有一个着落才好。'不知道'这句话，总不是彻底的办法啊！"

"我真不知道，我不能说什么。"

"那么，我来给你提示几点：譬如，你的舅舅高骏卿，你想可会有什么联系？"

"我……我不知道……他……他有什么目的要干这种事？"

"你父亲曾告诉我们，你舅舅和你哥哥前天夜里曾吵过一次。"

伊忽咬着嘴唇，又瞧着地板，静默不答。我暗忖这个高骏卿当真也是一个要角，我们已好久不曾提起他。在时间方面说，他若要干这一件事，可算比任何人都更有可能，因为在那假定的发案时候，楼上只有高骏卿和死者二人。

霍桑又催逼道："你再想想，他们的争吵，可能作为这一回事的动机？"

"我不知道——我想不会。"

"那么，他们因着什么争吵起来？"

"那……那是为了我退婚的事。我舅舅呵斥我哥哥不应多嘴，在外面搬弄是非，我哥哥便破口大骂，因此大家就闹起来了。"

汪银林向霍桑瞧着，接嘴道："今天下午三点十五分的特别快车，我已差杨宝兴到无锡去了，不过还没有回音。"

霍桑点点头，又向甘丽芸道："那么，你哥哥的朋友中间，除了那个杨春波以外，可还有什么人常到你家里去瞧他？"

伊想了一想，答道："不多，有一个姓蒋的和一个穿西装的姓盛的，也不时来往的。"

霍桑瞧着我道："他有一个债主叫蒋方绥。那借款的数目不是一千元吗？"

我应道："正是，还有那姓盛的，也许就是盛家森。汀荪也欠他一百元，并且他们曾因着借款打架过一次。"

霍桑点点头："这一点我还记得。"他又旋转去瞧那女子："这两个人最近在什么时候来过？"

伊答道："那穿西装的昨天早晨也曾来过，那时已九点钟，我哥哥还没有起床。他上去把哥哥叫醒了，然后一同出外。"

"今天早晨这姓盛的可曾来过？"

"没有——我不知道。"

"假使今天早晨他也曾来过，因着他进来时故意掩藏，故而你不知道。你想这也可能吗？"

伊想了一想，仍摇头道："我不知道。"

霍桑继续进逼道："这不是知道不知道的话，却是会不会的问题。"

伊低着头，用手绞扭那块白巾，伊的呼吸很急促，似感到非常困难。

一会儿，伊低声说道："我不能说，但也许是可能的。"

霍桑立起来又打了一个呵欠。他挺一挺腰，举起右手，在他的手表上瞧了一瞧。

他向汪银林道："时候不早了，我们的谈话也可告一个段落。我今天忙了一天，还不曾有过一刻钟的休息，我想先回去了。"

倪金寿也站起来说道："还有那个医生，你要不要再叫他进来问问？"

霍桑道："我已领教过一次，此刻实在再没有精神跟他做什么紧张的谈话。"他从日记簿中拿出了那几个怪符的信封和一张记衣账的片子交给银林。他又道："你们如果高兴，不妨叫他来再问一问。这些就是他的笔据。包朗，我想你的脊骨，或许也要感到酸痛了吧？"

我们走出办公室的时候，汪银林立起来送别。霍桑走到门口时站了一站，又郑重地向汪银林叮咛：

"银林兄，我想我很愿意见见那位高骏卿。杨宝兴把他找到以后，请你通知我一声。这位甘小姐的关系还轻，你似乎用不着拘束伊的自由。等你问过了那个华济民以后，假使伊没有直接的行动，你不妨暂时让伊回去。"

汪银林对于这个建议，忽紧蹙着双眉，脸上显明地表示反对，不过他向霍桑呆瞧了一下，终于点了点头，才和我们握别。这时霍桑忽有一种诡秘的举动。他向汪银林眨了眨眼睛，分明是一种暗号。汪银林却像不了解的样子，张大了眼睛向霍桑呆瞧。我也猜不出这暗号的用意。霍桑忽在甬道里走了几步，又旋转来向汪银林招招手，汪银林自然跟着过来。霍桑忽凑着汪银林的耳朵说了几句。汪银林默默地点了点头，唇角上也露出一些笑容。霍桑举一举手，才拉着我一同退出。

我们走出了警厅，霍桑才调笑似的向我说："包朗，你好好地回去吧。今天你即使请过假，时间上也一定不会请到这样子晚。你销假时如果有什么困难，我明天一定给你向尊夫人证明。明天见。"

我忙拉住他道："慢走，你别说笑话。请你告诉我，刚才你和汪银林说些什么？"

霍桑摇头道："话多哩，此刻我很疲倦，不愿再谈。你明天如果有兴，可以到我寓里去细说。"他举一举手，跳上了一辆黄包车，便向西而去。

这一夜我委实没有睡好。因为这件疑案盘踞在我的心头，真像一团乱丝，抽不出一个头绪。我在枕头上费过好一会儿推想工夫：那甘丽芸的话一定不可靠，至少也不完全实在。伊给伊的情人洗刷得干干净净，但实际上汪银林的怀疑确有见地。因为那华济民既是一个医生，自然懂得利用以太。他和死者有着势不两立的事实，又曾寄过四张诅咒性的怪符。就时间上说，他又尽有机会实施他的凶谋。从这几种疑点上推想，伊的空言辩白，当然不能使人信服。但霍桑又为什么不愿再和华济民谈谈？他临走时怎么又声明丽芸的关系很轻，不妨让伊自由？这都是非常矛盾的。还有那个阿三，我至今仍认为有被利用做工具的可能。霍桑又为什么始终不曾向阿三亲口问过？这几点都像咽喉间的骨鲠，我却没有机会吐出来。除此以外，那个高骏卿和那个曾因借钱而和汀苏相殴的盛家森，虽同样有着相当的嫌疑，但比较华济民，轻重之间却有显著的差别。

下一天三十日早晨，我起身得很早，吃过早饭，七点半钟时，先打一个电话到霍桑寓里去。施桂告诉我，霍桑一早出门还没有回去。我料想他的散步运动，大概还没有完毕。到了八点一刻，我又打第二次电话，据说霍桑回寓吃了早餐，已重新出去，却不曾说明往哪里去。

我有些纳闷，他昨夜约我第二天细谈，此刻又明明失约，即使我赶到他寓里去，也只白白地往返。我经过了一番考虑，想到了案事的发展问题，就直接打一个电话给汪银林。汪银林恰巧在厅里，我们就借着电流开始问答。

我问道："银林兄，你今天见过霍桑没有？"

他答道："没有啊，昨夜我和他分别以后，连电话都不曾通过。"

"那么，昨夜里你可曾向华济民问供？"

"问过的。我和金寿二人足足费了一个多钟头，却毫无结果。"

"他不承认行凶吗？"

"什么都不承认，起初连他所寄的怪符也抵赖不认。后来我指出了他寄怪符的信封上的笔迹和那衣账上的笔迹彼此相同，他才没有话说。但他只是闭着口不肯说话。"

"那么，关于他在昨天早晨悄悄到楼上去的事，他当然也不肯说了，是不是？"

"自然，不过我总要想一个方法使他说话。"

"你派到无锡去的探员杨宝兴，可曾回来？"

"还没有。昨夜半夜里他来了一个长途电话，据说那高骏卿不曾到厂，故而他还没有找着。"

"你想那盛家森和蒋方绥二人，可有没有调查的必要？"

"这一条线我也打算进行。我正要派一个探伙去找杨春波来，他对于这两个人的行径也许熟悉。……唉，且慢，……喂，包先生，霍先生到厅里来了。我想请他亲自问问那个华济民。你如果喜欢参加，赶快来吧。"

## 间接线索

霍桑果真到警厅里去了，是这案子有了眉目吗？他怎么不通知我一声，却叫我闷在鼓中？我越发感到不满。我急忙别了佩芹，赶到警厅里去。我的路程约有十几分钟，料想霍桑和华济民的谈话即使已经开端，谅来还不致就此结束，我赶到时一定还听得见。不料事实上又出我的意料。

我的黄包车在警厅门前停住的时候，忽见霍桑正匆匆从里面出来。他一瞧见我，忽站住了先向我质问：

"包朗，你怎么这样性急？竟来不及接我的电话？"

哼！我还没有责他失约，他竟先发制人！

我答道："你准备要打电话给我吗？"

他摇头道："不，我刚才一到这里，已经打过，你却早出来了。"

"你要和我说什么话？"

"我要通知你，叫你直接到甘家去，免得你再到这里来奔波。"

"那么，你已经问过华济民了吗？"

霍桑摇头道："没有，银林已将究问的结果告诉我，我觉得眼前没有和他谈话的必要。"

我作诧异声道:"既然如此,你此刻到警厅里来干什么?"

霍桑的双眼,瞧瞧那厅门前停着的一辆黄包车,似要雇车的样子,一会儿,他又像变了主意。

他道:"包朗,这里离花衣路不远,我和你一块儿走走也好。"

我就和他并肩行进。这是个难得的机会,我自然要继续我的问话:

"霍桑,你一早赶到警厅里去,究竟有什么事?"

霍桑一边行进,一边烧着了一支纸烟:"我想找一条捷径,查明那个凶手!"

"你已查明了没有?"

"没有。不幸得很,这条捷径竟是'此路不通'!"

"捷径?你可否说得明白些?这是一条什么样的捷径?"

"我要向一个拘留的人问一句话,却没有结果。"

"是不是那个厨子张阿三?"

"不是他。是丽芸!"

"什么?丽芸还拘留在厅里吗?"

"正是,伊当然还不能自由。"

"但昨夜我们临走时,你不是叫汪银林放伊回去的吗?"

"没有,我叫他将伊拘留着的。"

我很诧异,霍桑明明当面骗我。我窥测他的神气是否故意取笑,他的脸上果真有些笑容。

他笑着说道:"唉,包朗,这是一种小小的'屈力克'①——噱头!你还不明白吗?我昨夜故意当着丽芸的面,向银林建议放伊回去,这完全是一种购取好感的权变作用。后

———————————

① "trick"的音译,此处意为把戏、花招等。

来我们走到外面甬道里时，我又悄悄地叫他不要放伊。目的在让汪银林做一个红脸，我却做一个白脸。"

我作领悟声道："原来如此！你真是诡计多端。但这讨好的举动有什么目的？莫非想伊……"我停住了向他微笑。

他忽拿下了纸烟，严肃道："你笑什么？我有什么目的？自然只希望伊能够向我说真话啊。"

"那么，伊是知道这事的真相的吗？"

"是，我想伊知道的。伊昨夜里所说的许多'不知道'，就含着'知道'的影子。可是我刚才一个人向伊询问，伊还是给我'不知道'三个字的答语。这真使人扫兴！"

"那么，你现在打算怎样进行？"

"我已告诉你了，我要去问那个莫大姐和吴妈。"

我们且谈且行，已走到花衣路的北口。将近走到那条甘家后门的小弄口时，霍桑又低声向我叮嘱：

"包朗，等一会儿我如果在她们嘴里问出了端倪，我给你一个眼色，你就应悄悄出来，打电话给姚国英，请他就近派警士来逮捕。因为我很怕这班无知识的妇女，万一因决裂而挣扎起来，我想你我都对付不了的。"

我点点头，便一同走进小弄。当我们经过那粘火柴闸的姓毛的老婆子的门前时，霍桑曾向那一扇半开的门里张了一张。不料这一张竟又引起了意外的变动，破坏了我们原来的计划。

那老妇正戴了那副铜边眼镜，很熟练地在粘糊火柴匣子。伊抬头瞧见了霍桑，忽露出诡秘的神气，向霍桑招招手。霍桑毫不犹豫地向里面一闪。我觉得这举动既有诡秘性质，我若站在门外，反而不妥，故而我不等那主人的邀请，也就自动地进去，随手把门关上。那老妇一瞧见我，似乎有些惊骇。

霍桑忙低声解释道："不妨事，他是我的朋友。"

那老妇勉强露出笑容，答道："请坐，请坐！"伊移过一条长板凳，又用一块干青布在凳面上抹了一抹，我和霍桑就并肩坐着。

这一室地位很小，中间有一排破旧的板壁隔着，板壁上糊了些花纸。靠壁有一只长台，上面放着一座观音和财神合宅的神龛，前面和两旁又摆满了香炉烛台、茶壶、酒瓶杯碟等物。长台面前有一只方桌，里面的一只脚已被蛀朽了一截，用砖块垫着。桌子面上就摆着糊火柴匣的工具和材料。

那老妇抹了抹染着糨糊的手指，斟了两杯茶，恭恭敬敬地送到我们面前。

霍桑说道："老婆婆，不要客气。你是不是又有什么话要告诉我？"

那老妇的眼睛张得更大了些，低声答道："正是。昨夜里甘家里闹了一次。在傍晚时，他们刚把汀苏少爷安殓完毕，警局里忽派来了两个警士将甘小姐也捉到了局里去——"

霍桑点头道："这个我知道。但你说闹过一次，怎样闹法？"

老妇道："那时已十点敲过，我的儿子瑞福才刚从乐意楼听了夜书回来。我忽然听得对面楼上有人相骂，起先只听得吵闹声音，后来仿佛有什么椅子倒在地板上的声音和碎碗的声音。这种声音在夜间听得很清楚，我料想甘家里一定有人在打架。瑞福本想到里面去瞧瞧，我怕惹出祸来，不许他进去。不一会儿，我听得那弄底的后门开了，有一个人气喘喘奔出来，一路走，一路咒骂。我和瑞福躲在门缝里偷瞧。那人走过了我家门口，我叫瑞福跟着他去，瞧他住在什么地方。唉！先生，我家瑞福总算聪明，他果真已查明白了。"

老妇的语声中又像夸张，又像讨功。伊说完了话，眼睛盯住在霍桑脸上，似要等霍桑的赞语。霍桑在这种事情上最知趣，从来不肯扫人家的兴。

他点点头答道："唉！你的儿子委实聪明得了不得。他已经查明那人的住所吗？"

"是啊！他就住在那边大东路竹园弄口，豆腐店隔壁的一家裁缝店里。"

"啊，很好！但昨夜里你可曾瞧清楚那人的面貌？"

"那却没有。那时这弄里很暗，这个人又走得十二分快，我的眼睛本来近视，实在瞧不清楚。"

"但瑞福总瞧清楚的吧？"

"正是，他瞧清楚的。他说他以后再瞧见那人，一定认得出来。"

"但你儿子以前有没有瞧见过这个人？"

"他说没有见过。他把那个人的模样说给我听，我也想不起来。"

"那么，他的模样怎样？你姑且说说看。"

"瑞福说那人的身材比他高半个头，肩膀很阔。"伊旋转头来向我瞧瞧，"我家瑞福比这位先生略略低些。这样一比，可见那人比这位先生还要高一些了。"

霍桑的手把放在方桌上的茶杯旋转着，眼珠也转了几转，像在暗暗点头，似认为这个人确有注意的价值。

他又问道："你说那人昨夜走出来时，一边还在咒骂。你可曾听得他骂些什么？"

老妇道："我听得一两句。那人仿佛说：'好，我看你便宜！'但是不是这一句，我并没有听得怎样仔细。"

"那么，他和甘家的什么人争吵？"

"这个我还不知道，昨夜里我们听不出谁的声音。今天清早莫大姐走过我的门口，我曾向伊搭讪着：'昨夜里谁吵嘴呀？'伊向我摇摇头，又眨了一个白眼。我想等一会儿我见了苏州妈子，伊也许肯告诉我。"

霍桑一边立起来，一边从衣袋中摸出一只皮夹，又拿出了一张五元钞票授给老妇。

他道："谢谢你，你给我这个很好的消息。这个你收了，给你买些点心吃吧！"

我们在那老妇的欢谢声中，便从这小屋中退了出来。这时小弄中仍没有人，弄底的甘家的后门也照样关着。但霍桑并不向弄底里行进，却反而向弄口退出。

他低声解释道："我们先到那竹园弄口去走一趟。"

从花衣路到竹园弄，只隔着两条大街，五分钟的步行，我们就找到了竹园弄口的那爿豆腐店。豆腐店的隔壁，果真有一家小小的裁缝店，门外贴了一张红纸写着"于记成衣铺"的条子。里面有一个年龄在六十以上的戴眼镜的老头儿，陪着一个十几岁的学徒，正在用剪刀裁衣。霍桑站住了向里面瞧瞧。我便一直先走进成衣铺去。

我搭讪着说："喂，老伯伯，问一个信。这里可有一个姓黄的？"

那老裁缝放了剪刀，把一副眼镜推上了些，向我们两个人端详了一下，却摇了摇头。

霍桑接口道："我们要找一个阔肩膀高个子的男子。"

老裁缝想了一想，答道："你问的人做什么生意？"

霍桑故意装出疑迟的样子，答道："我是受了一个朋友的转托，所以不很清楚。但你这里不是住着两家人家吗？"

那裁缝又摇了摇头："不，有三家，里面一家姓翁，还有一个姓莫——"

我一听那个"莫"字，觉得已有了线索，便禁不住向霍桑霎霎眼。霍桑仍不动声色，继续发问。

他道："正是他。他不是和花衣路甘家有来往的吗？"

老裁缝点头道："是的，他的妹子就在甘家做大姐。莫大姐昨天来过的，今天早晨也来过一次，但伊的哥哥却一早就出去了。"

霍桑又道："他可是叫阿毛？"

老裁缝又摇头道："不是，他叫长根。"

"唉，是的，我记错了。他现在做什么事呀？"

"他从前在旅馆里当茶房，现在没有事。那翁木匠是他的朋友，他住到这里还不到两个月工夫。"

"你可知道长根此刻到哪里去了？"

"我不知道。他今天一清早就出去，不知什么时才能回来。刚才他的妹妹来也扑了一个空。"

"那么，他昨天不是也一清早出去的吗？"

那老裁缝瞧着霍桑，竟又毫不犹豫地摇了摇头：

"不，他难得像今天这样早起的。每天他总要到九十点钟才起身。我常说没有事做的人，总容易这样懒，越懒却越找不着事做。所以一个人应得——"

霍桑似不耐听他的人生哲学，摇一摇手，接续着问道：

"你再想想，昨天早晨他究竟什么时候出去？"

他仍坚决地答道："我早说过了，今天是他第一次起早。我记得昨天起身时，那个卖豆芽菜的已经喊过。卖豆芽菜的长子，可算是我们的时辰钟，每天准在九点钟敲过才来。"

霍桑忽而紧皱着双眉。他用失望的眼光瞧瞧老人，又瞧瞧我，接着他向那老人谢了一声，便从这成衣铺里出来。他走到了竹园弄口，向弄里瞧瞧，忽自走进弄去。

我跟在他后面，一边问道："霍桑，到哪里去？"

他停了脚步，答道："唉！真扫兴！我无意中得到了一种线索，现在又劳而无功！"

"你以为这莫长根在凶案中有关系吗？"

"我本以为这人有这样高大的体格，条件很合，说不定是案中的一个工具。但他昨天早晨，既然睡到九点过后方才出门，我的推想明明已不成立了。"

"也许那老裁缝弄错了。他或者昨天早晨出去以后又回进去，那老裁缝却不知道。"

"但那老头儿说得斩钉截铁，真使人失望。"

"这莫长根昨夜里既然曾到甘家去吵，我想总有原因。我们必须把他找着才好。"

"不错，有不少问题都须从他身上解决。他为什么到甘家去吵？怎么又不先不后，偏偏在昨天夜里吵？那吵的对方，是不是他的妹妹？这一吵与这件事究竟有没有关系？唉！问题太多了！……包朗，你的话不错，我去打一个电话给姚国英，叫他派一个人到这里来守着。无论如何，我们先得把这个人弄到了再说。"

我们走出竹园弄口，向那条大东路的一端瞧瞧，西首有一片酱园。

我指着说道："那酱园里总有电话，你可以去借打一个。"

霍桑摇头道："这里太近，也许要走漏风声。我们须走一段再打。"

他说完了便烧着一支纸烟，一边呼吸着，一边低垂了头无目的地前进。我见他的左手插在他的玄色哔叽短褂的衣袋里，右手拿着纸烟，目光凝注在地上，仿佛一路在计算街面上的石块。我暗想假使我不和他同行，他这样子走，也许会有撞着车辆的危险。他分明因着这条昙花一现而又终于失望的线索，在努力构思，推究它的较深刻的原因。

我们走了十几家门面，到了书院路的转角，霍桑头都不抬，便顺手转了弯，依旧怅惘地前进。我正想上前去问他，究竟到哪里去打电话，他忽自动地停了脚步，在人行道边的一根电杆旁站住。他把手中的烟尾向路边一丢，一只手摸着他的下颌，旋转头来瞧我，一双发光的眼睛炯炯地向我瞧着。他这种突如其来的变态，仿佛像阴霾中陡然放出来的晴光！他在找出了什么困惑的疑点的解答以后，往往会有这种样子。

他带着惊异的声浪向我说："包朗，你站一站，我相信我已发现了一条间接的线索！现在我有几句要紧的话问你。请你仔细些答复！"

## 秘密勾当

霍桑说话时的声音状态，都使我心中觉得疑讶，但我仍点点头答应他。什么是间接线索？他为什么要问我？我对于这种案子虽始终参与，但对于这案中的情形，无论事实或理论，我所知道的，未必多于霍桑。他怎么又反而问我？

他突然问道："包朗，你今天早晨什么时候醒的？"

这问话未免太突兀了！有什么意思？当时我绝对猜想不出。

我仍答道："我醒时约在六点半钟。"

"你醒了以后怎么样？请你说得仔细些。"

"那自然就梳洗，吃粥，接着又看了几张晨报——"

霍桑忽连连摇头道："不行，不行，我叫你说得仔细——你必须特别仔细才好！梳洗，吃粥，看报，你说得太笼统了！这里面有好几种动作，你必须依着科学方法，一步一步地说个明白。包朗，你不能这样子含糊笼统！"

我越发觉得惊异了。我今天早晨的动作，对于这凶案会有什么关系？在这个时候和这个地点，他不像会开玩笑。那么他为什么查问我这种琐细的动作？这里面会有什么间接的线索？他刚才却还说这些是要紧的问话！

他见我疑迟不答，又催促道："包朗，怎么不说？你今天醒觉以后，第一种动作是什么？"

我略一踌躇，答道："我醒转来后，便轻轻从床上坐起，瞧了瞧桌子上的钟，便披上浴衣，穿了拖鞋——"

他忽作赞许声道："对啊！这样说法，才算合格！你再说下去！"

我索性写细账般地说道："我起身以后，到窗口去站了一站，做了几次深呼吸，就喊王妈倒洗脸水。我随即洗脸，刷牙，漱口。那时我的佩芹已送牛奶上来，我喝完了牛奶，走到镜台前去梳理头发，然后烧着一支纸烟，换去了我身上的浴衣——"

霍桑忽阻止我道："够了，够了。现在我给你再复述一遍：你先洗了脸，刷了牙，漱了口，然后才理发。对不对？"

"对的。但是你太神秘了！我真不明白你这些问话有什么意思。"

"对不起，你且别问。你昨天早晨的举动也是和今天一样的吗？"

"这是刻板式的举动，天天如此的。但你究竟——"

"好，我再问你。你可曾有一天有个例外，先膏抹你的头发，然后再洗你的脸？"

"我……我不记得。我想我总是先洗脸后梳发的。因为如果先理好了头发，洗脸时仍不免要搅乱头发，那就不免多费一次手续。"

"对！我相信这个步骤，除了剪平顶和剃光头的人以外，凡蓄长发的，可算是一条普遍的定例。唉！包朗，你的功劳真不小！你已给我解决了一个疑问！对不起，现在还有一点，要请你追想一下。昨天早晨，我曾问过莫大姐，伊送洗脸水上去时，瞧见汀苏在做什么。你可记得伊当时怎么样回答？"

我低垂了头，用力回想，一时却想不起来，只向他瞧着。

霍桑忽不耐地接续道："伊是不是说：'他已起身了，穿了一件浴衣'？"

"是的，我记得了，伊回答的正是这句。"

"你想一想，这答话是否针对我的问句？"

"不，这个……经你一提，我也觉得有些所答非所问的意味。"

"对！我后来再问伊，汀苏坐着还是站着，伊的答语可是'他站在衣橱面前，用生发膏在抹他的头发'那一句吗？"

"不错，正是这一句话！"

霍桑忽用手掌拍他的额角，沉着脸作叹息声道："唉！我竟被伊蒙混了二十四个钟头以上！包朗，我的脑筋怎么竟变得这样迟钝？那不是年龄关系吗？唉！——包朗，你且等一等，我到那面银楼去打一个电话。"

他不等我的同意，便急急走到银楼里去。

我虽追赶他不上，但也走到那凤翔银楼的门前，在外面等候。我觉得这案子已到了转捩的中心，但瞧霍桑那种情不自禁的表示，显见他已觉察了莫大姐的谎话，情势将彻底改变。三分钟后，霍桑已从银楼里出来，我迎上去发问：

"电话打通了没有？"

"通了。汪银林又告诉我一个消息，高骏卿刚才已被杨宝兴从无锡带到厅里。"他且说且回身向大东路行进。

"你现在可是要往警厅里去？"

"不，我已用不着见高骏卿，我已叫银林也赶紧到甘家里去。包朗，走，快走一步，我们最好在汪银林未到以前，先查问一个明白。"他加紧步子向花衣路行进。

我也急急跟着："你去查问什么人？"

"自然是莫大姐了。包朗，你再耐一耐，好不好？任何疑团，在一刻钟内，你都可以明白了！"

我们经过了五分钟的急走，又回到了甘家后门的那条小弄口。霍桑在前引导。当他经过那毛老婆子的门前时，不再向里面张望，一直就到那弄底的后门口去。他先在后门上推了一推，里面的弹簧锁锁着；他又用拳头叩击了一下。过了一会儿，里面才有人出来开门，那是苏州老妈子。伊仍旧穿着那件黑厂布的棉袄，弯着腰，两只骨碌碌的眼睛，向我们俩流转不停。伊老练的神气依旧没有改变。

伊带着些怀疑的口气，问道："两位先生，找谁呀？"

霍桑忽先走了进去，在披屋中站住，略停一停，方才答话：

"莫大姐呢？"

老妇道："伊出去了。"

霍桑微微一怔，眼睛里露出惊恐的神色。这时我也走进了后门，顺手将门推上。霍桑凝视着那皱纹纵横的脸，似在测度这老妇的话是否真实。

他又问道："伊到哪里去的？"

老妇摇摇头道："不知道。"

"什么时候出去的？"

"已好久了。"

"你可知伊什么时候回来？"

"我也不知。你可以上去问问老爷。伊是老爷差出去的。"

霍桑作惊异声道："你家老主人在楼上？他从茶馆里回来了吗？"他瞧瞧手表："此刻还不到十一点啊。"

老妇道："他今天身子不好，没有出去喝茶。"

"唉，他有病吗？包朗，我们不能不上去慰问他一下。"

他走出披屋，踏进天井，预备走进正屋里去。我也跟在他的后面。霍桑忽又站住了，旋转头来向那老妇招招手：

"吴妈，还有一句话问你。昨夜里长根不是来过的吗？"

老妈子向霍桑呆瞧了一下，闭着嘴缓缓摇着头。

霍桑催迫着道："什么？可是他没有来？还是你要说'不知道'？"

伊仍呆瞧着不答，伊的不自然的眼光渐渐地游离开去，不再向霍桑直视，显露出伊已不能再保持伊的定力。我站在伊的旁边，乘机做一个白脸，调解这个僵局。

我婉声说道："吴妈，你说得明白些。你总已知道那烧饭阿三和你家小姐此刻已在什么地方。现在我们正要来找莫大姐。这件事我们已完全明白。你如果再想用假话骗人，那么，第四个到警察局里去的人自然要轮到你了。你这样大的年纪，也犯不着代别人吃苦啊。"

那老妇的老练镇静的神气已有些摇动。伊呆了一呆，眼睛注视着我，似被我的同情的语声所激动。不一会儿，伊眨了眨眼，似已打定了主意。伊瞧着我，用恳求的语声向我答复：

"先生，我不是不肯说，我实在不敢说！"

霍桑接嘴道："那不妨，你尽放胆说好了，一切有我。现在你可以告诉我，长根在昨夜什么时候来的？"

老妇想了一想，答道："他来时大约九点半光景。"

"他不是吵过一回吗？"

"是的。"

"他是不是和你家老主人吵嘴？后来他们又打起来吗？"

"是的，他们在楼上吵，我不知道为什么缘故。后来吵完了，长根就出去的。"

"吵的时候莫大姐在什么地方？"

"伊也在楼上，我一个人在楼下，吓得不敢上去。后来伊下楼来时，伊的面颊上还流着眼泪。"

"你可曾问伊为什么哭？"

"我问过的，伊不肯说。"

"那么，伊的哥哥长根以前是不是常到这里来的？"

"来的次数很多。我记得今年新年里他来过一次，一个月前也来过一次。但他来的时候总是客客气气的，所以昨夜莫大姐领他到楼上去时，我也万万想不到会吵起来。"

"他昨天早晨可曾来过？"

老妇又坚决地摇头道："没有来过。"

霍桑也郑重地说道："好，现在你再说一句实话。昨天早晨有没有任何人来过？"

老妇直瞧着霍桑，答道："除了那位杨先生以外，我当真没有见别的人来过。这是真话。"

霍桑点点头，表示他对于这一次问答非常满意：

"好啦，包朗，我们上楼去瞧瞧甘老先生。喂，吴妈，莫大姐回来时，你只对伊说老主人叫伊上楼去，别的话不许乱说。"

霍桑走上楼梯的时候，脚步很轻，我也加意谨慎。那楼梯的年龄已相当老，有几级的木板，踏上去当真有些声音。上了楼梯，我们先站一站定，瞧见楼梯对面西次间汀荪的房门上有一把铁锁锁着。东次间的一扇房门，我们已知道是吴妈的卧室。霍桑先轻轻推开了这后房的房门，向里面瞧瞧。这后房用板壁隔着，有门可通前面东坪的卧室，但那扇门闩着，分明东坪是从中间里的那扇房门出进的。我见吴妈卧室中的桌子上满是灰尘，一张单人榻床上既不挂蚊帐，也没有被褥，只摊着一条白席，显见这卧室有名无实，吴妈并不是睡在这里的。

霍桑退了出来，用手指指中间，似乎叫我从中间兜进东坪的卧室里去。我们刚才走到靠南窗的东次间的门口，里面有一阵子咳嗽，接着我又听得东坪在里面发问的声音：

"谁呀？莫大姐吗？"

霍桑走到我的面前，顺手把那虚掩的房门推开。他一边走进门去，一边提高了声浪回答：

"甘先生，是我和敝友包朗。"

我走到里面，见那老人靠在一张红木床上，床上有一顶白竹布的帐子，帐门用银钩钩起。他上身穿着一件过时的蓝色绉纱的夹袄，身上盖着一条酱色的绵绸薄被，手中正执着一张报纸。他一瞧见我们，呆了一呆，接着便坐直了身子，放下报纸，把两手一拱——不过这拱手的姿势，因着失去了袍子的长袖的掩盖，远不及昨天的那么自然得势。

他含着笑容招呼道："唉！两位先生，劳驾，劳驾！对不起得很，恕我不能起身。"

霍桑鞠了一个躬，答道："甘先生，不要客气。我们听说你有些贵恙，特地来慰问一下。"

老人很恭顺地答道："不敢当，不敢当。"

我坐定以后，开始瞧视这卧室的布置。那红木床是向南排的，前面有一只红木的妆台，样式都很古旧，妆台上除了一只新式的瓷钟以外，竟也有生发油，花露水等类的化妆用品。妆台对面放着一只西式的睡椅，上面挂着一张半裸体的彩色画片。厢房里却排着一口衣橱，两只箱子。我和霍桑二人就坐在那张温软的睡椅上，恰和老人对面。我记得昨天瞧见他时，他的红润丰腴的脸上精神很好，此刻却有些显著的变异。他的脸容焦黄，眼眶上也起了一个黑圈。他对于我们的慰问，明明只有假意的欢迎，他的眼光里却显着厌憎和戒备的神气。

霍桑说道："甘先生，有些什么贵恙？"

甘东坪道："那没有事。晚天傍晚我受了些风寒，晚上咳起嗽来，似乎有些感冒。霍先生，你总知道昨天那检察官向我问了一番，还不算数，后来我女儿忽又被警厅里传去，至今没有回来，阿三亦然。这件事我正觉得焦头烂额！检察官说汀荪是被人谋杀的，那真正是笑话。单凭那医生凭空说一句话，怎能使人心服？"

霍桑婉声答道："那一定可以使你满意的。今天早晨汪侦探长告诉我，昨天那位检验的医生已正式书面报告。当他检验时，发觉死者鼻管里的以太还没有发挥完尽哩。"

老人显着莫名其妙的神气："以太？这是什么东西？"

霍桑带着微笑说道："这东西你没有经验，自然不知道的。但令爱丽芸女士，对于这奇妙的东西却是有过经验的！"

"唉！霍先生，伊怎么会有经验？"

"伊去年不是患过肠痈，到福民医院去割治的吗？割治时就必须先用以太蒙倒。我想伊从医院里回来以后，总也和你谈起过吧。"

"唉！唉！……这个……这个我倒不清楚了。那么，现在官厅方面难道竟因此疑心伊吗？"

"并不如此，伊现在已经说明白了。"

老人两手紧握着那酱色被的边，带着惊恐的声调问道："唉，唉！伊说些什么？伊不会——"

霍桑仍带着笑容，接嘴道："甘先生，你为什么这样子着急？你是不是为令爱担忧？"

他吞吐着道："是……是……我只有伊一个女儿！"

"那么，我可以给你保证，伊绝不会有什么危险。我想你对于自身问题，倒应得特别保重些才是。"

"我……我吗？……先生可是说我的感冒？那不妨事。"

霍桑的眼光渐渐变冷。他瞧着老人的脸，说道："我倒很替你担忧。我想你也许受了些内伤吧？"

老人的脸色变异了，越发枯黄了些，他的嘴唇有些颤动，却呆住了说不出话。

霍桑又说道："甘先生，我很替你不平，那无赖莫长根竟敢动手。那简直太放肆了！你虽宽宏大量，并不和他计较，我们却定意要惩戒他一下！"

东坪紧蹙着双眉，期期然答道："唉，霍先生，你……你已知道了昨夜的一回事？"

"正是，不过我不知道他因着什么事竟敢向你顶撞，甚至动蛮。甘先生，你可能告诉我吗？"

老人低垂了头，两只手放了被头的边，忽拿着被面上的报纸乱翻。他瞧瞧里床，又瞧瞧他手中的报纸。他仿佛微微一震，他的右手忽暗暗地向里床摸索。

一会儿，他才勉强答道："他……他来预借他妹妹的工钱，我不答应，他竟蛮不讲理地闹起来。"

霍桑又现出些笑容，不过冷淡没有欢意。他忽一边仰着身子从睡椅上站起来，一边答道："借工资？怕不见得这样子简单吧？我知道长根已经失业好久，如果有什么可以敲诈的机会，他一定不肯放过。"他忽而把身子向前一扑，突然凑到床边，他的右手很敏捷地伸到里床，抓着了什么黑色的东西。他把那黑东西拉开了瞧瞧，又笑着说道："唉！这是一条玄色绉纱的裤子——是大脚管的女裤。这不是莫大姐的吗？"

老人忽把两只手掩住了他的脸，连连摇着头，从被窝里露出来的上半身，也有些发抖。他的鼻子里发出哼哼之声，又像叹息，又像在呻吟。这像是一种没地洞可钻的窘态，我真不能够仔细描写。隔了一会儿，他仍低着头，捧住了脸，呜呜咽咽地说话：

"霍先生，我真惭愧！像我这样的年龄，还……还干出这种事来，说出来真是丢脸！其实我因着一个人冷清清地没人服侍，这女子倒能体贴我的意思，因此我才靠伊伴伴热闹。但伊的哥哥便借着这个名目，时常来缠扰不清。霍先生，你所说的敲诈，的确是不错的。不过这种事说到外面去，会使我没有面目见人。霍先生，你总得包涵一些！"

我才明白昨夜莫长根到这儿来吵闹的事，是因着这一种暧昧勾当。这秘密勾当分明是另一件事，和甘汀苏的凶案并无关系。那么，霍桑虽在无意中揭破了老人的隐私，但对于凶案却没有进展，他的预料是又错误了吗？我瞧甘东坪的手仍按在脸上，他的下颌几乎接触他的胸口。霍桑却露着不自然的微笑，默默地瞧着东坪，显出一种鄙视的神气。我觉得这相持的局势非常难堪，但也没有解围的方法。幸亏这当儿楼梯上有脚步声音，汪银林来了。

## 以太的副作用

霍桑乘势回转身子，走到中间里去迎候银林，我也起身跟着。汪银林的脸上显着很高兴的神气。他在那只临时安排的单人榻前站住，用手指了一指，向霍桑说道：

"那高骏卿就睡在这榻上的。昨天早晨汀苏的卧室中有什么声响，他当真听得出。他的话似乎可信。"

霍桑问道："高骏卿说些什么？"

汪银林答道："他说昨天清早他听得隔室中的床垫震动声音，仿佛有人在床上挣扎。那时候天还没有亮足，他又在将醒未醒的当儿，没有听清楚这声音究竟是在东次间里还是在西次间里。接着，他又重新入梦，故而他不知道这声音的来源和结果。但你昨夜里曾假定华济民先到楼上去，这一点似乎相合。不过想到了莫大姐的话，又不合符了。伊说当伊送洗脸水上楼时，还瞧见汀苏——"

霍桑忽摇摇手阻止他道："那是假话！伊没有送洗脸水上来。"

"假话？"

"是的，丽芸的证实也同样是虚伪的，目的在袒护莫大姐。我也受了伊的欺骗，直到半点钟前方才觉悟！喂，你进来时可曾看见莫大姐在楼下？"

汪银林摇头道："没有。那老婆子说，伊还没有回来。你不是叫我来拘捕伊吗？"

霍桑点点头道："正是，我想伊一定走不掉。你姑且到里面去坐坐。"

霍桑又首先走进甘东坪的卧室里去，我和汪银林也挨次而进。这时那老人笔直地坐在床上，两只手不再掩在脸部，却交握着放在那条酱色绵绸被上。他好像在偷听汪银林的谈话。

霍桑一直走到床前，一边说道："甘先生，我想你有些寒热吧？我来给你诊一诊脉。"他不等老人的许可，突然伸出两手，抓住了老人的右手。老人惊惶似的想要抵抗，但当然没有效果。因为霍桑练过拳术，握力很强，这时他又用足全力，拉住了老人的右手，老人就没法动弹。

他作惊喜声道："这手背上果真有手指爪的伤痕！我昨天瞧验阿三的手指时，本要找寻这样的爪痕，却不料在你的手上！"

老人涨红了脸，期期然答道："这……这是昨夜里抓伤的。"

霍桑放了老人的手，冷冷地说道："你记错了吧？我想昨天早晨，你手上就有了这个伤痕，不过你的那件黑线绸棉袍子的袖子很长，把这伤痕盖住了。"

那老人张大了两眼，大声道："不是，那是莫长根抓伤我的。"

霍桑坐到睡椅上，把背安适地靠着。我和汪银林也照样坐下。

霍桑仍婉声说："甘先生，我想你不必再掩饰了。这爪痕明明是你的嗣子汀荪和你挣扎的成绩。这回事此刻我们已完全知道，你不如爽快些说一个明白。"

老人的眼球几乎突出到眶外，面颊上却已没有血色，他的两只鹰爪似的手，不住地发抖：

"什么？你可是说汀荪是我谋杀的吗？"

"那还有什么疑问？不过谋杀的字样，你自己似乎下得太重些啦。你尽可以依凭着旧礼教的口气，说是你执行家法，处死了一个不肖子得啦！"

"胡说！我……我为什么干这种事？你……你不要信口乱说！"

我觉得老人抗辩的语声已微弱无力，更没有撑持的勇气，显见他心中早已慑服，他的话只是口头上应有的答辩。但这老人竟是凶手，完全出乎汪银林的意料。他坐直了身子，惊诧的眼光，兀自在老人和霍桑二人的脸上瞧来瞧去。

霍桑用两手抱住了他的右膝，又轻描淡写地答道："为什么？这个你自己总可以回答的啊！你一时不能列举出来吗？好，你如果不嫌冒昧，我也可以代替你举出几项动机。

"第一，汀荪是个浪费的人，他既没有职业，又喜欢跑狗赛马一类的赌博，因此，在外面已欠了不少债。这是你第一点对于他的不满。第二，你和莫大姐的私通，他也许曾表示反对，因为他的头脑很旧，性情又固执偏激，这也是容易结怨的一因。第三，他将你女儿的恋史搬弄了嘴舌，褚家便提议退婚。这事你认为奇耻大辱，便更痛恨汀荪的多嘴。其实你自己可以自由地结识莫大姐，对于你女儿的举动却看作有辱门楣，这真合得上'只许州官放火，不准百姓点灯'的老话啦！除了这三点以外，你还有一种动机，或许汀荪曾向你要求析屋分居。分居或许是你愿意的，但他的分产的要求，数目或者过大，你却不能同意，因此你便想索性斩草除根。不过这第四点完全出于我的猜想，还没法证实，实在不实在，那只能请你自己纠正一下了。"

甘东坪的面色枯黄中泛白，好像敷上了一层白蜡。他的眼睛里露出凶光，他的两手忽张忽握，仿佛想揭开了那条酱色棉被跳下床来，但他终于仍坐着不动。

他颤声说道："唉！你真是含血喷人！我昨天一早到湖心亭去的，你尽可以去打听。汀荪死时，我还在湖心亭着棋。你怎么能凭空说我行凶？"

霍桑仍点点头："不错。不错，昨天你当真是七点一刻到湖心亭去，直到后来那桂生去报告，你方才回来。不过汀荪的死，并不是在八点九点之间，却是在昨天清晨七点以前。这就是唯一的差点。你如果要我更说得明白些，那我可以说，你昨天一清早起来，处死了汀荪，方才到湖心亭去的。不过莫大姐和你串通着，造出了那句送脸水的鬼话，我们才被蒙混了一天。这一节你也认为含血喷人吗？"

老人已没有抗辩的勇气，他的背向床端的栏杆上靠着，沉倒了头，眼睛也闭拢了，分明他已完全慑服。

霍桑把抱着的右膝摇动了一下，继续说道："你的动作，我差不多已全部了解。不过还有一点，竟使我解释不出，而且因此才轻信莫大姐的谎话。我明明知道你昨天早晨动手的时候，汀荪还没有起身。他的房门夜间大概是不下闩的，你一走进去，就利用着以太将他蒙倒。那时他一定有过短时间的挣扎，你手背上的爪痕，就是他的挣扎的成绩。你的内弟高骏卿所听得的床垫震动的声音，也就是这一回事。故而汀苏被害的时候，当然不曾洗脸，可是后来我瞧他的脸，却又明明是曾经洗过的。这一点，我至今还莫名其妙。你能不能给我解释一下？"

正在这时，甘东坪突然张开眼睛，坐直了身子。他的右手敏捷地伸到他的枕头底下，摸出了什么东西，那只左手也凑到右手上面，仿佛拔去了什么瓶塞；接着，他便把右手中的一个小瓶，直送到他的嘴唇边去。他的举动原是十二分迅速的，我和汪银林本不防他有这种意外的举动，一时都来不及措手，若不是霍桑直窜过去抢他右手中的小瓶，那小瓶中的流质一定会全部倒进他的嘴里。

霍桑把那抢着的小瓶，凑到鼻子上嗅了一嗅，说道："唉！这就是以太！银林兄，你也来试一试，不是和那天面盆边上的面巾有同样臭味吗？"

汪银林接了小瓶，同样凑到鼻子上去。他的嗅力似乎太重了些，立刻将头一偏，忙把瓶子拿开，仿佛受了电流的刺激。

他答道："真是相同的，不过这个浓烈得多，鼻子里很觉难受——唉！这老头子倒下去了！"

东坪的身子已欹侧地向里床倒下。一刹那间，他的灰白的面容忽而泛出红色，像酒醉一般，口角里流出涎沫，眼睛又闭拢了。霍桑走到床前，拉着了他的左腕，用手指诊他的脉息。

汪银林忍制着喘气，问道："他会死吗？"

霍桑道："他的脉搏还在跳动，也许喝了不到一盎司，只是暂时昏倒。"他又把老人的眼皮翻开来，瞧了一瞧："他的眼珠已收缩了，如果不放大，还不会致命。银林兄，你来帮一臂，让他的身子躺一躺平。我料想他还可以苏醒。"

汪银林果真走近去帮忙，用右手扶住了东坪的肩背，左手又抽去了老人身后的一个枕头，让他慢慢地躺平。

霍桑道："这件案子只要把那莫大姐找着，就可以全部结束。伊是一个重要的活证。关于行凶事实的经过，如果这老头儿没有供述的可能，莫大姐一定可以代替他说明白的。我们走了，法律方面的手续，你负责进行吧。"

我在出房以前，又向床上瞧瞧，那失却知觉的甘东坪正在不住地嗳气。霍桑也向他瞧了一瞧，便和我回身走出。汪银林跟随着，似要陪我们下楼。我们走过了中间，刚要绕到楼梯头上，忽似有一种咯咯的笑声，直刺我的耳朵。霍桑早也听得，立即停了脚步。他的手把住了楼梯栏杆，侧着头敛神倾听，脸上满显着惊怪神气。

汪银林作诧异声道："这楼上还有什么人吗？"

我答道："据我们所知，除了甘老头儿以外，没第二个人。"

汪银林瞧着西次间房门上的锁，说道："这房间里莫非有什么人藏着？"

霍桑忽摇摇手阻止我们谈话，叫我们静听。

"不要紧！不要紧！"

那声音是从东次间里出来的。奇怪，莫非真有人藏在老头儿的房中？

霍桑的眼光闪了一闪，低声说道："这老头儿在那里说话了！快来！"他回身走进中间，蹑着足尖，一步步向东次间的房门走去。

汪银林和我也同样轻轻地跟随着。汪银林自言自语地咕哝着：

"奇怪！他怎么会说话？莫非他的昏倒也是假把戏？"

霍桑忽旋转头来，低声说道："不，真的，这是以太的副作用。我新近读过一本《检验应用科学》，有一节说到一个人受了蒙药以后，有时恰像醉倒一般地会作呓语。这呓语往往是出于内心的真话。此刻这老头儿的神经已失了控制，虚伪的面具，自然再不能维持。我们静一静，也许可以毫不费力地听几句真话哩。"

我们已进了甘东坪的房门。我见老人仍安静地平躺在床上。他的面色依旧红赤，眉毛也紧紧皱着，急促的呼吸中，带着叹声。从外表上看，他似乎在睡眠状态中，没有说话的可能。霍桑指指那只有白布套子的睡椅，示意叫我们坐下。他轻轻走到床前，又伸手去翻东坪的眼皮，但他的手还没有接触到甘东坪的眼皮上面，忽又急急缩住。老人又继续说话了：

"哈哈哈！他们一定查不出……这东西真厉害，一到鼻子上，他虽有蛮牛般的气力，也会顿时变成一条死蛇，动都不会动……那些饭桶的侦探们一定查不出！哈哈哈！"

他的呓语和笑声停止了。霍桑靠在妆台面前站着，有意无意地向汪银林瞧瞧。我也斜睨着汪银林的脸色。汪银林却沉倒了头，紧紧地闭着嘴唇。室中经过了一度静寂，大家都屏息不动。甘东坪的梦呓似的声浪，又断断续续地打破这有恐怖意味的静境：

"莫大姐，你尽管胆大好啦！我布置得十二分周密，他们万万查不出！我把他挂好以后，用手巾给他抹过脸。你只要说你送洗脸水上去时，你看见他在房里。你只要说这一句，别的便没有事了。哈哈哈，他们一定查不出！"

老人的语声又停了一停，他的鼻息粗大而短促，似乎他的呼吸越发艰难了。霍桑仍一动不动地站在床前，他的两手插在黑哗叽的裤袋里面，眼睛瞧着床上的老人，在等候他的后文。

"莫大姐……你……你放心好啦！他们……一定查不出！"

"哎哟！"

这清脆的惊呼声音突然从中间里透送进来，不能不使我吃了一惊。我急忙从睡椅上立起来，回头一瞧，那个穿淡蓝自由布单衫蛋形脸儿的莫大姐正站在房门外面。

伊的上身虽仍穿着那件淡蓝色的罩衫，下面已换了一条深荷竹布裤子，足上依旧穿着白纱袜和黑哗叽的鞋子。伊的蛋圆形的脸上，却已丧失了固有的红润，眼睛里也现着恐怖的神气，分明伊对于老人的呓语已听得了几句。霍桑立即走到房门口，向莫大姐点了点头。

他冷然说道："你不是去找你哥哥商量和解条件的吗？已办成功了没有？好，好，你暂且在中间里坐一坐，我们要和你谈谈。"他又回转身来挥挥手招呼："银林兄，这女子说的话，一定可以比这老头儿说得更有意思些。你也到外边来吧。"

一会儿，我们三个人已到中间里坐定。莫大姐却不肯坐，伊的背部靠在南窗槛上，低垂了头发怔。

霍桑婉声说道："莫大姐，这一回事，我们已完全明白。你的主人——唉，我应当说你的非正式的丈夫。对不对？他因着种种原因，不满意他的儿子，昨天早晨亲手将他的儿子处死，你却是这案中的帮凶！"

那女子忽然昂起头来，发出锐呼的声音：

"唉！先生这是冤枉的！我……我不是帮凶！我……我只帮他说了一句谎话，别的都不知道！先生，我当真不是帮凶！"

伊的语声下半截已带着呜咽，伊的眼眶里面也水汪汪地满包着泪珠。

霍桑仍作婉和声道："你当真不曾帮同行凶吗？那还好，你此刻还有一个最后的机会，可以给你自己辩白。你把昨天早晨经过的事情仔细些告诉我们。你得留意，你不能再像昨天一般用谎话骗人，否则，你真自己讨苦吃了。"

莫大姐用手背抹了抹眼泪，点头应道："先生，我一定说实话。昨天的话，也是他叫我说的。"

霍桑点点头："好，好，那么，现在你说你自己的话吧。"

莫大姐旋转了身子，把右肘搁着窗槛，瞧着霍桑说话："昨天早晨七点钟时，我刚才起身，看见老爷从楼梯上下来。他向我招招手。我正在扣衣服的钮子——"

霍桑插口道："你不是睡在楼上的吗？"

伊的眼光又回到地板上面，低声答道："我并不是每夜睡在楼上的。"

"但我们刚才瞧见你的那条黑绉纱的裤子还在你主人的床上。"

"昨夜里他和我哥哥吵过以后，他叫我陪在楼上的。"

"吴妈睡在什么地方呢？"

"伊本来睡在他的后房。但两个月以前，他叫伊睡到楼下东次间的客室里去。"

"那么，你和他结识，莫非还只有两个月工夫？"

伊点了点头，并不答话。

"好，前天夜里你是睡在小姐房里的。对不对？好，你再说下去。他向你招手以后，你又怎样？"

"我跟着他走到后门口的披屋里。他就悄悄地告诉我：'他已死了，但你不用害怕。等一会儿你提着铜壶上楼，像往日一样送洗脸水上去。但你上楼以后不必进他房里去，略等一等，就可以下来。假使有人问你，你可以说你送洗脸水上去时，瞧见大少爷已经起身，别的事你可以一概回答不知。你尽管胆大好啦，他们一定查不出！'他说完了重新上楼。接着吴妈已买了豆腐浆回来。他第二次下楼，喝了一碗浆出去。后来我就照着他的话干，所以大少爷怎样被他弄死，我实在全不知情！"

室中静了一静，我又听得那老人在隔室中叽叽咕咕地说话。霍桑并不理会，仍自顾自地发问：

"你昨天曾说你送洗脸水上来时，曾见大少爷在理发。这话也是他叫你说的吗？"

"不——不是。我本来不曾准备先生有这问句，那是我随便乱说的。"

"还有你说大少爷在楼窗上喊洗脸水，小姐也同样听得。这句话是什么人假造的呢？"

"那时我一时发急，恐怕你们疑心，也是临时想出来的！"

"你和小姐预先约好的吗？"

"没有，但我料想小姐绝不会拆穿我的谎话，因为伊也很恨他的。"

"伊对于这件事可也知情吗？"

"伊不知道。这件事除我以外，别的人都不知道。"

霍桑正低垂了头在思索什么，忽而隔室中又大声呼叫，并且有床架震动的声音，仿佛老人已在爬起来了。

霍桑忙高声道："银林兄，他已醒了。你可曾带手铐来？我想你一个人总能暂时应付他吧。包朗，你出去叫一个岗警来，再打一个电话通知姚国英，叫他派两个人到这里来照料。这屋子需要人看守一下哩！"

# 推想过程的说明

十月三十日下午，我和霍桑坐在他的办公室中喝着雨前茶，抽着白金龙纸烟。我们的身体和精神方面，彼此都感到非常舒适。不寒不暖的风从窗口里一阵阵送进来。淡淡的阳光，斜射在外面隔墙上面。书桌上一只式样古朴的蓝瓷高颈瓶中，插着两枝深红色的秋葵，衬着龙爪的绿叶，显得分外地娇媚，旁边的胆瓶上面供着那个纪念品——黑铁的手榴弹，仿佛是一种对比的象征——英雄美人。

我们安静地养了一会儿神，我就开始请霍桑讲述他破案时思想上的过程。霍桑倒并不像未破案时的那么留难，很高兴地给我解释。

他说道："我们对于这件案子，开端时就不幸走进了岔路。那原也不是偶然的。包朗，你总也知道我们被引进岔路上去的幌子，就是那几张神秘的符！这几张符在凶案发生以前，果然很像是只有恐吓作用的无聊举动，但后来在事实上既已出了命案，我自然不能不给予严重的注意。我们在勘验以后，我的眼光仍集中在那与怪符有密切关系的丽芸身上。我料想伊也许是此案中的主谋，但担任实际行动的，一定另有其人。我起初认为那个魁梧有力的厨子阿三，有被利用做工具的可能，故而当我捉住了他的手察验的时候，瞧他指上的纸烟痕迹，还只是一种幌子，我的真正的目的，却在察验他手背上有没有指爪痕或任何伤痕。"

我接口应道："是的，当时我看见你抓住了他的手，曾翻来覆去地察看过。"

霍桑点头道："因为我料想汀苏在被蒙倒的时候，时间虽一定不多，但甘汀荪是有些气力的，在一刹那间，他至少会用他的手奋命地挣扎。因此我假定那实际行凶的人，手背上会有指爪的痕迹。这原是有充分的可能性的。不料指爪痕并不在阿三的手上，却在甘东坪的手上。可是当时我们因为莫大姐谎说的时间问题，并且甘东坪的棉袍的袖子又长，掩盖了他的手背，我一时委实还疑不到他。虽然如此，我那时固然没有充分的理由怀疑他，却觉得这老人的精神体力还像中年人一般，若单就体力上说，他也同样有行凶的资格。再进一步，还有他们家庭的纠纷问题，他原也有相当的嫌疑。故而我特地到湖心亭去调查，他在时间上绝无可疑。就因着这时间的证明，我的眼光便不能久留在这老人身上，却被那怪符重新引到了他的女儿丽芸和丽芸的情人方面去。唉！这就是使我迷蒙的主因！"

"这也怪不得你，那怪符的吸引力实在太强烈了。"

"后来我费了全力查明了那华济民，以为前后的关键已经在握，心中非常高兴。谁知我一看见华济民以后，这一团高兴的热望立即消沉。包朗，你总也瞧得出这少年明明是一个只富智谋而没有实行能力的懦夫。他见了确凿的证据还一味抵赖，在搜查时他又狂呼强盗。这种种举动，都足以表示他缺乏勇气和定力。这种人恰合我所说的只能利用诅咒来发泄怨愤的典型人物。我料想他决不能实施这种凶谋。我才觉悟我已走入了歧途，要找寻答案，不能不急速回头哩！

"后来我听了丽芸的供词，使我触发了一种新的推想。因为伊那时候的说话，一心要给济民洗刷，大部分都是实在的，不过有一点是掩饰着的。包朗，你当时可也曾感觉到吗？"

我点头道："我记得的。当你说到汀荪被以太蒙倒的时候，伊的确流露过一种意外的惊骇的变态，我当时就深深怀疑。后来伊竭力地否认，连说着'没有''不知'的话，我就觉到伊一定隐藏着什么。"

霍桑应道："是啊。但伊隐藏着什么呢？当时我料想伊听得了以太的名词，猝然间便有所领悟，接着伊因有所顾忌，又竭力否认。这否认自然是有掩护作用的。我现在推想，那甘东坪老头儿所利用的以太，说不定就是他假托着什么饰词，叫丽芸向华济民转索而得的。因为这东西在西药铺中虽有，但除了医生签字，或药房中有熟识的人以外，不肯轻易出卖的。当时伊大概想到了伊曾经手过这个东西，同时觉悟到这件事是伊父亲所干，才有这种目定色异的变态。我们知道这女子的原来的目的，只在掩护伊的情人。假使除了情人以外，伊又掩护第二个人，这个人又是伊的什么人呢？伊的父亲不是很可能吗？假使伊怀疑到其他的人，伊自然会实说出来，以便解除伊的情人的嫌疑。但老人是伊的亲生的父亲，父女间的感情，也一定不很坏，故而伊当时虽然怀疑到，却左右两难，终于顾忌着不肯说了。"

我想了一想，乘机提出一种异议："老人曾反对褚家的退婚，那可见他也不赞成丽芸和济民的相恋！你说父女间的感情一定不很坏，似乎太没有根据吧？"

霍桑呼了两口烟，微笑着说道："包朗，你瞧到夹层里去了。这一点足以证明你还瞧不透旧礼教破旗下的遗老们的心理——尤其是这老头儿的心理！这老头儿未尝不道貌岸然，维持着旧礼教的大防，背地里却尽可以干出诱引幼年女仆的勾当！社会上这种人很多，他们所重视的，就是一层薄薄的纸面具！这纸面具的质地即使是透明的也不妨，只要不挑破它，他们就可以平安无事！所以甘东坪对于他女儿的私恋，实际上一定只是装聋作哑，只要面子上过得去，他也绝不会严厉干涉。至于他反对褚星六方面的退婚的提议，也无非要维持这一层薄薄的纸糊面具罢了。我料想褚家所提出的退婚理由，一定是太率直显露了，使老人感觉到有不能维持纸面具的危险，那自然不能不暂时表示反对，借此浆一浆他的面具。假使对方懂得这种心理，另外假托一种不挑破面具使他能过得去的理由，那就可以保证他绝没有反对的事实。因此之故，他对于汀苏的搬弄嘴舌，认为是直接刺破他的纸脸，那就是他所深恨痛恶的。"

我笑着应道："霍桑，你对于新旧人物的心理，真是都是做过显微镜功夫的。好啦，言归正传。当时你既然疑心伊掩护着伊的父亲，你就放弃了别方面的线索，而再度集中到老人身上去吗？"

霍桑点头道："是啊！我当时认为已没有和华济民重新谈判的必要。但我想向丽芸讨一个好，也许能使伊对我说实话。同时我还注意到那高骏卿，很想和他会谈一下。这个人偶然来住几天，虽曾为了袒护他的甥女和汀苏冲突过，但还不够做谋杀的动机。不过当凶谋实施的当儿，他或许还在中间楼上，那么，他当然处于重要的地位。

"今天早晨，我在丽芸方面失望以后，就打算到甘家去恫问两个女仆。老实说，那时候我只有一个空泛的推想，对于老人的行凶，却还没有确切的把握。不料那小弄里的毛老婆子，供给我一种意外的线索。我听得以后，就料想那个争吵的人，定是那老人所雇用的工具。后来我们查明这莫长根是莫大姐的哥哥，在时间上他却并没有做工具的可能，又使我失望。我又转换了推想的方向。这个人因着什么事到甘家去争吵？又为什么偏偏在昨天夜里？他会不会是因着挟索不遂而吵起来的？如果是的，他怎么会去挟索？莫非莫大姐在长根面前漏了什么风声，长根正感受失业的痛苦，便认为有机可乘吗？

"我再进一步推想。莫大姐既能泄露消息，谅必也参与这凶案无疑了。于是我就追想起伊当时的答话，因为伊的答话在时间证明上占着最重要的地位。只要找出一个反证，那老人不但有主谋的动机，同时在时间方面，也有实际行动的可能。我就逐步地追想莫大姐昨天早晨答话时的语句。伊听我问到伊见汀荪在做什么事，伊好像顿了一顿，一时回答不出，竟用一句'他已起身了，穿了一件浴衣'的话来搪塞。后来我又觉悟到理发和洗脸的次序的错误，才觉悟到我受了伊的欺骗。原来伊昨天早晨实在不曾瞧见汀荪。那么，汀荪在老人未出门以前就被谋死的推想，不是就可以完全成立了吗？"

我点头道："莫大姐的谎话我当时也不曾注意，故而同样认为非常自然。现在经你这样一说，这里面的牵强破绽，果然都露出来了。"

霍桑道："是啊！不过'注意'二字还不够，还须下一番研磨功夫。我当时不能说不曾注意，可是我也同样受欺！世界上有许多表面上看似很自然的事，一经研磨咀嚼，便会看出不自然来。不过人们的脑子常受惰性的控制，不受环境的逼迫，决不肯事事下研磨功夫的。"

"还有呢？"

霍桑笑道："还有，我应当谢谢你啦。你在书院路电杆旁边代我证明了莫大姐的谎话，我就豁然贯通。我既料定主谋和执行都是东坪一人，就放胆地循着这条线索进行。等到查明了莫大姐的那条无心换下的裤子，我的推想便得到一种铁证，因

为我本怀疑这老头儿还不免有性的烦闷。以后便一路上势如破
竹，终于完全证实了我的推想。那都是你目睹的了。"

十月三十一日的傍晚，霍桑又打电话给我。他的电话的语
气，仍带着调笑意味：

"包朗，今夜里你如果没有旁的紧要的事，请再向尊夫人
请两小时假，到我这里来走一趟。汪银林约定在黄昏时候来报
告我这案子的结束情形。你为搜集最后的资料起见，当然不能
错过的。不过今夜里两个钟头尽可以完毕你的任务，你一定可
以准时销假的。"

我把这话照样告诉了佩芹，伊也认为霍桑的话近乎促狭，
过一天准备要向他报复。

八点钟时，我和霍桑汪银林三个人已在霍桑的办公室中开
始会谈。霍桑先将上一天和我所谈的经过情形说了一遍，便请
汪银林陈说处置那几个凶案关系人的经过。

汪银林说道："那莫长根当夜已被东区里的警士捉住。他
听得了他妹妹漏出来的消息，除了想乘机敲诈以外，果真与凶
谋绝没关系。法院方面已正式把甘东坪拘押。他们断定甘汀苏
的被害经过，和你所假定的完全符合。那女子因着伊父亲的秘
密既已完全暴露，便也承认伊父亲近来曾向伊查问过以太的功
用，不过这东西他怎样得到，伊却不知，但那老头儿自己还咬
紧着牙关，除了呻吟叹气以外，什么话都不肯说。他的姘妇莫
大姐又补充了两点。伊说汀苏的确曾撞破过他们的奸情，因此
他捉住了把柄，向老人要求析产分居。不过他要求的数目太
大，老人只应许他十分之一的数目——就是他要求十万，老人
却只应许一万。这问题就相持不决。还有一点，老人因着汀苏
曾郑重地吩咐吴妈给他接收信件，便有些疑心，叫莫大姐私下

留意。在二十四日早晨，莫大姐果真接得了一封信——那就是第三张'七日死'的怪符——悄悄地交给那老人。老人拆开以后，瞧了一瞧，重新封好，才让莫大姐送到汀荪房里去。至于我们在甘汀荪的枕头底下发现的'三日死'那一封信，究竟是什么人所接，伊也不知，至今还是一个哑谜。"

霍桑接嘴道："这个谜底我已想出来了。这第四张符，定是在二十八日日间，甘东坪自己接的。他早想排除他家庭中的障碍，便利用着这'三日死'三字，实施他的阴谋。他接信以后，暂时藏匿，直到他的凶谋成就，才故意放在枕头底下，准备迷惑侦探们的视线。因为从表面上看，汀荪既很迷信，又欠满了债，此番因受人恐吓而昏迷了神志，就选择自杀，也不能算不近情理。万一侦探们还不能满意，也势必要向这怪符的一条路上进行，他仍可置身事外。他的用意的确是非常聪明的。同时这一天还有他的内弟高骏卿在他家里，多少也可给他分任些嫌疑。所以这一张怪符，字面上虽有催命的含义，实际上原只是一种无聊的恫吓。可是经他利用以后，却真个变作催命符了！"

我插口道："虽然，你对于杨春波和甘汀荪，多少终有些抱歉的。因为你最初料想，这符是不会有实际危险的啊！"

霍桑承认道："是的，我当时只凭着符的本身推想，不曾预料到会有第二个人利用。这当真是我的失着。其实他们家庭既有这样纠纷暧昧的黑幕，即使没有这符做一种导火线，悲惨的结果，也是终于免不了的。"

汪银林道："关于那老人行凶时的动作，他既然不肯自己说，我还觉得不能怎样明了。"

霍桑道："我想他迟早终要说出来的。不过大部分我们早

经拟定过了，我想不致有怎样的错误。他动手时一定天还没
亮。忖汀荪是一个胆大粗心的人，平日一定不闩房门。老人掩
进去后，随即用以太将汀荪蒙倒，接着开始布置。他拿了汀荪
的裤带和那只方凳到厢房中去，结好了一个环子，又穿了汀荪
的拖鞋，把汀荪抱到厢房里去挂着。后来他又在面盆中洗手，
并且用面巾给汀荪脸上抹了一抹，又用木梳给汀荪理过一理因
挣扎而蓬乱的头发。他给汀荪抹脸的用意也许只想抹去些汀荪
鼻子上的以太臭味，不料却做了一种侦查的障碍，同时又因此
使我误信汀荪当真曾洗过脸的。他的动作原非常简单，我想即
使他终于不说，也没有什么难解的疑团了吧。"

　　三天以后，我又得到了几种补充的资料。那不肯说话的华
济民也终于说话了。他所供认的和丽芸所说的没有多大差别，
只补充了几点关于怪符的投寄。据说他投寄的邮区不同，并不
是专门为着掩藏他的真相，他因着每天傍晚到各地去出诊的便
利，就分别顺便投寄。他在凶案上虽没有直接的关系，但那怪
符的投寄，也构成了意图损害他人的罪名。在我握笔记述的时
候，他也像莫大姐一般被判了短期的徒刑，还没有满期。刑期
完了以后，他和丽芸的婚姻是否圆满，还不得而知。但据间接
的传闻，丽芸到监狱中去慰问伊的情人的次数，比慰问伊的父
亲更多。除了差吴妈和阿三送东西去不算以外，伊每星期总要
亲自走三四次以上。据这情形推测，我如果先给他们下"圆
满"二字的假定，大概不至于怎样错误的。

　　当这案子开审的时候，霍桑曾被传出庭，除了霍桑提出的
种种人证物证，指明甘东坪的预谋杀人以外，汪银林又查明那
以太是甘东坪向正和药房的一个熟识的伙友直接买来的。这一
点更使甘东坪的罪名变成铁铸一般。同时他又证明了霍桑早先

所假定的这东西是由丽芸向华济民转索而得到的推想，并非事实。但甘东坪因着那班为金钱说话的律师们特别卖力，经过了几次庭审，终于判定了无期徒刑。这老头却还心不甘服，进监不到三天，忽而厌世起来，在一个大雪纷飞的清早，他自己吊死在模范第五分监的工场后面。

末了，我还有一句附带的报告。那杨春波因着汪银林曾一度怀疑过他，幸亏霍桑从中分辩解围，不曾遭受重大的嫌疑。他感念到霍桑的好意，送了一份很厚重的礼物。霍桑的答礼，却只给了他几句戒除闲荡的忠告。他竟因此觉悟，便绝迹不再到跑狗场跑马厅里去。他还定意利用他固有的大部分的资产，准备举办些有利于社会大众的生产事业，一则为国家增加些富力，二则他亦"有事可为"，借此约束他空闲的身心，使他进入另一个光明阶段。

# 断 指 团

## 奇怪的邮包

新医学对于神经衰弱的病症，有转地疗养的治法。我在和霍桑初期合作的那一年，经过了一次实验，认为确很有效。就在那时，我的人生经验上又刻下了一条惊险的深痕，我的日记中也因此增加了一页新颖的资料。

某年，我因着笔务过分繁忙，神经上起了些异征，征象是健忘，感觉过敏。我们的老友何乃时医生便竭力劝我转地疗养。我依了他的话，霍桑就陪我一同到南京去休息。我们在江口中华旅馆中住了不满三个星期，我的精神果然就慢慢地恢复。我自然非常欢喜。六月二十九日那天，天气还不算十二分热，华氏表常在九十七八度之间。我一清早起来，穿了一件短袖汗衫，系了一条短裤，穿着拖鞋，身体上感到非常舒爽。我吃过了早膳，躺在一张藤椅子上，口里衔着一支纸烟，向窗外闲瞧。江口外滚滚的浊浪反映着金黄色的太阳，一闪一闪地发光。暖风一阵阵吹着。穿梭似的帆船在浪花间容与往来。蔚蓝的天空中，碎片的白云悠悠地流行。偶然有一群白鸥从高空中翱翔而下，掠过江面，形成一组组规整的队伍。处在这个境地，真说得上俯仰左右，心旷神远。

"包朗，这里又有一段新闻，昨天我倒没有瞧见。"

霍桑的呼声召回了我的遐思。我回头一瞧，他正取了一张隔日的《金陵话报》，坐在我的背后披阅。他穿着一件白铁机纺的短袖衬衫，下面是府绸西裤，足上也同样穿着宁波出品的草拖鞋，不过白麻纱袜却没有卸掉。

我应道："什么新闻？"

"又是记载你我的事。真讨厌！"

"他们又说些什么？"

霍桑一边把报纸递过来，一边答道："你自己瞧吧。"

本埠新闻栏中有一行"大侦探近闻"的标题，下面附着一段冗长的记载。我开始朗诵那新闻：

> 私家侦探霍桑君同他的好友包朗君，业于本月十三日来宁，本报前经纪及。现据调查所得，确知二君寄寓在江口中华旅馆二十二号。他们来宁的宗旨，在一般人想，总以为是来游阅名胜，其实有两层原因：一则因为包朗君前患肺病，所以到江边转换新鲜空气；一则因霍桑君现方研究植物学，特来宁地各山中搜集标本，以为研究之用。霍桑君是一个多才多能精警好学的人。他先前在苏城破获假江南燕案，去年又在北平破了"血匕首"一案，在上海又扑灭了一个秘密党，和好几件巨案，他的智勇特出的大名越传越广，几乎全国都知，但他仍旧孜孜好学，并没有一毫自满的意思。据闻他所以研究植物，也和探案有密切关系。因为江南一带的植物里面，有许多含毒的种类——

霍桑突地立起来，一手将我手中的报纸夺过去，向里面的桌子上一丢。

他皱眉道："算了！算了！这些无聊话，谁耐得听？"

我笑道："嗯，我既然耐读，你倒不耐听？"

霍桑不答，在窗口边站住，摸出纸烟来自顾自地吸着。

我又说："新闻上说我患肺病，不但捕风捉影，简直是诅咒！不过说到你的方面，他们只有恭维的话。你怎么倒反而不耐烦？"

霍桑回眼瞪着我："你想我喜欢他们的恭维？"

"不是这样说。他们到底没有触犯你。"

"这种言过其实的称赞，真使人难受。它只会招麻烦。上星期登了一次你我到宁的新闻，前天就来了何公馆的电话，我自己回绝了。你不是告诉我昨天傍晚，我出去看朱雄时，又有个穿西装的人来看过我吗？显然也就是这新闻引来的。"

"是。那也许是个好奇心强烈的人，慕你的名，来瞻仰瞻仰你的丰采，不一定会给你带来什么麻烦。"

"就算如此，对于你养病避烦的旨趣也不方便，何况说不定并不如此单纯。"他顿一顿，"你曾否看见这西装客？"

我摇头道："没有。李四告诉他你不在，我在。那个人显然不要看我，没有一句话，调头走了。"

"你问过李四那是个什么样人吗？"

"问过的。李四说他的个子很高，服装很时式，是个年轻的上流人。"

霍桑皱眉说："这个人如果慕名造访，怎么不留一张名片？"他用白巾抹抹嘴："总之，我不喜欢这一套。你得知道报纸上这样大吹大擂，有知识的人看了，不免要说我标榜；一般的官家侦探们见了，也足以激起他们的妒忌。这不是于我有损无益的吗？"

话确实很有意思。因为有一部分官家侦探，平日不无嫉视霍桑，恐防夺了他们的饭碗。现在他们看见报纸上揄扬霍桑，或者会更加增长他们的嫉妒。霍桑所虑的确是有可能的。

我说："其实警探们也用不着嫉视你。你绝不会和人家争功夺权。"

霍桑叹一口气："对。这里面还有一种理由，他们更不必着慌。我相信目前的官厅里万万不需要像我这样的人。他们的饭碗正安如磐石。除了几处大都会以外，内地的司法大半不会独立，司法权在行政者手里。他们一大半都抱着'省事'的秘诀。譬如地方上出了凶案疑案，那主其事者就把被害者的贫富贵贱作为处理的标准。若被害者是个贫穷无力的平民，他们就守着'多一事不如少一事'的格言，含含糊糊地延搁了事。假使是个有势有财的阔佬，上面有大帽子压下来，非追究不可，他们就另玩一套移花接木的手法。他们随便抓到一个所谓凶手，逼成了口供，抵了应得的罪，也就完了。你想这样的办法岂不干脆？什么调查实情、研究疑迹、搜集证据等种种麻烦的手续，一概都可以免去。至于利用科学方法的侦查更是相差十万八千里！那么他们何必用我？我又怎么会夺取一般侦探先生们的饭碗？"

他用力吸了几口烟，一手叉住了腰，昂首望向天空，面上也露出一种气愤的颜色。

我答道："霍桑，别这样发火。现在内地的司法界里虽未免有像你所说的情形，但不可一例而论，并不是处处如此，个个如此。况且推论这现象的原因，也是教育未普及，政治不上轨，社会裁制力薄弱的缘故，所以民命轻贱，任这班人胡闹。不过你既然抱着不平的观念，尽可以尽你的力量，努力改进。发牢骚又何苦？"

霍桑摇摇头："我不是发牢骚。我只恨我自己的能力太微弱，虽希望留些火种在黑暗里，可是有效没效，真没有把握。"

我道："'不问收获，但知耕耘'，你不是常说的吗？"

霍桑点点头，仍仰头谛视着天空，不再说话。我知道他对于我国司法界的传统的缺陷，抱着热烈的改革愿望，因着"忧之殷"，不觉"言之切"，所以在他的谈吐之间不时会流露出这种愤懑不平。

他重新坐下来，神情比较地宁静。

他问道："包朗，今天你的精神更进步些吗？"

我应道："是，很有进步，我觉得比前几天更爽快得多。我想一则因着气候的变换，一则那茶房李四服侍得很周到，使我不觉得旅居不便。这也和我的病体有直接关系。"

霍桑向我瞅了一眼，唇角上仿佛牵动了一下，显示出一种不成熟的微笑。他开始点纸烟：

"那么你病好了，应得重重酬谢一下李四哩。"

"这不消说得。他既然这样殷勤地侍奉我，我自然应当经常谢他。把李四跟我们初来时的那个赵二比，动不动就白眼向人，总要好出几倍。多给他几个钱，我自然很愿意。"

霍桑向他手表上瞧一瞧，自言自语地说："九点钟了。怎么今天的报纸还没有来？"

我笑道："你要报纸做什么？刚才报纸上的新闻不是引起了你的烦恼吗？"

霍桑道："我想瞧瞧戏目。如果有什么有趣味的戏，我想约朱雄和你一块儿去凑凑热闹。"

"前天你不是说要同朱雄去游明孝陵吗？"

"我想你的身体既然一天天有起色，再过几天，你也可以同游。不如等我们三个人一块儿去，更有兴致。"他顿一顿，忽又高声叫道，"李四，进来！"

茶房李四果然急忙忙地推门进来。他是一个二十七八岁的少年，身体很结实，长方形的脸儿，一个高鼻，两只黑眼，五官端正，生得倒也不俗。他身上穿的白纱布的制服也很整洁。

他望着我，问道："先生，唤我做什么？"

霍桑接嘴道："你到下面账房里去问问，今天的报纸来了没有。"

李四答应着，弯了弯腰，退出去。

霍桑又含笑道："李四这个人很奇怪。他代赵二做替工，好像是初次充茶房呢。"

我道："他的年纪还轻，也许受了经济的压迫，才做这工作。但你说他奇怪，什么意思？"

霍桑道："他替你做事，总是服服帖帖，但一看见我，又好像不大欢喜我。你说可笑不可笑？"

霍桑的话似乎有几分酷意，我不便置辩。我们静默了一会儿，我正眺望着江面上的鸥阵，霍桑忽然又侧着头倾听。

他又突地高声喊道："进来！"

房门开处，李四果然又应声进来，但他的手中拿着的不是报纸，是一个小小的纸包。

他向霍桑说："先生，报纸还没有到，还得停一刻才来。这里有一个纸包，说是寄给先生的。"

李四将手里的小包和一张附单双手递给霍桑。霍桑接过一看，忽然坐直了身子，丢了烟尾，现出一种诧异的神色：

"包朗，你来瞧瞧。这是谁寄给我的？"

我从藤椅上起立，走近去看。包是牛皮纸，用一条细麻线扎着，上面贴了几个邮花，写着"本城下关，中华旅馆，二十二号，霍桑先生收"；下面具名"中正街三号，窦志端寄"。我一时摸不着头脑。在南京地方，除了朱雄以外，我们并不曾通知过别的朋友。朱雄是钟山师范学校的教员，现在仍住在校内，不会迁到中正街去。并且即使是他，何必变了姓名？这包件是什么人寄给霍桑的？内中又是什么东西？

霍桑问道："李四，这包件是从快邮寄来的吗？"

李四应道："是。我刚进账房的时候，邮差方才送到。现在他还在下面等收据。请先生签个字。"他指一指那张邮局的收据纸。

霍桑立起来，将收件的单子约略瞧一瞧，就用墨水笔签了姓名，交给李四。李四接过了退出去。霍桑随即关上房门，将那包件反复地细观。

他说："这包件是今天第一班寄出的。"

我问道："这姓窦的是谁？可是你的相识？"

"我从来没有姓窦的朋友。"他皱着眉峰，"唔，字迹很潦草，也很奇怪。"

"你姑且把包拆开来，瞧是什么东西。"

他把那小包承在手掌中估一估重量，又轻轻地摇一摇。他的脸上现出惊异状来。

他作惊怪声道："奇怪！这里面的东西是流质！"

他立即运用他的指尖，小心地将包上的绳结解开，随手用笔在记事册上画了几画，把那绳结的式样摹绘下来。牛皮包纸里面是几层雪白的纸。他又一层一层地拆开，随拆随注意纸上有没有字迹，可是没有发现。他的举动迅速而又谨慎，似乎防包中也许有什么危险物品。他解开了四五层纸，才发现一只小小的黄色硬纸匣子。他把匣子细细地看了一看，才打开匣盖，匣中是一个大口的玻璃小瓶。瓶外面有一张印刷的标签，写着 Alcohol 一个英文字。难道这真是一瓶火酒？人家寄火酒给霍桑，又有什么用意？霍桑的手指的活动停住了。他的脸上也顿时灰白。

他低声嚷道："奇怪！包朗，你想这瓶中是什么东西？瞧！"

他把瓶凑近窗口，用他的大拇指和食指捏在瓶口上。我凑近去细瞧。瓶中的火酒不十分满，酒中浸着一个从人的手上截断下来的大拇指！

## 谋杀案

这发现太突兀，我不由怔了一怔。霍桑已将瓶塞子拔开，先凑在鼻子上嗅了几嗅，顺手将瓶放在桌上，急忙走到床边去。我看这瓶约有三寸高，一寸直径，塞子是软木的。火酒离瓶口约二分。霍桑把他的手提皮包打开了，取出一个小钳子来。他又小心地将钳子伸入瓶内，钳出一件又可怕又丑的东西，果真是一枚断指！

我怔了一会儿，问道："真是怪事！霍桑，你想这东西谁寄给你的？"

霍桑好似没有听得，又回到床边，从皮包中取了一面小凸镜，走到窗口，钳着那个断指仔细视察。我看见了这白白的带死色的东西，引起一阵厌恶，不愿意细瞧。霍桑却像一个生物学家发现了一种新标本，聚精会神地在那里究察。

一会儿他喃喃地自言自语："这是一个右手的大拇指，从死人手上截下来的，截断处在拇指的第一节节骱上。被截的时刻虽不知道，可是浸入火酒的时候还不久。"

我问道："是一个死人的手指？"

"是。截断处没有血，是一个证据。"

"是男子的，还是女子的？"

"男子的。……唔，我知道那个人是一个有钱的所谓上流人。"

"喔，你才瞧一瞧，就知道得这样仔细？"

霍桑招招手："你过来瞧。我的话并非臆断，都是有确证的。"他把那断指捧到我的前面："你瞧，这指甲修剪得很齐整，又很细致，肌肉也很柔嫩，显见他是个从来不劳动的所谓穿长衣的上流人。因为做劳动工作的人断不会有这样的手指。"

"你从他是穿长衣的所谓上流人，就联想到他也有钱吗？"

"不是。穿长衣的人尽多没有钱，有钱的也不一定是穿长衣的。你这问句不合逻辑。我说他是有钱的富人，另有别的根据。"

"什么根据？"

"你瞧，指尖的正面还有些黄色的痕迹。这痕迹你当然也知道是烟痕，但不是寻常的纸烟或雪茄烟痕，是鸦片烟的烟痕。我虽没有尝过这亡国灭种的东西，但我看见过鸦片鬼抽烟。他们装烟时总得用大拇指，大拇指的正面总有些烟痕。若是纸烟或雪茄烟痕总是在食指和中指之间，难得留在大拇指上，即使有，也应在指的侧边，而不应在正面。"

我连连点头道："唔，不错。照你这么说，他既不劳动，又有吸鸦片的能力，当然是一个富人。"

霍桑道："是啊。现在是禁烟的时候，私贩的烟价贵得黄金似的，除了一般阔官富人们外，谁还抽得起？"

霍桑的分析很合理，我除了全盘接受，找不出别的话说。

我又说："好了。我相信你不会白费功夫。但我看眼前急切的问题是查明这东西是谁寄的，和寄给你有什么用意。否则你这一番研究工作还是没有用处。"

霍桑点点头，把断指重新浸入火酒瓶中，又把瓶塞塞好了，轻轻放在桌上。

他答道："对，你这话不错。我对于这寄件的人，只能有一个约略的轮廓，究竟是谁，我此刻全无把握。"

"纸包里面有没有纸条字迹？或者可以得到一些线索。"

"没有。我拆包的时候已经留神察看，除了包面上以外，并没有半个字迹。"

我不答，重新将包纸一层一层地细检了一遍，果然不见字迹。

我说："那么你仔细想一想。你的朋友中到底有没有姓窦的人？"

霍桑摇头道："哪里有什么姓窦的？就是这寄包的人，我敢说也绝不是姓窦。"

"你想姓名是假造的？可是包面上还明明有地址哩。"

"姓名既能假造，地址难道就不能假造？"

"你怎么知道姓名地址一定都出于假造？也有证据吗？"

"这却没有。但据我的设想，一定是假托无疑。因为那个窦字——嗯，这一层此刻不必深究，没有根据，研究也不免流于空洞。我们姑且假定他是假造的；再进一步研究他的用意，似乎此较更重要一些。"

"不错。这回事太离奇。凭空里送一个断指给你，我实在想不出有什么意思。"

霍桑回头向房门望了一望，走到他先前坐的椅子面前，重新坐下来。

他道："包朗，你说得是。这事真离奇已极。我们坐下来谈。"

我也把那藤椅移过来坐下，随手摸出烟盒，取出了两支，一支递给霍桑，一支我自己点着。我想我们到南京来，一来为转地疗养，二来为消暑，本抱着清闲的旨趣，偏偏凭空里来了这件怪物，真是太出人意料。现在霍桑的好奇心显然已给激动，似乎已准备彻究它的秘密。那么未来的情势正不能预料。

霍桑吐出了一口烟，开始说："包朗，这断指来得如此突兀，真叫人索解不得。现在我们要解释这断指的用意，应注意一个先决问题。"

我问道："什么先决问题？"

他提示道："就是那人把断指寄给我，究竟是怀着好意，还是恶意？"

"这样可怕的东西，哪里会有好意？当然是恶意无疑。"我直觉地应了一句。

霍桑皱皱眉，摇摇头："话虽如此，我们却不可怀着成见。你得知道凡推想一件事，必须看到各方面，才不至于偏颇误事。譬如那寄断指的人或是蒙着冤枉，或有别种关系，因为慕我的虚名，把断指寄我，希望我给他申雪。这就算不得是恶意了。"

"那么你想真有人希望你给他申冤？"

"这也不能轻易断定。不过我们既要彻底研究，就不能不先从善意方面来一个可能假定。"

"唔，那么善意方面，你想还有其他的可能性吗？"

"还有一个，不过我也想不出它的来由。"

"那是什么？"

"也许有一个正在实习解剖的医学生，在解剖尸体时割下一只手指，寄给一个朋友开开玩笑。学生们割一只死人的耳朵，塞在同学的袋里发发笑，那是常有的事。这自然也算不得恶意。可是我实在想不出会有这样的朋友。"

我吸了一口烟，沉吟了一下："我看不会有这样的事。你不会有这样恶作剧的朋友，尤其是少年的医学生。"

霍桑同意说："是，我也觉得如此。现在再从别一方面看，假定那人是怀着恶意的。那也有三种可能的理由。"

"哪三种？"

"第一，是栽证嫁祸。譬如我平素有什么怨仇，或是有怀恨我的人。那人知道我现在作客他乡，没有援助的人，就把那人自己或他人所犯的罪证移交于我，等到发觉的时候，再将我牵涉到案子里去，使我受不白的嫌疑。"

"这一层容易解决。你只需自己问问，有没有这种怨家，便可以循迹根究。"

霍桑忽笑道："你怎么说容易？我平生行事，总凭着自己的天良，自问并没有亏德，当然不致有关于私人的深仇宿怨。可是怀恨我的不能说没有。你总也知道，就我的职务而论，感恩我的固然不少，因立场冲突而嫉恶我的自然也难保没有。我从哪里去找？"

我停一停，又说："那么照你的眼光看，这第一种理由是否有成立的可能？"

"我们不必先下断语，姑且把各种理由汇集起来，然后再比较轻重，以定应付的策略。你说对不对？"

"对。你说第二种理由。"

霍桑又吐了几口烟，才慢慢地答道："第二种就是有人妒忌。对于我有了妒忌心的人，自然会有一种希望我失败的私愿。假使有机会可以中伤我，说不定就会实施他们的卑劣手段。因此，近日或者恰巧有某种疑案发生了，那妒我的人故弄狡猾，取了一个断指寄给我，特地来试试我的力量。因为那人料我得到了这个断指，若要从事探索，既然毫无头绪，势必要归于失败；我若不声不响地置之不理，他们也会笑我庸弱无能，徒拥虚名。从今以后他们或者要把这回事传为话柄，作为讥讪我的资料。那么一去一就都足以使我难堪。他们中伤的计划岂不是就可以成遂了吗？"

我不觉鼓掌道："对了！这一层理由比前一层更切近——"

霍桑插口道："喔，你也以为更切近吗？假使果成事实，这意外事岂不是昨天的报纸上惹出来的？回头我少不得问问朱雄，我们的消息是不是由他传述开来的。"他丢了残烟，仰起身子，在桌上取了一把有书画的折扇，挥个不停。似乎他起先不觉得热，因为这最后的意念才按捺不住。

我又问道："你刚才说有三种理由。那第三种又是什么？"

霍桑一边挥扇，一边低下了头，目光凝注着地板，似在那里构思。

他抬头答道："第三层理由，我只有一种怀疑，还没有具体的解释。现在姑且把我——"

他忽然顿住了，敛神侧耳地听着。接着他忙向我做一个眼色，又挥一挥手，似乎说房外有人进来，叫我把桌上的火酒瓶和纸绳等一切东西藏起来。我急急起立，把那些东西收拾在一只镜台抽屉里，重新坐下。霍桑才高声招呼。

他问道："外面什么人？进来。"

呀的一声，房门开了。李四拿了几份报纸踱进来。

他说："先生，这里本地的报纸都全了，一共四张。"

霍桑受了报，点点头。李四重新退出去。霍桑随即取起一张《大江南报》，忙着展开来。

他向我说："包朗，我们看一会儿报，停刻再讨论。"

霍桑看见了报，有一种守待不住的表现，使我怀疑他的看报的目的。因为他方才要看报，不过是为着戏目，显然没有什么要紧，这时我料想他的目的已经变更，所以急不可耐。我看见他敏锐的目光在报纸上一行一行地浏览过去，十分迅速。而且他展开的一页果真不是戏目广告，而是本埠新闻。不一会儿他突地从椅子上坐直了，抬起了他的头，现出炯炯的目光。

他喊道："包朗，这里果真有一段新闻。"

我忙问道："喔，什么新闻？"

"一件谋杀案！"

## 求　助

谋杀新闻的答语当然含有相当的刺激力。我的精神顿时紧张起来。霍桑刚才所料的第二层理由，可会不幸而中吗？

我问道："新闻上怎样说？是不是和断指有连带关系？"

霍桑摇头道："新闻很简短，此刻还不能说。"他把那张《大江南报》递给我，又从桌面上去取别一种报纸。

我接过来一看。标题的字模并不大，只是三号字的紧要新闻：

### 慈善家被杀

本城绅董卫善臣先生是一位热心公益的慈善家。不料昨日二十八日破晓时分，匪徒逾墙而进，卫先生被匪徒用利刀刺死。这案子已由省会警察厅派员勘查过了，据说实系谋财害命。因为卧室内的金银珠宝等贵重物品，损失有五六万元，显然是被凶手所盗去的。现在警厅探员正在缉捕凶手，详细情形俟查明再登。

新闻果真很简短，而且也并无特异之处，所异的只是被害的是个慈善家。我正要向霍桑问话，霍桑也已将桌上的各报搜检一遍，丢下了报纸，走到窗口去。

他站定了说："这里的消息怎么如此不灵通？除了《大江南报》有这样一段简短的新闻以外，别家报纸竟完全没有记载。"

我道："就这新闻看，死者是一个绅士，这案子也许会宣传一会儿。"原来在那个时期，绅士阶级在社会上还是炙手可热的特殊人物。

霍桑沉吟地说："是。凶手伤害了事主，又劫去了五六万金的巨款，当然不是寻常的小偷小盗。而且死的又是一个所谓绅董，官厅方面当然也得忙一下子。"

"据你料想，这案子和寄来的断指会不会有某种联系？"

"我此刻怎么能知道？报纸上没有说死者短少一个大拇指，我怎能硬把它联系上去？"他旋转身来，皱皱眉，"假使果然有关，我少不得也要牵涉在内，那就未免有些棘手。"他低头想一想："包朗，李四说昨天傍晚那个西装客人是个年轻人？"

"是。你想那人是因着这凶案来请你侦查的。"

他思索了一下，摇摇头："不，不会。要是真来叫我侦查的，他绝不会来了就走，而且也不会今天不再来。"

他回身走近桌子，咬紧了嘴唇，兀自皱眉苦思。接着他开了桌子的抽屉，看着抽屉中的断指瓶发呆。他的神气显示出一种心神不定和把握不住的样子。

我说："霍桑，这个断指应该怎样发落？你得有个办法才好。"

他答道："是，这是一个最困难的问题。"

他走到床边去，开了皮包，抽出一张南京全图，展开在桌面上，细细看了一会儿，点了一支纸烟，背负着手，在室中踱来踱去。那缕缕烟雾便跟着他在室中盘绕。

他站住了说："我想第一步办法，应该查究那寄件的人。"

我应道："对。这一着你已有了成竹没有？"

"我想先到三牌楼第一邮务支局里去，问问那寄包件的是一个什么样人。"

"到三牌楼去？为什么不先到中正街三号去？"

"那地址一定是假的，我方才已经说过。你总已瞧见那邮花上的印章明明是第一支局的。第一支局是在三牌楼，和中正街相距很远。那人若是果真住在中正街，为什么不向就近的升平桥第四支局去寄，却反到较远的第一支局去寄？"

"为掩护真相，舍近就远也未始不可能。"

"是。不过你自己矛盾哩。这人既要掩护真相，你想他会写真姓名真地址吗？"

"既然如此，你就是往三牌楼去，也不会有多大希望。因为这个人既已假托地址，故设疑阵，不愿人知道他的真相，难道会亲自到邮局去寄，使人家容易侦查吗？"

"是，你的推断很合理。不过就是他另外差人去寄，只要邮局人员碰巧注意他，多少有些印象，也可以给我一个线索。何况这个人或者竟疏忽了这一点，亲自去投寄，也说不定。"

"那么那寄断指的人究竟是个何样人，你总该有些端倪。

否则你即使往邮局去问，未见得他们会直指出来。"我提出一句有启发性的问句。

霍桑点点头，重新坐下来："不错。我已经推索过一回。我就那断指的包裹纸扎缚的绳结和封面的字迹看来，那人似乎是个受过新教育的少年，并且也不像是个穷人。"

"你可能解释几句？"

"可以。我看封面的字迹虽然很草，笔力却不弱，似乎那人在书法上用过功。那麻线的结是个双套结，童子军的结绳术上有这个方式。他知道在节骱处下刀，又知道用火酒保存断指，显见也有科学知识。那包裹的纸，最外面一层是重磅牛皮纸，显示他熟悉邮局寄包件的章程。里面的白纸是一种优美的英国信笺，价值很贵，也不是寻常人用的。从这几点上推想，那人显然是一个受过新教育的人。"

我想了一想，说："根据你这个推断，这个人倒很像你所假定的医校学生，是不是？"

霍桑咬一咬嘴唇，答道："是。可是我实在没有这样的学生朋友。"

"也许不是你的朋友，是一个我们的朋友的儿子，或者竟是个不相识的青年，特地和你开开玩笑，试一试你的眼力。你想会不会？"

"唔，也许……我不知道。"他又沉倒了头，努力抽烟。一会儿他又抬起头来："不，不！我看这不像是开玩笑的事。它的性质相当严重。"他的目光闪一闪，神色也严重起来。

我问道："喔，你说是栽证移祸？"

他摇摇头："不是。现在我觉得这假定不能成立。因为这罪证明明是邮局里寄给我的，我的立足点仍很稳固。那人即使想陷害我，我尽可以提出反证。"

"那么和你方才所说的第二种理由合不合？"

"那也有些矛盾。"

"何以见得？"

"因为对我有妒忌心的人不外乎警探之流。这班人不学无术的居其大半，不像会有新知识。"

我连带地记得他本来说过有三种理由，当时因李四送报纸进来，才给打断了。

我说："霍桑，你本说有三种理由。那第三种又是什么？"

不凑巧。我正要等待霍桑的解答，偏偏室门上又有叩门声音。霍桑应了一声，李四又走进来。

他报告道："下面有一位姓卜的客人，要来见霍先生。"

霍桑疑迟道："他是个什么样人？"

李四道："他是本地人，像……像是个绅士老爷。"

霍桑略一踌躇，说："好。你去请他上来。"

李四答应着下去。霍桑把报纸地图折叠收拾好，又开了抽屉，将火酒瓶和包纸拿出来，放在皮包里，随即走过屏风的那一边去，预备会客。我赶紧穿上袜子、衬衫和一条国产法兰绒裤，也一同走到那边。我们的卧室是一大间，中间架了一扇纸屏，一面是两张床铺，一面摆了些椅桌陈设，就算是应接室。

一会儿，李四领了一位客人进来。那人约莫有四十多岁，身材矮小，秃发露顶，穿一件白纱长衫，上面罩一件元青团龙纱马褂，足上白丝袜，黑纱凉鞋。他的脸色白皙，有个大鼻子，鼻尖上现着些猪红，一双黑眼掩在一副墨晶眼镜后面，神气倒很威严。他一进房门，便把两手拱一拱：

"哪一位是霍先生？"

"兄弟就是。"霍桑上前一步，微微弯了弯腰。

客人递出两张名片来。我受了一看，姓卜，单名一个良字，是一位乐济善堂的副董事。那人又向霍桑说了几句仰慕寒暄的套话。霍桑也请他坐下来。

他说："兄弟今朝造访，就为了敝堂总董事卫善臣先生被害的事，请求霍先生帮帮忙。"

霍桑定了定神，答道："不敢。卫先生不测的事，刚才我已经在报纸上见到。卫先生是一位慈善家，我们也非常悼惜。"

客人忙接着说："正是呢。卫先生平日热心公益，不辞劳瘁。他对于一切募捐筹款的事总是踊跃从公。因为他的交游很广，人又极诚恳，所以人家没有不信任他。不料昨天早晨他遭了这非常的横祸，同人们都十分痛惜。今天我们善堂里开过会议，大家主张一定要彻究这件事，把凶手拿到了归案治罪。我们仰慕霍桑先生的大名好久了，又知道先生恰巧在此地，所以派兄弟来恭请。关于酬谢方面，一切唯命是听，只要霍先生肯帮忙。"

霍桑顿了一顿，叹息道："地方上少了一位纯正的慈善家，直接受影响的就是一般贫苦无告的大众。我如果能尽一份绵力，也间接是替民众们效些劳，本也是我们分内的事。不过我们到这里来，本为着消夏游散，况且人地生疏，不比服务于官厅中的人，随时随地可以取得助力。因此，我只怕爱莫能助，辜负卜先生委托的盛情。卜先生不如直接去请官家侦探——"

卜良忙接口道："唉，官家侦探，我们早已去请过。不过为了斩草除根起见，还要劳先生的神。先生若使需要人相助，敝堂尽可和警厅商量，给予先生便利。霍先生，请你别推辞。"他又连连地拱着手。

语意很恳切，局势有些像霍桑非答应不可。霍桑仍没有应允的表示。

他摇头说："卜先生，对不起得很，我不能担任。"

卜良着急地说："霍先生，这件事很奇怪，非你——"

霍桑突然接口道："很奇怪？卜先生，你指什么说的？"

"卫太太说，卫先生的伤势似乎——"

"喔，伤势很奇怪，是不是？"

"是。"

"唉，奇怪得怎样？"

"这个我不大仔细，卫太太也不敢随便告诉人。霍先生，无论如何，你去看一看总不妨。"

情势有些转变，霍桑的意志动摇了。他分明听得了伤势的奇怪，联想到那断指。那么这两件事果真有关系吗？霍桑又垂着头，思索了一会儿，果然应承了。

他说："既然如此，我姑且试一试。这件案子既然奇怪，我也许可以长长见闻……卜先生，这案子的经过情形怎么样？"

客人答道："据警官们的意见，这是一件谋财害命案。但是我也不大仔细，最好你马上去勘验一下。"

霍桑点点头："好，那么请你将卫府的地址告诉我，我们不妨走一趟。"

卜良很高兴地答应了，立刻将卫家的住址写在纸上，双手交给霍桑。他又向霍桑要了一张名片，以便往警厅去接洽。商议妥定了，彼此又说明了电话号数，卜良就告别出去。我等霍桑送客进来，忙着发问：

"霍桑，断指问题还没有着落，你怎么贸贸然答应人家？你想这两件案子果然有连带关系吗？"

霍桑正拿起那纸条念道："城南利涉桥，九十九号，卫府。"他将纸条夹在记事册中，才回头答复我："这问题现在用不着多讨论，我们但须往卫家去走一趟，马上可以明白。要是你觉得你的精神不疲乏，不怕热，不妨一块儿去瞧瞧。"

"要是这案子和断指没有关系，我看你担任了也没有意思。"

"不。这案子若是果真和断指有关，我自然要彻究它的真相。就算没有关系，我也可以因此认识几个当地人，然后再进行侦查断指的事，多少也可以得些帮助。"

我还没有答复，李四又走了进来，手里拿着一张名片。

他说："先生，又有一位客人。"

霍桑接过名片一看，诧异道："唔，他也来看我？好，快请他上来。"他随后将那片子递给我："你得注意着，这一位来客和我们很有关系呢。"

我看见名片上印着几个大字：

"省会警察厅侦探长杨凡通。"


# 再来一个

杨侦探长的身材很高大，满脸粗麻，光头，塌鼻梁，浓眉毛，大眼睛，皮肤又粗又黑，看上去丑憎异常。他的身上穿一件黑色纺绸宽大的长衫，双梁缎鞋，黑纱袜。走路时挺着胸膛，摇摇摆摆，神气可称十足。他一看见霍桑，赶紧走近打拱，满面堆着笑容。

他说："霍先生，你真了不得！兄弟慕名好久了，可惜一向没有机会。昨天才从报纸上知道你们两位在这里，今天特地过来拜访。"

他回过头来，又和我招呼，但他的言语态度已打了一些折扣，不比对霍桑那么恭顺。我听得长辈们说，前清衙门里的皂役三班，平常有三副嘴脸，一副怕上官，一副媚富绅，一副吓小民。现在我看见了杨凡通的神气，仿佛得到了一个类似的印证。经过了几句不必要的敷衍，霍桑就率直地发问。

他道："杨探长今天光临，我想总有什么见教，是不是？"

杨凡通坐了下来，正在找机会发表他的来意，忽听得霍桑先问，他便嘻嘻一笑。

他翘一翘右手的大拇指，说："唉，霍先生，你真是未卜先知！怪不得名满四海。人人拜下风！今天兄弟奉了敝厅长的命——"他忍住了，忙又改口："今天兄弟特地来拜望你，就为了卫董事的奇案，要请你指教。"

霍桑道："唔，那案子究竟怎么样，我也正要请教。"

杨凡通高兴地说："喔，霍先生，你也很注意这件案子？那正凑巧极了！这案子我已经约略查勘过一次，原因大概是谋财害命。"

霍桑宁静地道："唔，你既然亲自验过，一定知道得很详细。现在请你仔细些说一遍。"

侦探长的粗黑的麻斑脸上，好像嵌了一些红，慢吞吞地答道："说到详细，我还没有研究过。现在我姑且将我知道的事情报告一下。这案子发现的时候是昨天清晨五点半钟。发现人是卫家里的一个园丁，叫沈全卿。他在天没有亮时，被一只守门的狗吠醒。他起初并不在意，望一望窗上还是乌黑黑的，觉得起身还早，就躺在床上养神。到了五点半钟，他才起来，走到园里，忽然看见园门开着。他才暗吃一惊，知道出了岔子。他忙着叫起了屋子里的仆人，向四下去搜寻，可是并没什么异状，书房里的古董也不短少。后来他们寻到了主人的卧房里，才发现卫绅士已给人杀死，死尸横在床脚边。"

他停一停，瞧瞧霍桑，又瞧瞧我，像要等什么评赞。霍桑倒并不使他失望。

他点点头，说："很清楚。以后怎么样？"

杨探长起劲地说："那时候人人着了慌，就差人到东区警署去报警。署里听说是件命案，被害的又是当地的绅士，自然不敢怠慢。王署长一边派了警士去看守，一边立刻打电话到总厅里去。兄弟得到了信息，立刻赶到利涉桥去勘验。

"我到那里时已是八点钟。我检验那尸骨，刀伤在心口，确是被杀而死。箱子里首饰等物的损失在五万左右。我又向园丁沈全卿查明了发案的情形，才回厅去报告。"

故事告一个段落，情节也不见有出奇之处。霍桑却很注意地倾听着。等杨探长说完了，他点一点头。

他说："看起来发案的时间大概就在犬吠的那个当儿，是不是？"

杨凡通的大拇指又一度竖起来："对！霍先生，你的眼光真凶！我早就这样说过。"

霍桑仍毫无表情地说："据你的眼光看，那凶手是个什么样人？除了钱财，可还有什么别种目的？"

杨凡通道："目的似乎只是钱财，失掉的首饰就是证据。不过这凶手不比得寻常的盗贼。但瞧他的胆子和来去的踪迹，就可以见得他有几分本领。"

"喔，你想那人有怎样的本领？"

"我看凶手是从屋面上进去的，出来时开了园门走，才惹起狗吠。他这样子来去自由，毫没顾忌，便可想到他的胆子也不小。因为卫先生的卧室在正屋楼上，他的房里有四姨太伴着，楼下又有两个守卫的壮丁轮流地值夜——"

霍桑忽插口道："什么？卫府上竟这样子阔气，有值夜的守卫？"

杨凡通点头道："是。这两个壮丁是新近雇用的，据说还不到两个礼拜。可是这两个人真是一对饭桶，昨天清晨凶手动手的时候，他们俩竟丝毫没有觉得。房里的四姨太太也给凶手用绳索绑住了手脚，嘴里也给塞了棉团，因此也不能声张。从这种种方面看，便可见得这家伙手快脚快和胆量过人，绝不是一个寻常的小偷儿。霍先生，你说是不是？"

霍桑用双手抱着右膝。他的两眼注视在杨凡通的面上，一边听，一边还像在那里思索。

他答道："不错。照你的话说，凶手确可算得一个好手。他不像是乘虚而来的。在犯案之前，卫绅士似乎预先已经有些知觉。但瞧他新近雇用守卫，就是一个明证。"

杨探长摸摸自己的光头，说："是，我也这样想。不过这一层要是实在，那就更麻烦了。因为犯案的盗贼，事前既然敢明目张胆地通告，他们的党羽一定多。何况这案子又出在有财有势的卫善臣家里，上峰的风势特别紧，我们奉公的人自然也怠慢不得。霍先生，我说句不怕丑的话，我已经将这层情由禀明了秦厅长。厅长很明谅，就记起你来。他说你从前在苏州破获'江南燕'一案，聪敏和眼光都了不得。恰巧报纸上又登着你们在这里的消息。我就跟厅长说，请你老人家帮帮忙。厅长一口赞成，立刻派我来请你。霍先生，这件事要是办妥了，厅长一定要重重酬谢你。"

霍桑微微鞠了个躬，谦谢道："承蒙你这样抬举，真是荣幸得很。这案子我虽不敢负责，但是若使我有一得之见，自然很愿意从旁贡献意见。将来如果破案了，有什么酬报，那自然也必归给你。"

杨凡通又红涨了脸，用手摸了摸他的光头，又牵一牵他的阔厚的嘴唇。

他道："这话哪里说起？我断不敢夺人家的功。霍先生，别多疑。"

霍桑笑道："杨探长，我何尝说你夺功？不过我提起一句，我从事侦探，完全是为兴趣和责任心，对于名和利一直很淡薄，包朗兄可以证实我的话。"

杨凡通果然把他的两只眼睛移注到我的面上。我的旁听的姿态不得不暂时取消。

我说："这是实在的。我们去年在海门破了一件私运军火案，当地的长官给了五千块钱做谢仪。霍桑兄坚拒不受，后来只受了两支手枪做纪念。他又分一支给我，我倒坐享其成。"

霍桑向我笑一笑："嗯，你也谦逊起来哩。我探案时得到你的帮助真不知多少，你倒说坐享其成！"

杨凡通乘机道："不错。包先生的大名，兄弟也已久仰。这案子少不得也要劳包先生的神——"

霍桑挥挥手阻止他："好了，闲话别多说。现在我还要问一句。你验伤的时候，死者的伤势怎么样？致命伤一共有几处？"

谈话方始到达了关键，我的精神振一振。我知道霍桑所以采取这种迂回策略，始终不正面进攻，显然要把我们接得断指的事隐藏起来。但瞧他的问话，表面上还是注重在致命伤，便可见他的迂回的苦心。

杨凡通道："我已经说过了，致命伤恰当心窝，所用的凶器显然是一种尖刀。"

"只有这心口一处？"

"是。"

我看见霍桑的眉尖皱一皱，放下了手抱的右膝，把头沉下去。他分明是失望了！当然我也不例外。我开始觉得卜良的外交策略真高明。他用了"奇怪"字样来耸动霍桑，实际上原只是一件寻常的谋杀案！霍桑似乎还不放弃他的期望。

他又问："除了心口一处以外，再没有别的伤了？"

杨凡通道："是，致命的只有这一处。"

"喔，那么还有不足致命的伤？是不是？"霍桑的眼珠在暗暗地转动。

杨探长张一张眼睛："唉，是的，还有……唔，很奇怪。那右手的大拇指，不知怎的也已给截去——"

"哼！"

我忍不住喊了一声，赶紧收敛住！霍桑立刻干咳一声，回转头来，他向我丢一个眼色，显然怕我漏出断指的秘密。杨凡通倒并不疑心。他大概以为我的惊呼的来由是在断指的本身上。

杨凡通补一句："更奇怪的，卫董事的左手大拇指也没有了，不过已经结了瘢，不像是新断的。"

霍桑接着道："真奇怪。你可曾寻过？那截下来的断指有没有留在室中？"

杨凡通道："怎么不寻？可是各处都寻遍，没有踪影。那断指想必是给凶手带了去了。真是很奇怪。"

霍桑垂着目光，凝想了一会儿，忽然首先立起来。

他拍拍来客的高肩，低声问道："这位卫老先生也抽这个吗？"

霍桑用左手的拇指连接了右手的小指，装作一支鸦片枪的样子，凑到嘴边去。杨凡通会意地牵牵嘴。这答复很巧妙。一个公务员在禁烟时期，当然不便公开承认这问话。

霍桑笑一笑，点点头："好了，杨探长，这案子承你这样子详细解释，我已略略有些轮廓。现在我不必再到卫府去勘验。请你回复贵厅长，说我很愿意尽力。但是我若有相需的地方，也得请贵厅的弟兄们帮助一下。"

他取出一张名片递给杨凡通。杨凡通又敷衍了几句，方才辞出。霍桑送他下楼去。

时候已近十二点钟，我却并不觉得饥饿。我一个人坐在房内，脑海中的思潮十二分紊乱。那只来历不明的断指既然和卫家的命案合而为一，显见是一件不可轻视的奇案。有几个问题同时涌上心来。卫善臣的拇指是凶手割去的吗？还是另有断指的人？断指的人可就是寄指的人？他把断指寄给霍桑，究竟有什么用意？此外还有杨凡通的来意是否因着案情的棘手严重，诚意来求救，或者他有别的用意，要霍桑"好看"？种种疑问奔赴我的脑府，一时都不能解决。

霍桑急忙忙回来，低声说："我已经打过电话给卜良，告诉他我不去勘验了。"他更凑近我的耳朵："包朗，你听着，现在我可以继续我的中断的答话了。你方才不是问我关于断指的第三种理由吗？那就是秘密党人寄给我的！"

我惊异道："秘密党？"

"是。轻些！我告诉你，这个党一定凶险异常。但瞧他们那种惨杀残酷的举动就可以想见！"

空气骤然紧张，仿佛有一群青面獠牙的吃人鬼魅，霎时间涌现在我的眼前。我想象到这件事的严重的后果。

我问道："那么他们把断指寄给你，有什么用意？"

"用意？当然是充分的敌对性！"他摸摸下颌，"论原因还是报纸上的新闻惹出来的祸殃！"

"难道党人们也妒忌你？"

"不是妒忌，是顾忌。他们把断指寄给我，意思一定是恐吓我！"

他走到纸屏风的那一面去。我也跟随着。他点了一支纸烟，用力地抽着。他的脸上的肌肉紧板板的。他的眼睛里仿佛有火。

我定神想一想，又问："霍桑，你说他们是秘密党，有什么根据？怎见得不是一个单独的窃盗？"

霍桑低声道："根据自然有。我说给你听——唉！包朗，又有人来了，想是送饭来的。我们吃过饭再谈。"

房门上果然响一响。李四捧了饭盘走进来。他将盘放在桌子上，先将筷匙碗碟端了出来，又从盘中取出一件牛皮纸包裹的东西。

他说："霍先生，又有一个包件给你。"

霍桑丢下了纸烟，一手将纸包接过去，看一看，乘势把眼睛在李四的身上瞟一瞟，又将包件上的收件单签了字，交还给李四：

"拿去吧。"

我等李四走出了房门，赶紧把房门关上，急急回过来发问。

我低声道："霍桑，这包件里又是什么东西？"

霍桑不假思索地脱口道："再来一个！"

我狐疑道："再来一个什么？"

霍桑道："再来一个断指！"

## 血

我惊异吗？自然。霍桑的面色沉着，脸上的肌肉也更见紧张，双目炯炯地注视着手中的小包。这当然不是闹玩笑。局势在急剧地展开。这种再接再厉的激变，我个人简直应付不了。

我说："你还没有打开来看哩。你不会猜错吧？"

我还想缓和一下空气。霍桑不答，从袋中取出记事册，翻了一页，放在包件面上对一对，向我招一招手：

"你过来瞧。这是今天第二班快邮。这包面上的具名、字迹，包的大小和所用的纸、绳，都和先前的一样。瞧，就是这个异样的绳结不是也和我方才摹写下来的完全相同吗？"

的确，用不着细细地比对，一瞥就可以看出是完全相同的。霍桑将一重重白笺纸打开来，包内果真是一只纸匣，匣中又是一瓶火酒，瓶内是一个断指！不过这瓶中的酒色略略带一些红，这就是和先前一瓶的唯一不同点。霍桑又如法炮制地将瓶内的断指钳出来实验。

我开口道："你发现了什么没有？这一个断指想必是另一人的？"

霍桑答道："是。那是另一件案子。也是一个大拇指，是左手的，断割处也在第一节，而且是从活人手上斩下来的。没有烟痕，但皮肤一样很白嫩，也像是一个富翁。"他把钳着的断指放入瓶中："真奇怪！"

我说："他们倒专跟有钱的人作对。"

"这就可见他们的宗旨是劫夺人家的钱财。"他放下了瓶，又细看包纸上的邮局印章，"唔，仍旧是第一支局。我先前的料想大概不错，他们的地址也许就在三牌楼附近……对，他们确实是一种可怕的秘密党徒！"

我疑惑地问道："我还不明了。请你说得明白些。"

霍桑坚决道："简单说一句，那割下来的断指就是他们犯罪的证据。但是他们不把这东西掩藏起来，反而敢寄给人家，可见得他们的目无法纪已经到了怎样程度。并且他们连寄两个断指，同是在一个邮局，也可见他们丝毫没有忌惮。唉！他们的胆量真可以使人吃惊！就这一点推想，他们一定是一种有势力的秘密党。若是少数或单独的窃盗，无论怎样凶恶，总不敢这样子胆大妄为。"

我赞同道："唔，这推想很近情理。"

霍桑继续道："除此以外，从那高价的白信纸和一式的火酒瓶上看，也可见得他们党中经济的富厚和规模的整齐。不但如此，我还知道他们的党名。"

"喔，你想是什么党？"

"似乎是叫断指团。"

"你是从断指上着想的？"

"是。还有一层。包面上不是写着'窦志端寄'吗？现在我相信这个假托的姓名不单是要掩护真相，却像是'断指团'三个字的谐声。"

推想和假定都很合理。摆在眼前的是一个可怕的秘密组织，而且再接再厉地向霍桑挑战，前途不容乐观。霍桑的神气虽异常紧张，但仍不失他的镇静。他又很小心地将火酒瓶和包纸等收拾好，照样放在皮包里。他回头叫我：

"包朗，饭快冷了。我们吃饭吧。"

我答应了，勉强坐下来。其实这样一件奇怪的事情盘踞在我的脑海中，我的胃口也受了影响。霍桑却不失常态，照例吃两碗。饭罢了，我和霍桑又坐到窗口去，彼此又吸着一支烟。

风静了。热度在暗暗地高升。江面上的帆影还是在错综络绎地往来，白鸥也仍在成群地回翔，可是对于我已失却了欣赏的情味，只觉那金黄色的反光耀眼刺肤。

静默了一会儿，我耐不住地说："霍桑，从各方面看，这件事很不容易着手。你到底干不干，须得仔细想一想才是。"

霍桑吐了一口烟，正色道："我怎么可以不干？我素来的志愿就是锄恶扶良，给大众尽些力。现在地方上出了这种残酷的暴党，杀人断指，看作儿戏，明明是社会的公敌。我们怎么能袖手旁观？这是我不得不干的主要理由。此外还有两点：一则，他们接一连二地把断指寄给我，明明防我干涉他们，先声夺人地用恐吓手段警告我，使我知难而退。这样的挑衅，我可以畏缩不理吗？二则，我既已受了两方面的请托，应允在先了，又怎能退避背约？……是的，包朗，我不能不干！"

充分的理由加强了他的意志，更强调了他的无可挽回的语气。我默默地吸着烟，找不出阻止或缓和的词句：

"你决意和这班匪党拼一拼？"

"是，无论怎样，我要试一试！"

我又呼吸了一会儿烟："我看事情很困难，而且很危——"

霍桑突然坐直了："嗯，困难？包朗，你忘了那句'天下没难事，只怕用心人'古谚吗？我也有一句转语：'办易事，不轻心；办难事，不退缩。'这件事虽难干，但我们不可先有'难'的成见。只要各尽智力，凭着决心去干，又怕什么？我们又有便宜行事的机会，随时可以得警察们的帮助，怎见得不能够破巢擒贼？包朗，你振作些，别先让一个'难'字横在胸中。我相信我们一定能够克敌制胜！"

霍桑有一种特长，无论干什么事，他第一步总是运用理智，加以缜密考虑；第二步是审情度势地下一个决心。一经决意，他就能本着大无畏的精神，锲而不舍，决不肯知难而退；并且当事机急迫的时候，他仍能好整以暇，从容不迫，不失他的定力。这是我最佩服的。不过眼前这一件事，据我料想，似乎不但难望胜利，而且非常危险。因为党人们既然这样子胆大，霍桑却势孤力薄，自然不容易制伏。但是霍桑像胆子包身似的决意要去和他们为难。他这一种果毅敢为的能力固然是高人一等，可是我总不能不替他担虑。

我问道："那么你打算怎样着手？"

霍桑吐出了一长串烟雾，答道："我想这件事还有新的演变。不过我也不是静坐着等候。我马上要出去。"他立起来丢掉余烟。

我又问："我要不要跟你一起去？"

他摇摇头："不，现在还用不着烦劳你。不过你枯坐在这里，也太闷郁。你若是不怕热，不妨也出去散一散。"

我道："我本想去瞧瞧朱雄。你不是也说过要去看看他吗？"

霍桑摇头道："不，现在我要往另一个地方去，不再去会他。你独自去也好。"

"你要上哪里去？"

"唔，我……嗯，回头再告诉你。"

他将身上的那件纺绸西装衬衫脱下，改穿了一件白万载夏布的长衫，把草拖鞋换上一双纱凉鞋。我自己也着上一件云纱长衫，取了草帽手杖，跟他一同出房。我随手把房门锁上，正要叫李四过来，将钥匙交他，忽见霍桑俯着身子，从房门口的地上拾起一张纸片。我回头一瞧，是一张从新闻纸上撕下来的歪斜不整的纸条。

我问道："这是你失落的？"

平日霍桑把剪裁报纸上的新闻作为一件正常工作，我们上海的寓里就有好几册厚厚的剪条纪录。现在虽在客地，他的行箧中也还带了许多这样的纸条。

霍桑将纸条瞧了一下，摇头道："我记不得了，怕不是我的。"

他说着，像要把它弃去，继而又变了意念，将纸条夹在他的记事册中。然后他叫唤李四，将钥匙给了他，才和我一块儿下楼。

我们出了旅馆，正要向小车站进行，霍桑忽住了脚步。

他说："包朗，你进城吧。现在我先要向江边去走一趟。"

"江边什么地点？"这问句是多余的，我终于不曾吐出口。我答应了一句，就别了霍桑，独自往火车站去。

我在火车里默想：霍桑对于探案的步骤似乎已定下了某种计划，他说他要往江边去，当然有作用。不过这作用是什么，我固然不会问，问也是徒然的。因为事前不肯轻易发表，是他的一贯作风，我的经验够深刻了。

火车到达北极阁，我下了车，往钟山师范学校走。刚到校门，恰巧见朱雄走出来。我和他握了握手，才知道他本要到我们寓里去会面，幸亏我早到一步，没有相左。我告诉他霍桑已经出外，我们不必回旅馆去。

朱雄说："那么，我们就到香林寺去玩玩。那里很凉快，路也很近。"

我赞成了，一同步行到寺里。骄阳被云阵包围住，热气好像减弱了些。我们在佛殿旁的一个桐荫掩覆的小轩中坐定。地点的确很幽静。除了一声两声的蝉唱以外，耳朵中绝不闻其他尘嚣。一个寺僧送上茶来。我们就品茗闲谈。我把断指的事情详细地向朱雄说了一遍。朱雄很惊异，也很替霍桑担忧。我又说起报纸上新闻的事，问他有没有投稿。

朱雄答道："不，我不曾投稿。不过那天我同霍桑兄游雨花台的时候，恰巧遇见一个姓邹的同事。他看见霍桑兄在采集植物标本，后来就拉着问我。我约略说了几句。也许是他写下了去登报，才惹出这意外的风波。"

朱雄说起，上年冬天，本城发生过一件惊人的绑架案子，事主被绑票，警士也死了一个，伤了两个，匪徒却到底漏网。因此他觉得霍桑此番的决策，未免太冒险。

我们在那绿沉沉的梧桐荫下谈谈说说，的确忘掉了暑热。一会儿，天色更见暗下来。东北角上涌起了一大堆乌云。一阵一阵的凉风把炎暑都吹散了。我觉得非常畅快。

我说："怕要下雨哩。我们没有雨具，赶紧回去吧。"

朱雄道："来不及哩。这是阵头雨，立刻就要下了。我们再坐一会儿，等雨过了再走。"

这时风势果真越吹越紧，梧桐叶飕飕地乱鸣。天空也越见乌黑，几乎像黄昏。隆隆的雷声，渐渐地自远而近，接着是划破长空的闪电。霹雳雳！劈的一声响，带下了一阵骤雨，倾盆般地从空中倒下来。约莫下了一个钟头，雨方才收住，但天色仍旧是乌黑黑的。我摸出表来一看，已是五点钟，就同朱雄离了香林寺，各自回寓。

我到中华旅馆时，六点钟已打过，问问账房，霍桑回来过一次，又出去了。我一直上楼，四下一望，不见李四。我们临行时将钥匙交给他，现在要叫他开门，竟寻唤不着。甬道中又不见别的茶房，我不免有些着恼。我走到二十二号房前，用手握了门钮推一推。门忽呀地开了。

我很诧异。李四刚巧在房间里吧？怪不得寻不着他。我随手推开了门，向里面一望，黑漆漆没有一丝光线。雷雨后天色既然乌黑了，他在房内为什么不开电灯？

我一边寻思，一边跨进了房门，嘴里喊道："李四！你在里面吗？"

我喊了几声，没有人答应，不禁疑惑起来。我走近壁旁，伸手摸着了电灯的机钮，向下一捺，灯光立即明亮。可是明亮带给我的是一种意外的惊吓。

那分隔的纸屏已经倒在地上，四只椅子和一只圆桌也都离了原位，房内空空，玻璃窗仍旧闭着，却不见一个人影！偷儿枉驾过了吧？可是我们的皮包仍在床边。一转眼间，我的毛发都耸竖起来。原来地板上面，一点一点的都是鲜红的血迹！

我失声道："不好！这房里有人行凶过了！"

怎么办？我有些心慌意乱，手足无措。唔，有些声音！我正待回头，猛觉得我的肩膊上有人拍一下。我更吃一惊，急忙闪过一旁，把身子一蹲，准备抵抗。可是我回头看时，那拍我的就是霍桑。我进房时没有关房门，霍桑走进来，我正在发怔，所以没有觉得。

霍桑低声说："你为什么骇叫？"他的敏锐的眼光也已看见了地上的血迹。他作诧异声道："嗯，血？哪里来的？"他忽又敛神地倾听："奇怪！这房里还有人吗？……包朗，你可听得哼哼的呻吟声音？"

他不需要我的回答，早已大踏步走到他自己睡的床前去。床上垂着白纱的蚊帐，一时还瞧不见什么。我仔细一听，那哼声似乎就是从帐子里面透出来的。霍桑用左手把帐子揭起，右手插在裤袋中，忽又呆住了不动。我探头一看，床上并没有人，但霍桑的右手已经从裤袋中抽出来，伸到枕头上去，拔出了一件雪亮亮的东西———把钢刀！

## 警　告

这发现实在出我的意料。那贼党的凶横险恶又得到一个证据！我回头看一看床上，我的呼吸加急了。

我喊道："枕头上还有一张纸哩！"

霍桑应道："是，我看见了。大概是一张警告书。"

他的神气仍十分沉静。他的举动敏捷而准确。他一手将帐门钩住，一手把枕上的那张纸取起，并不瞧，但顺手纳在裤袋里。

他回头向我道："包朗，镇静些。别自己着慌。床底下还有一个人哩！"

我又不禁愣一愣。莫非有什么党徒还没有脱身？我俯下身去，果见有一个男子，手足都被缚着，躺在床下的血泊里。

霍桑低声道："唉！这是李四！来，快拖他出来。"

李四的两眼紧紧闭合着，口里不住地哼着，但是声息很微。他的面部上满涂了尘污，那件白长衫的前襟也撕下了一大块，裤腿上还染着许多血迹。瞧他的形状，似乎他起先跟人打过架，他打不过对方，才被敌人捆起来。

霍桑道："包朗，你把他嘴里的东西拿掉了，再解除他脚上的绳。"

我依照他的话，从李四嘴里挖出了一个纸团，随后又解去他足踝上的绳。霍桑也已经把他的手缚解掉了，随手将李四扶起来。李四坐稳在地上，摸一摸手腕，又揉揉眼睛。他瞧瞧电灯，又瞧瞧我和霍桑。

霍桑婉声问道："李四，你觉得怎么样？"

李四深深地呼吸了几口，又用两手摸摸他的右腿，皱紧了眉。

他答道："这里痛得很。"

霍桑点头道："这是刀伤的。你别慌。我来替你裹扎。"

我道："可要叫医生？我去对账房说。"

霍桑摇头道："喂，别大惊小怪。这件事该秘密才是。你快去弄一盆水来。"

我端了一盆冷水回进来时，霍桑正拿了一面小凸镜，在李四的伤口上细察，口里还唧唧哝哝地和他问答。不到五分钟工夫，霍桑用白布替他裹扎好。

他说："李四，这伤还不妨事。我已替你敷上些药，你不用害怕。现在你到床上去睡一会儿。不必来伺候我们。不过你别把这回事的原委说出去，免得人谈长论短。"

李四点点头："我懂得。不过要是老板问起来——"

霍桑忙剪住他："你不说，他也不会知道。要是真有事，我们可以负责。这一次我们连累你，我心里很不安，回头准重重酬谢你。撕破的衣服准由我们赔。"他拿出几张钞票塞在他的手里。

李四接受了，勉强撑立起来，扶住了墙壁，一步一跛地走出去。霍桑走到开着的皮包旁边去，察看它的内容。

他喃喃地说:"没有少什么。两个断指瓶还在。"

我问道:"这是怎么一回事?你已经明白了没有?"

霍桑道:"据李四说,在四点半钟的时候,他到房里来关窗,忽然有两个穿黑衣的人闯进房里来。他们反闭了房门,将他紧紧地缚住,探问我们俩的行动。李四不肯说,他们就将他戳了一刀,丢在床底下。以后怎么样,他也不知道。他已经痛得昏过去。"

我道:"你想这是不是党人们的活动?"我开始卸长衫。

霍桑也卸下了他的夏布长衫,俯着身体,用电筒和小凸镜在地板上察验血迹。地板上是干的,并没有风雨的迹象,故而血迹很明显。

他抬起头来,答道:"这也何消说得?但他们越想吓我,我越要干!我要瞧瞧他们到底有多大的神通!"

党人们既然是这样凶险,现在虽是恐吓,安知不会从恐吓变成事实?霍桑和他们为敌,危险是不言而喻的。但是此刻我不便再说,说出来的后果只是讨没趣,或是再听他一篇宏论。

我说:"方才那张纸真是他们的警告书吗?到底说些什么?"

霍桑点点头,但仍把电筒开足了光,先验过地板和足印,又去验那把钢刀。刀锋很尖锐,是纯钢的;柄是牛角,像舶来品;刀尖上也染着些血迹。他照察了一会儿,随即在记事册上记了几笔,又将刀收拾好了,才慢慢地从裤袋中摸出那张纸,展开来细瞧。

他诧异道:"唉!没有字!"

我走近看时,果然是一张没字的白纸:

"一张白纸?什么意思?"

霍桑不答，将那纸在电灯底下照一照，随即奔到床边，又打开了皮箧，将先前包断指的白纸拿出来，一张一张都凑在电灯下照着。

他忽然皱紧了眉毛，抱怨地说："唔，我怎么这样粗心？包朗，瞧，纸上不是一张一张都印着一个大拇指吗？"

我拿了纸在灯光下照了一会儿，果然每一张都有一个空心的指印。

我问："这就是断指团的标记？"

霍桑道："正是。但他们这个印记，必须在外国纸厂里才能定造。我当初存了成见，便想不到这一层。"他又取出放大镜，在那张从枕上取得的没字纸上细照。他又喃喃自语："他们既然来警告我，不会没有字。或者他们还要借此试试我哩！"他低头想一想，又向我道："包朗。你去取一杯浓茶来。姑且试一试。"

我赶忙倒了一杯茶，放在圆桌上。霍桑寻出一支毛笔，先洗干净了，然后在茶里蘸一蘸，随即刷在展开在桌面上的纸上。他刷了一次，再刷一次，直到刷过第四次后，那纸上果然逐渐有字迹显出来。起初的字色还很浅淡，后来愈变愈深，就显出很明了的黑字。

我急急凑过去默念：

霍桑：

　　我俩两次给你信息，你总该有些觉悟了吧？我们和你势不两立。若是你能安分守己，不干涉我们的行动，赶紧离开南京，我们也不必和你为难。要是你仗着虚声，自己寻苦吃，那就怪不得我们。现在我们再给你一个最后的警告。如果你不知利害，不肯走，必要来和我们厮缠，那么你的头颅的未来命运，就可以把你床上的枕做一个先例！

断指团执行人白

我一口气念完一遍，气息都不禁急促起来。虽然有这样一个断指团，口气又这样咄咄逼人，霍桑仍安谧如常。他回身取起床上的枕头。枕头上果然有一个刀孔，孔口边还带着些血迹。

他笑着说："他们太看重我了！难为了他们如此劳神。但他们弄错了对象。这种手段只能恐吓乡下人和孩子！不够！差远哩！这还吓不退我！"

夸张吗？不。是豪语。我确信他有这样的胆力。他对于这事显然是毫不介意，而且准备奋斗到底。我虽仍有些替他担忧，一时也没话可说。

霍桑又含笑问我道："包朗，他们用恐吓手段来吓我，已觉得可笑；还要用什么秘密墨水来作难我，你想可恶不可恶？"

我答道："我正要问你。你怎么能够发现他们的秘字？字究竟是用什么写的？"

"这是一种化学混合液，大概就是由铁亚摩尼亚，硫酸盐和水混合而成。凡用这种混合液轻轻写在纸上，干了就没有字迹。显现的方法所以要用浓茶，就因浓茶里面含有一种酸素，唤作单宁酸。那混合液里面既然含有铁质，铁质一和单宁酸相和，就会显呈一种黑色。这是有些普通化学常识的人都知道的。"

"照这样看，你当初说他们有些科学知识，这也是一个例证。"

霍桑忽叹一口气："正是呢。科学是救治我国国病的续命汤。可是他们有了科学知识，不干些给社会国家生产造福的事，把我们的民族从压迫和荏弱中解放出来，却用它来干这种犯法勾当！包朗，想一想，这是多么痛心的事！"

我也不禁叹息道："知识本像一把利刀。知识发达了，若是没有道德的力量来辅助控制，那本是极危险的！"

霍桑在收拾纸笔。我走到窗口去。江面上夜景并不动人。因为天空还在黑云的控制下，光明失了势。没有月，没有星，只有帆船上三三两两的灯火。

我回身过来："霍桑，这件事你准备怎样对付？"

霍桑走近我的身旁，低声说："我有办法。你别发愁。"

"办法怎么样？能不能告诉我？"

他迟疑一下，才说："方才我在无意中，发现了一些线索，所以拟成了一个具体的计划，但是此刻还不便宣布。你姑且耐一耐，不久就可以明白。"

老脾气。我自然也不能不忍耐。

我又问："那么刚才你我分别以后，你究竟到哪里去的？"

霍桑简短地答道："江边啊。"

"这个你已经告诉我。你在江边干什么？"

"我在江边一爿茶馆里闲游——喂，你可曾会见朱雄？"

他既然有意岔开，我只能知趣些。我正要把朱雄陪我游香林寺和他提的绑架案的事告诉他，霍桑忽又摇手阻止我。

他道："你慢些讲。我们先得把房里的血迹收拾干净，再叫人送晚饭进来。我的肚子饿得很。"

我道："你想这件事还没有人知道吗？"

霍桑道："我想还没有。我不愿让别人知道，免得再惹出无谓的骚扰。"

我不再多说，取出几张废纸，着手抹拭地板上的血。霍桑也帮着将纸屏椅桌等物各归了原位。我走出去喊一个茶房进来，叫他预备晚饭。那新茶房是个瘦长子。霍桑问他李四怎么样，现在在什么地方。

茶房答道："李四走楼梯跌伤了腿，向账房请了半天假，现在躺在他的房里，我是替他的。我叫姚纪才。"

霍桑向我瞅一眼，似暗示李四的嘴还算紧，不曾把这回事说出来。

他又说："李四服侍我们很周到，少停我要去瞧瞧他。他的房间在什么地方？"

替工道："就在大楼梯底下的一间小间里。"

夜饭的景况也和午膳差不多。霍桑仍不失他的常度，我还是打折扣，只吃一碗饭。饭罢以后，霍桑才和我继续闲谈。但他只问我会见朱雄的事，听得了绑案的故事，也不加一句批评。他的探案的手续怎么样，还是绝口不提。我心里虽然纳闷，可是又不能勉强他。我们都静默了，彼此吸着纸烟。霍桑兀自低垂着头，不作一声，似乎在深思。他连续烧尽了三支纸烟，忽然仰起身来，向他的手表上瞧一瞧。

他说："九点半了。我去瞧瞧李四。你等着。"

他独自下楼去。约有十分钟光景，他又回到房里来。我便问他李四怎么样。他的答语很简单：

"好多了。我下去时，他正在房里踱着。"

他说完了，忽关上房门，先将身上的府绸裤脱下了，又走到床后去，从箱子里取出一套黑布的短衣。唉，他要化装了！干什么呀？他闭口无言地将那黑衣穿在身上。

我禁不住问道："霍桑，你到底要干什么？怎么一些不让我知道？"

霍桑踌躇了一下，走到我的身边，附耳说："声音低些啊。我老实告诉你。今天晚上，我就要去擒凶手破案！"

我跳起来，瞧瞧他的脸，沉着而严肃。可是我还有些半信半疑。擒凶手？这么容易？

我低声问道："霍桑，你的话当真？"

他回头道："自然真。我立刻就要走哩。"

他的装束渐次完毕，最后换上一双树胶底的球鞋。他又从箱子里拿出他的一支手枪和地图、电筒等应用物件一起放在他的袋里。

我耐不住地说："那么我跟你一块儿去！"

他摇摇头："不，现在你还不能出去。你必须留在这里。"

"为什么？"

"你姑且别问。你让电灯亮着，不时弄些声音，别叫人知道我已经出去。"

"这又有什么意思？"

"意思当然有，可是你总懂得，眼前这个时候不是可以坐下来跟你长谈的时候。"

"你在这里人地生疏，夜里又怎能干事？"

"你放心。我绝不会盲目地乱干。"

"你的计划已经布置好了？"

"虽没有布置完全，但进行的步骤都已决定。好在我随时可以通知杨凡通，请警察们帮助。万一有意外的缓急，我可以打电话给你。你慢些睡。不要开门，也不要离开这房。总以小心为是！"

一个囫囵的谜团，我当然吞不下。可是有什么办法？吞不下也得吞下去！我除了勉强答应以外，找不出第二条路。

霍桑又拿出一顶破旧的草帽，随意地往头上一套，随即轻轻地开了房门，先探出头去张一张。

他回头过来，说：“我走了。你耐性些，静听我的好消息！”

他不等我的答复，把右手扬一扬，斜侧着身子从门隙中一溜烟地走出去。

# 夜　行

我把房门关上了，下了插闩，又把电灯熄灭了一盏，然后走到窗口的藤椅上坐下来。

夜虽未阑，人声已渐渐地宁静。雨后的空气很清新，炎热的威力也消失了。江面上的灯火还是明灭不定。凉风挟着波涛的冲击声音一阵阵送进窗来。我的思潮，也像江中的怒涛经过了暴风狂吹，突然地汹涌起来。

案子的发生好似天外奇峰突然飞来，使人不可捉摸。霍桑虽是机警过人的人，侦查了半日，似乎已得了若干端倪。但他说他此番出去，就要破巢擒贼。这一着我还不能了解。从表面上看，那班党人既然这样子凶险，又特地来和霍桑为难，自然不容易对付。况且时间太局促，霍桑又人地生疏，一日之间，他怎么就能够探听明白？而且竟连夜动手？他说他不会乱干，似乎已确有把握。那么他到底有什么样的把握呢？他又说他得到了意外的线索。这线索又是什么？他在什么地方得到的？我和他自从午后分手，不过离开了两三小时。在这个时间之中，他说在江边茶馆里闲逛，似乎没有进城，也不曾往卫家去勘验。那么他所说的发现，想必就在他在茶馆里闲逛的时候得到的。茶馆里面良莠不齐，或许有机会可寻，但怎么能如此凑巧，竟使他得悉了贼党的巢穴？

就情势上说，霍桑必定已深知那贼巢的门径，绝不会贸贸然赶去。但看他临行时带了手枪，显见已准备搏斗。我想到这层，又不觉替他胆寒起来。他究竟用什么法子探得贼巢，故不妨存疑，但他方才既有破巢之说，此去必要和贼党相见，那是必然的事。那么当此夜分时候，他单身捕盗，又不让我一同去，岂不太危险？霍桑虽曾练过武术，拳脚的功夫相当深，但是单枪匹马，究竟不容易应付。

"我错了！我应得强制着跟他一同去。此刻他的行踪如何，我既茫然不知，我怎样去帮助他？"一会儿，我又转念安慰我自己，"霍桑应许我，若是有缓急，他会打电话给我。我不如耐着性子等他。"

笃笃笃！……

门上有弹指的声响。我不觉直立起来，但又不敢立即开门。霍桑果真有什么危险，此刻打电话来叫我了吗？

"霍先生在里面吗？"

外面有人在问。我听得是李四的声音。我想开门答应了，忽又想起霍桑叮嘱我不要使人家知道他出去。开了门，岂不要显露真相？

我撒谎道："他睡了。你可是李四？"

"是。"

"有什么事？"

"没有什么。方才霍先生给我敷的伤药真有效验。我觉得好了许多，想再向他讨一些。不过他既然睡了，别再烦他。我明天来吧。"

李四并不坚持开门，倒还识趣。我瞧瞧时计，已是十点半钟。霍桑已去了半点多钟了，他此刻已到了什么地方？进行得怎样？我料想片刻之间，他成不得什么事，眼前不见得就有信息。我与其枯坐无聊，引起种种幻想，不如暂时上床去躺一会儿，养养神。

我走到床前，和衣横下身去。可是横着和坐着还是一样。我的脑海里仍然一起一落，正像装着一个辘轳，养神只是空想。一会儿我很盼望霍桑就有信息来；一会儿我又怕他果真有了信息，大半是凶多吉少，反不如没有信息的好。

我翻来覆去了一会儿，对立的意念在我的脑中乱搅，身上也顿时热起来。我重新起来，走到窗口边，拿扇子挥了一阵。天空已在转晴，云阵既撤，渐渐地现出星光月光，闪闪烁烁地好似笑眼向人。江面上寂静了，灯火也都消失。清风断断续续地掠我的面。我立了一会儿，觉得身上舒服了许多，再瞧瞧时计，十二点钟已过：

"时候不早了，霍桑若有信息，大概总在眼前吧？"

这料想并不正确，又挨过了半个钟头，信息依旧沉沉。我走到镜台面前，取了一本小说，想借此镇压我的烦躁。我从小就喜欢读侦探性质的小说。因为这类读物富于想象力，能启发人的思路，养成一种辨别真伪是非的推理力，并且细针密缕，很能够引人入胜，激发人们的好奇心。可是那时候，我的企图一样空虚。我读了几页，只觉得眼花缭乱，一条条蚯蚓在纸面上蠕动，一颗纷扰的心再也没法控制。

又过了一个多钟头，将近两点钟了。旅馆中的人声已完全归于沉寂。我仍不见霍桑有什么信息。

事情究竟怎么样？霍桑也许已经得手了吧？否则，他为什么还没有信息来？我虽不敢盼望他的信息，可是又不相信他终于没有信来。我打开了皮箧，取出一把手枪，顺手放入袋里，预备他的求助消息一来，我便可赶出去助他。

笃笃！……笃笃！……叩门声又发作。

我急急问道："什么人？"

外边的人答道："是我——姚纪才。"

我听得出那是替李四的瘦子的声音，但我仍旧不开门：

"什么事？是不是有电话？"

"不是。有一封信给包先生。"

我听得有信给我，料定是从霍桑那边来的。房门的戒备不能不松一松，我拔去了插闩，将房门拉开了一些。那替工并不走进，只递进一封信来。我接过信，开亮了电灯一看，信面上只写了"包朗先生"四个字，很潦草。拆开了，内中有一张白色外国纸，上面写着一行墨笔草字：

事很得手。见信可即和人同来，有事面商。

霍桑

我仔细看那签名，果真是他的手笔。因为他平日只用墨水笔签名，我看惯了，一望而知。

我问茶房道："这信是什么人送来的？"

"一位先生，穿黑长衫，要回音。"他打了个呵欠。

"这个人现在在哪里？"

"在楼下。因为夜深了，没有先生们的应允，我不便放他上来。"

"好。你去对他说，我就下来。"

姚纪才答应着退去。我随即穿上一件深灰羽纱的西装外褂，取了一顶鸭舌帽，大踏步跨出房门，反身把门锁上，藏好了钥匙，急忙下楼。我走到旅馆门外，果然有一个人迎上来招呼。

他问道："包先生？"

我点点头。

电灯光照见那人的个子不大高，穿一件黑绸长衫，一顶软草帽压在眉毛上，装束好像是个官家探伙。那人忽走到我的身边，附耳告诉我：

"霍先生已经成功哩！捉住了两个党匪。可是那头儿还没有得手，所以请你去商议。我们杨探长也在那里。"

消息太兴奋，霍桑竟马到成功！我知道他是杨凡通的伙伴，就想问问经过情形。

我问道："捉党匪，杨探长也在场吗？"

他点点头："自然。我也在一起。"

我又问："他们此刻在什么地方？"

那人用手指一指："就在那边派出所里，不到三里路。马车在这里。包先生，快上车。他们会心焦。"

那人回身走开去，显然做向导。我不便多问，就跟了他走。走过了转弯角，有一乘轿式马车停着。他开了车厢，毫不谦让地首先跨上去。我也上了车，并肩地坐下来。一声鞭子响，那马车便"得得"地上路。

车子在暗淡静寂的马路上进行。车窗开着，风乘隙而入地在车厢中通过。偶然还有月姊姊探头进来瞥一瞥。

"捉住的党人也在派出所里吗？"

我在马车进行了一段路后，耐不住沉默地问一句。那人不回答，但点了点头。他偻过些身子，将车窗的帘子拉下了，遮住了外面的月光。

"那两个匪党可都是年轻人？"

我再问一句，可是换到的还是点头的动作，那家伙闭口不说话。奇怪！他防那马夫听吗？

我又低声道："你是在警厅里办事？"

对方依旧点点头。黑暗中我觉得他把眼睛向我瞟了一瞟，只是不作声。

"喂，你叫什么？"

"王三。"

有回话了，可是不能再简短。我觉得有些不耐。这厮为什么把这副鬼脸对我？他初见我时，显然能说能话，似乎很殷勤，一上车怎么变了？莫非他是来赚我的？但是信上的签字明明是霍桑的笔迹。

车行很迅速，车厢震动得厉害。我的眼梢隐约看得出这人有个尖下巴，年纪似乎很轻。因为他的身材不很高大，我并无惧心。我把手在衣袋外面摸一摸，手枪仍安然在袋中。万一有什么不测，有了这防身器具，我也不怕什么。我也曾学过拳术。即使车夫是同党，一共只有两个人，我自度还敌得过他们。

我又问："派出所在哪里？"

那人好像把嘴向前面努一努，再来一个不开口。

我提着喉咙问："喂，你到底是什么人？为什么这样子装聋作哑？"

"包先生，性急做什么？马上就到了。"他的声调是冷峭的。

"到什么地方？"

"你立刻就可以见到你的朋友。"

我听他的口气有些蹊跷，忙喝问道："你领我往哪里去？"

那人仍只做没有听得，不理会。

我感觉到局势的恶化，定定神，把车窗的帘子揭开些。车子正在一条狭路上进行。路旁已没有电灯。月光照见路上的屋宇很稀少，地点已近乎荒僻。唉！我受骗了！

我的手插进了衣袋，立刻摸出了手枪。

我厉声喝道："车夫！快停车！"

车子没有停，车身加强了颠簸。那车夫似乎不听得，只管挥鞭前进。我知道他们俩果真是同党。

我把枪送出了窗外，喝道："快停车！要不然，我要开枪了！"

车子依旧加速地进行。

砰！

我向空中开一枪。枪声在静夜中分外响亮。可是车子还不停。

那旁座的人冷笑道："朋友！别起劲哩！静坐一会儿，包管你有个着落。"

怒火在我的心头炽灼。我就移过枪口，对着那人的胸膛。

我又喝道："贼！你快叫他停车！快！要不然，我马上打死你！"

那人的身子略略向后退些，好似有一二分畏惧。

他低声道："停车就停车，也值得这般大惊小怪！"他把头伸出车窗去："喂，老八，停车。"

蹄声一阵子杂乱。车子果真在收煞住。我不等车子停稳，早推开了车厢的门，赶紧跳下来。

地点很荒凉，车子停在一条小路上。一边是荒地，一边有几所零落的屋子，但不见灯光。月光恰被云阵掩住了，远望是

一片黑漆。

怎么办？我已经钻进了匪党的圈套，绳子虽还没有抽紧，我的自由显然已丧失了一半！我步行回去吧？这方法不见得聪明。我记得霍桑常说在危机临头的当儿，只有迎头前进，才可以找出路，退缩保守会走入失败的门。我手里有枪，这个赚我的匪徒似乎没有，否则他不会不拿出来。那么我索性控制他，强迫他把车子驶回去，到了比较有人迹的所在，再设法对付这两个人。

我的计算在时间上原只有十多秒钟。我正准备把枪控制车上的人，那人忽也跟随下车，而且比我先开口：

"包先生，你打算怎么样？"

"把车子开回去！送我回旅馆！"我把枪口对住他。

那人迟疑了一下，说："也好。不过我的同伴们正在等你去谈一谈——"

"别多说。把车子调过来。"

那人果真扬一扬手。车夫便将车子调头。路太窄，调头相当费功夫。我的枪仍小心地瞄着他。那人果真没有武器，我的心安定了些。车子调好了向，停住了。

他说："上车啊。"

"不，你先上去。"

他果真点点头，回身上车去。他的左足踏上了车级，突地回过身来，对准我的执枪的右腕上猛力一拳，手枪便砰地落在地上。唉！我大吃一惊，急忙俯身去拾手枪。那人的拳头落在我的头顶上。我忍着痛，放弃了拾枪的企图，举起右手回一拳。拳头击中他的胸口。他站不稳，上身便跌进车厢门里去。我正想再敬他一拳，猛觉得背后的脚步声。那车夫也来助战

了。我把身子一旋一蹲，射出右腿，来一个金刚扫地。车夫的
个子虽比较结实，可是不中用，给我一扫就扫倒。

哈！我很高兴，趁着蹲踞的姿势，我又重新拾取坠落的手
枪。巧极，一拾即到手。我正待射击，那跌在车门里的人忽从
袋里掏出一块白白的手巾，向着我脸上一丢。我顿觉有一种
奇异的臭味直刺鼻管。那人又扑在我的身上，按住我脸上的白
巾。我觉得头晕目眩，好像脑球中的血管已全数迸裂，我的
四肢也突然瘫痪了。当这模模糊糊的时候，还有一种残余的意
识，我觉得我自己已经坠入贼党的陷阱中了！

## 陷阱中

我重新张眼的时候，自觉在一间暗朦的小室里面。我坐
在地上，背部靠着墙壁，鸭舌帽没有了，袋中也空了。我抬
头一瞧，旁边立着一个浑身黑色的人。幽暗的烛光，照见那
人血污满面，很可怕。我虽已醒了，仿佛还在梦里，不知道
我已到了什么地方，又怎样到的这里。我记得我在车子门口
受了那党人的闷药以后，就昏昏沉沉地失掉了知觉。他们怎
样摆布我，我完全不知道。但是这血污满面的人，又是什么
样人？看起来他似乎还没有恶意。否则他趁我昏迷的时候，
尽可结果了我，又何必等我醒过来？

那人忽将两手在我的额角上用力摩挲。我料他不至于害
我，也不抵抗。其实我这时候四肢软弱，气力还没有恢复，要
抵抗也不可能。那人替我抚摩了一会儿，我果然更清醒些，鼻
孔中嗅得一股霉湿气。

"包朗，你觉得怎么样？可清醒些？"

声浪很熟悉。我吃一惊，仰面一瞧，那人就是我的朋友霍桑！

我不觉失声道："霍桑，是你？"

"是。"他的声调依旧很镇静。

"霍桑，我们在做梦？"

"不是梦，是现实世界。你摸一摸，地上是方砖，背后是石壁。"

我定一定神："这是什么地方？"

霍桑低声道："别高声。这里是监狱。"

"我们犯了什么法？竟落在监狱里？"

"这不是法律上的监狱，是匪党们的监狱。我们触犯了党徒，所以被禁在这里。"

局势已部分地明朗化。我点点头。

我又问："你怎么也在这里？"

霍桑也蹲下来："我先问你。你是被党人骗进来的？"

我应道："是。但是我所以受骗，就因为你亲笔签署的信。你不是被他们强迫签名的吗？"我把接信受骗的经过情形说了一遍。

霍桑道："我何曾写什么信？信和签名也是他们假造的。"

"奇怪！他们假造的笔迹怎么能够这样子像？"

霍桑索性靠在我的旁边，就地坐下来，用手抹抹他的蓬乱的头发。

他道："好。现在你得休息一下，谈谈也可破些寂寞。我告诉你，我离了旅馆，耽搁了一会儿，便到此地来打探。这里本是一个庙基，也可说是匪党的大本营。我初到的时候，自然不敢贸贸然进来。因为我知道党人们今夜要开会议，人数既多，我一个人当然敌不住。当下我探明了地点，便退回去，一直奔到迎福桥相近的派出所里，说明了缘由，要求派几个警士。据那姓郭的所长说，他们那里的警士只有六名，而且都有专责，不能当特别差遣。我没法，就打电话给杨凡通。他一口应允，让我先来这里看守着，他自己带领警察准一个钟头内赶到。不料他竟失约，至今还没有半个警士来！"

我叹气道："信用二字本来不在这班侦探先生们的脑子里！"

"我也并不苛责他。不过因此错失了擒贼的机会，实在太可惜。"

"那么你自己怎么也落进匪党的奸计？"

"这不是他们的计谋，是我自投罗网。"

"唔，怎么一回事？"

"我守候了好久，终不见警士到来；预料警士们若从水道赶来，最多一个钟头工夫总可到了；谁知我从十一点半打了电话，候到十二点三刻，还不见来。那时党人们会议已久，我怕他们散会远走，失掉这难得的机会，就冒险走近这寺。我伏在寺门外面。约莫又过了一刻钟光景，党人们果然一个一个地散会出去。我心里又急又怕，警察们既不来，眼见得那帮党徒都要自由自在地漏网了。和他们格斗罢，众寡不敌，非但不能够捕捉，丧失了性命，也徒然没有益处。

"一会儿我看见党人们已渐渐地散尽，只有最后的三个，像是党中的领袖分子，慢慢地踱出寺来。我一时忍耐不住，就想拼一拼，上前去捕拿。我冒险取出了手枪，借着月光，对准那最后一人的膀子开一枪——"

"怎么样？打中了没有？"我不由惊呼起来。

霍桑道："打中的。但那厮很机警，我举枪的时候，他已经瞥见。因为他闪避得快，似乎枪弹只打中了他的左腕。因为他一中了枪，反向我直奔过来，举起他的血腕和我狠斗，可见他没有重伤。"

"还有两个呢？"

"自然，那两个人也赶过来相助。我一个敌三个，起初还能对付，不让他们近身，但是随后又开了几枪，都不曾打中。这是失计的。因此之故，那些已散的党人都听得了枪声赶来。我一个人被大众围住，枪弹也完了，自然抵不住，就反被他们擒住，拥进寺里来，给关在这黑牢里。"

"唔，险极！你没有伤？"

"没有。我的手表给打成粉碎，左手背给划破了些皮，鼻子里也流了些血。手枪也被拿去了。"

"他们怎么不伤你的性命？"

"我也不知道。那中枪的党人还向我问几句话。我也直说不讳。他对我笑一笑，说：'你的确有胆量，果然不寻常，不过太不自量力了。'他们并不奈何我，把我关锁好了，又出去重新举行会议。就在那时间，他们大概就设计把你骗进来。"

"唉！他们的设计真巧妙，我当时竟绝不怀疑。"

"不过你的定力究竟差些，不然也不会这样子容易落网。"

我默然不答。平心说一句，我的应变的定力的确不及霍桑。当时我确因过于慌张的缘故，不会细细地辨别。

霍桑继续道："我进来了一个多钟头，忽然看见他们将你送来。那时你的神志不清，我知道你受了克罗仿谟，就替你按摩了一会儿，你才渐渐地苏醒。"他停一停，立起来，向一扇铁棂的小窗口张一张："天大概快亮了吧？"

我像走出了梦境。我的背仍旧靠在冷而硬的石壁上，头颅还有些痛，脑子也有些胀。但有一点我很清楚。我觉得霍桑虽也落进了贼手，但他的那种勇敢冒险的精神也足够令人起敬。

我问道："他们把我们俩关在这里，有什么用意？是不是要结果我们的性命？"

霍桑道："我不知道。但据我估量，眼前党人们都已散去。这寺屋里面似乎只有你我两个。"

"你知道门外没有防守的人？"

"当他们把你送进来以后，我听得门上下了两把重锁。我又听得一阵嘈杂声浪，接着便完全静寂，好像他们一起走了。他们的会议地点就在外面的侧殿上。你听，现在已经没有一丝声息，似乎他们都搬去了。这寺本来是荒废的，平日人迹难到，原用不着什么守护。故而我料想此刻除了我们俩，这寺中也许再没有别的人了。"

"既然如此，我们为什么不想法子脱身？"

霍桑点点头："是，脱身的方法，当我被关进来时就想到的，不过不大容易。我经过了一场恶斗，我的能力也不允许我马上就动手。后来你又被送进来。我看你的样子也得有相当时间的休息。党人们又不来麻烦我，所以我并不着急。"

"那么现在我们可以想法子了。"

"你觉得你的能力已经恢复了？"

"是，你要我干什么，我都能干！"我开始从地上撑起来。

霍桑道："好，那么你先看一看这一间监牢的形势。"

我把眼睛向四下视察。这一室约有一丈正方。室中有一只长形的破桌和几条板凳。桌上有一把茶壶，几个馒头。桌子角上有一支烧残的蜡烛，发出碧澄澄的幽光。烛光照在那阴暗沉沉的石壁上面，会使人感到一阵寒凛。墙壁的一面有一扇装着铁直棱的小窗。另一面有一扇厚厚的小门，此外没有别的出路。我把门推一推，坚实得动都不动。那扇窗相当高，我移过一条板凳，拉住铁直棱试一试，也像门一般坚固。我跳下来。

霍桑坐在板凳上，问道："怎么样？"

我答道："很坚实，没有器械，怕不容易。"

"是，我早说不容易。不过我们绝不至于束手待毙。"

"你有什么法子？"

"法子有两个：一个是靠外力——"

我剪住他道："靠外力？我们还有外援？"

霍桑点头道："是。等天明了，或者就有机会。"

我很诧异："奇怪，天亮之后，我们会有什么机会？这里是客地，有谁会来救援？虽有一个朱雄知道我们在这里，但是他又怎能知道我们眼前所处的境地？此外虽然还有老朋友骆宗良在教育局里，柳畏三在中南公司，可是我们没有通知他们，连我们在南京，他们也不知——"

霍桑挥挥手，插口道："包朗，你漏掉一个哩，还有一个人不但知道我们在南京，还知道我在这个地方。我想他不会置之不理。"

"喔？是谁？"

"杨凡通。"

这个人我固然不会想到，可是我并不兴奋。

我淡淡地说："他方才不是失约过的吗？你想他会来援救我们？"

"是。"

"那么，他为什么至今不来？"

"我想有两层理由：一则，他或者怀着妒忌心，故意地延迟，使我不能够成功。二则，他或者偷安畏难，不敢在黑夜里冒险。但不论怎么样，他等到天明之后，少不得要到这里来应酬一趟。"

"假使他真有妒忌心，他虽到这里来，岂肯就来救援我们？"

"他虽妒忌我，可是绝不敢谋害我的性命，别的莫说，你也落进这里，他是不知道的。他要害我，也应当防着你。何况我和他究竟没有深怨，绝不会如此。"

我沉默一下，又说："我还有些怀疑。这种人也许不能凭常理测度。"

"不。还有一层理由，我相信他会来救我们。因为此番若使他救了我出去，在他是有面子的，以后他也许会借此夸张。所以我想他正巴不得有这个机会。"

我默念如果我们真为杨凡通所救，的确有些惭愧。从此以后霍桑的声誉确不免会因此减色。

我表示异议："霍桑，我不赞成这个外援的办法。你不是说有两个方法吗？"

霍桑挺挺腰，又操练似的挥挥他的膀子："是。第二个法子是自力——是自力更生。"

"好啊！自力更生是你的一贯的主张。我赞成这个法子。嗯，怎么样？你说得具体些。"

"这自然就是凭我们自己的力量打破这个牢笼。我已经视察过。这扇门是坚实的榉木，外面又有两把锁，不可能打得破。唯一的出路只有这个窗。"他用手向上面指一指。

我的双眼只瞟一瞟。那窗口只有一尺多见方，装着五条手指那么粗的铁直棱，离地面约有六尺高。

我说："这窗上的铁条很牢固，我刚才已经攀过。"

霍桑点点头:"是的,不过靠左边一条有一些松动。要是尽我们两个人的力,交替地摇动它,也许拔得起来。只要拔出了一条,就可利用它做工具,把其余的四条都拔出来。"

"就算拔得出,窗口也太小,容不得我们的肩膀。"我有些怀疑。

霍桑说:"铁条拔出来了,难道我们不能撬去几块石头,把它扩大些吗?"

我呆瞧着窗口,觉得这工程相当艰巨。霍桑却仍抱着乐观的态度立起来:

"包朗,你用不着发呆。要更生,不能不用'力'。问题就在你我的体力是否已经恢复到可以用的程度。"

"好,我已经恢复了。让我先来试一试。"

我重新踏上那条板凳,攀住左边的一条铁条,用力摇撼着。果然,那铁条有些松动;经过了四五分钟的摇动,成绩并不坏,不过我的膀子已发酸。霍桑拍拍我的背:

"好,你下来歇一歇。我来。"

他踏上板凳去,继续我的工作。我看看蜡烛已将近烧尽。窗口外还是一团黑漆。我估量要把五根铁条完全拔出来,不知要多少时候。要是天明前还不能完工,会不会另有意外的岔子?空气很闷,虽不觉得热,但霉湿气很难受。转念一想,人在逆境中,只有咬紧牙根,忍受一切艰苦,向前奋斗,才可以造成否极泰来的机运。

"包朗,成功了!"

霍桑拿着一根铁条,从板凳上跳下来。我很高兴:

"好!给我。我来撬第二根!"

霍桑突然举起了铁条:"慢!……听!"

这时我猛听得门外砰然一声，冲破了这死寂的境地。我急忙立起身来，回头瞧着小门。霍桑也立直身子，现着惊讶的神色。接着又是"阁笃"一响。

那小门便陡地开了！

门外仍是黑黝黝的，没有一个人进来，也没有连续的声音。霍桑拉着我走近一边。

"谁？"

他向着门外问一句。门外仍没有声息。

我不由冷汗遍体，毛发都竖起来。开门的是谁？来意怎么样？假使没有恶意，为什么不走进来？

我也发声问道："门外是哪一个？……为什么不走进来？"

"……"

外面仍没有回声。我更觉疑惑。我们莫非在梦中？可是这绝不是梦。风从门口里送进来，把残余的烛根也吹熄了！门内门外一片黑，局势更可怖！那门怎么会开？我当然不相信有什么超自然的能力。门总是有人开的。可是开门的又是谁？

霍桑忽然把我拉紧些，停一停，拉着我往门外走。危险吗？自然！我明知一出这门，生死就难料。我们又都没有火器。霍桑的手中虽还拿着那铁条，可是算不得抵抗的武器。我已身不由己，不得不跟了他走。

我们出了门，仍旧寂寂无声。门外像是一条黑暗的甬道，更瞧不出有人没有人。我跟在霍桑后面，一步一惊，恐怕有什么人乘虚扑上来，但又无从防备。这黑暗的地方，霍桑似乎很熟悉。他偻下些身子，转弯抹角地走了一会儿，踏上一个空虚的神殿，仍不见什么变动。霍桑拉住我，停住了脚步，向四周倾听。

神殿外面是一个空庭。月姊姊又躲起来了，疏星发出些微光。我隐约看得出庭中有两三株杈丫的老树，形状像张臂攫人的巨魅。殿中也像有个神龛，龛中是什么偶像，我当然看不出。殿前有几扇残破的窗棂。棂外面会躲什么人吗？可是除了风打树叶有些沙沙声以外，绝对没有声响。

"哎哟！"

我望着神龛的基座喊了一声。霍桑忙拉紧我：

"别怕！那是只黑猫。"

我定定神："怎么办？"

他低声道："走！我知道寺门在那边。"

他又开步向空庭。他的手仍紧紧抓住我的左腕。我踉跄地踏过带露的乱草，盲目地前进。新鲜的空气刺激我的神经，使我清醒得多。

霍桑忽附着我的耳朵道："好了，寺门已近，不会再有什么危险。包朗，安心吧。"

"门口不会有人监守吗？"我仍不放心。

"不会！也不管！向前走！"

这勇敢的精神给予我很大的感应。我也放胆地前进。

一会儿，我们果然已走出了寺门。冷空气直扑到面上，呼吸一爽，我的神志更清醒了许多。可是一个疑团仍横亘在我的心中。那开门的人是谁？这人似乎抱着救援我们的好意。但这救星是谁？为什么不露真相？这真是太不可思议哩！

## 衔枚疾走

从云幕背后挣扎出来的残月已在渐渐地西沉，星光也疏疏落落地趋向散灭。面前是一片平旷的田畴，东方已隐隐地现出些白色。霍桑穿过了几条确荦的小径，站住了向四周望一望。他引我走到一条小河边，俯身下去，洗涤他的脸上的血污。接着他整一整衣襟，又引我向北进行。

我问道："我们往哪里去？"

霍桑道："回旅馆。"

"方才那贼党的巢穴是个什么所在？"

"是一座枯庙，叫念佛寺。"

"你想什么人开门把我们放走？"

"我也和你一样困在闷葫芦中！"

路径小而窄。空气清而静。偶然听得一两声远村的犬吠。前后左右都没有人，好像这宇宙间只有我们两个人。我走一程，又提出一个问句：

"霍桑，你起先怎么能够找到这里来？"

霍桑摇头道："这话说起来很长，停一会儿告诉你。"他叹一口气："很可惜！这一次错过了机会，下次更难着手。当初我轻信人家，希望真能够助我，现在却后悔莫及了！"

我们踏上了一条石板铺砌的小径，仍迅步前进。我们已走到一条小木桥下。桥旁有一棵老树，树的四周，野草丛生，荒凉异常。我们正要上桥，我忽见树荫底下闪出两个人来。霍桑先止住了脚步，镇静地站着，手中的那条铁直棱并不举起来。我在晓色朦胧中瞧一瞧，是两个武装警察，手里各拿了刺刀，想拦住我们的去路。

内中一个人问道："你们是什么人？从哪里来？"

那人本是提起了喉咙，装作出很威武的样子，但从他的声音中细细辨味，似乎很疲倦无力。另一个也撑大了眼皮，在向我们俩端详。其实我们两个人的打扮是不相称的——霍桑像个工人，我穿了污糟的西装，帽子也失落了。

霍桑答道："我们从念佛寺来。你们是杨侦探长派来的？"

两个警察都呆一呆。

首先一个答道："正是。"

霍桑又问："你们到这里来多少时候？"

"我们已经来了三个多钟头。你问我做什么？"

"你们既然奉了派遣，为什么躲在这里，不到念佛寺来？"

另一个警察听出了些口气，忙着答道："我们是奉命守在这里的，并非躲避。先生，你们是谁？"

霍桑从胸口袋中摸出一张名片来，说："我姓霍。你把这张片子回复你们探长。匪党早已逃走了，你们不必再守候。改日若是有机会，再来通告你们。"

他不待警察们的答复，就调头上桥。我随即跟上。警察们也不再拦阻。

东方现些淡红色时，我们已经到达正式的马路。霍桑才丢下那条聊胜于无的武器。他显然熟悉这条路，虽在半阴状态下，我们并没走一步冤枉路。他像脱离了险境似的舒一口气。

他低声道："我看杨凡通的居心，合着我方才所说的两种理由，二者必居其一。你想对不对？"

我点点头："他好像想坐享其功，所以不到寺里去，只远远地候在桥边。"

我们到旅馆时，天色才刚破晓，旅客们还都在睡乡里。我同霍桑一直走到二十二号房前，我摸出钥匙，开门进去。我一卸下衣裳，先自登榻安息。这时我疲乏已极，头顶上的一拳，余痛也没消尽，头一着枕，便酣酣地入梦。等到一梦醒来，红热的日光已经满照在窗上。十点钟了。我坐起来，瞧瞧霍桑，还横在床上，他的眼睛却张开着。

我问道："你醒了有多少时候？"

霍桑道："我才醒，因为头脑有些胀，腰部也疼痛，清晨散步也放弃了。"他也坐起来。他的面色焦黄，眼眶也陷落了。

我问道："霍桑，你是不是患病？还是昨夜受了伤？"

霍桑摇头道："病倒小事，伤也只在皮肤上，不过乏力些。可惜的是破案的机会白白地失掉了一次！"

"你还想继续侦查？"

"你难道不想继续？这事我怎么能中止？现在我正在打算进行的计划。"

我把上夜穿的一条近乎黑的白法兰绒裤折一折，又将那件绉羽纱短褂理一理。

我想起了脱险的事："霍桑，有一件事至今还使我怀疑。那昨夜的事太奇怪。我们决意自力更生，不赞成靠外援，却到底来了个外援，而且来得不可思议。你想那开门放我们出来的人究竟是个什么样人？"

"我不知道。我的怀疑跟你没有两样。"

"你想会不会就是党人们放的？"

霍桑摇摇头："我想不会。他们既忌我于先，又为我探破机关；我又用枪打中了他们的党魁，哪里肯轻轻放我？即论到你，他们既特地骗了你去，却又放你自由。这岂不是成了儿戏？"

我辩道："可是他们并不伤你我的性命，可见并非把我们看作死敌。那么他们儆戒我们一下，随即放了，也未始不可能。"

霍桑一边披上一件干净衬衫，一边仍在摇头："我真不懂！事情太离奇。我承认我的脑力看不透它的内幕。"

我笑道："也许那神龛中的偶像在冥冥中帮助我们！"

霍桑忽也嗤地笑出来："包朗，你这么说，要是将来写成了书，真要和《西游记》《封神榜》先后媲美了！"

我们梳洗完毕时，我听得门上有声，听得是李四。我想起昨夜他叩门讨药，曾约天明后再来，此刻想必又来讨药。

外面问道："霍先生起身了吗？"

霍桑立刻应道："起身了。你进来吧。"

李四果然跷着脚踱进来，说："霍先生，你的药真灵验。今天清早我已经来过一次。你还睡着，所以不敢惊动。现在我又要麻烦你哩。"

霍桑答道："昨天我奔走了半天，很疲乏，睡得很熟。你的腿上觉得好些吗？你坐在这椅上，我替你裹扎。"

他取出了纱布和药粉，仔仔细细地替李四敷药裹缚。一会儿裹好，李四就千谢万谢地退出去。

这一天霍桑仍为着案事忙碌不定。一会儿出去，一会儿回来，似乎兴致勃勃。我因为夜来受惊的缘故，不再跟他出去。直到晚上，我才问他曾否得到什么端倪。

霍桑道："今天我去会过卜良和秦警厅长，把那案子的经历略略说了一遍。那卜良忽然改变初志，叫我不要再干。我已经含糊答应了。其实我干任何事都不肯半途而废，何况这一件我们曾一度失败的案子。老实说，第二步的计划，我也早有了成竹。不过机会没有到，一时还不能进行罢哩。"

霍桑的坚毅不屈的精神是不可及的。他才遭失败，又在那里打算进行，现在居然又有了计划。真足叫人佩服。

如此一连三日，天气也阴晴不常，气候还不算太热。霍桑仍随时随地留心那件案子。直到七月三号那天晚上，时机成熟了。

霍桑忽悄悄地向我说："包朗，今天晚上我们又要破贼巢哩！"

我惊喜道："果真？你打算怎样着手？"

霍桑道："大致都已准备，但还得你助一臂才行。"他从记事册中取出一张名片来，又从裤袋里面摸出两支黑钢手枪："这片子是秦厅长的，手枪也是他给我的。这人很精敏强干。我和他只谈了一次，他倒能够剖诚相见。他真是政界里不可多得的人才。他已经应允我传命给江口警局，以便我随时差遣。这片子就是差遣的凭据，你收藏着。"

我将片子藏在身边。霍桑又分一支手枪给我。我取过了一瞧，是一种最新式的自动脱壳的九响快枪。

我问道："你说今晚就要动手？"

霍桑点点头："是，九点半钟出发。"

"那贼党的新巢在什么地方？你也已经知道？"

"轻声些。"他摇摇手，"你别多问。须知今夜我们出去，没有前次那么好的机会，结果自然难料。你应该先上床安息一会儿，时机一到，我们就动手。"

这时刚到八点。我勉强上床。休息只是名义，安睡更谈不到。霍桑一手熄了电灯，也倒在榻上。我在这半明半暗的室中，坐卧都不自在，脑海里充满了破案擒盗的希望，和想象到搏斗时可能的紧张刺激，翻来覆去，只是挨时刻。好容易挨过了一个小时光景，我再按捺不住。

我一骨碌从床上下来，开了电灯，走到霍桑床前，想叫他起来谈话。不料我揭起了帐子，床上空着，霍桑已不见了！他的西式衣服杂乱满席，似乎他已经改装出去了。

奇怪！他哪里去了？在什么时候走的？他本说和我同去，又为什么竟不告而别？我看见枕头上留一张名片，取起来一看，正是霍桑的名片，片上写了几行钢笔细字，确是他的亲笔。我拿到灯光下面去默念：

> 我先走了。假使九点三刻钟我还不归，你可拿了秦君的名片，往江口警局去，调集二十名警士，一同往惠民桥派出所会齐。致嘱。
>
> 桑留笔

我忖度道："他的举动真敏捷。我睡在床上，并不曾合眼，竟没有察觉他怎么样出去！"

时间已是九点一刻。霍桑先往哪里去？他的行径太飘忽，使人捉摸不着。我只有预先准备好，以便时候一到，立刻动身。我穿上一套黑布学生装，将皮鞋脱下，换上一双软底鞋子，又将手枪电筒等物纳在袋里。装束既毕，我又点了两支纸烟，已是九点三刻。霍桑仍没有回来。

我不再等候，急忙锁了房门，悄悄地离了旅馆，直向江口警察局进行。

那局中的警官是个高长的山东人，姓史，听我说明了缘由，又见了厅长的片子，自然不敢怠慢。他连忙吩咐一位叫齐初熙的年近四十的巡长，马上点集二十名武装警士。那巡长的行动并不像我预期的迅捷，约莫隔了十五分钟，才把警士传唤齐。我急急同带他们，一块儿奔往惠民桥派出所去。霍桑已等得不耐烦，一见我，便向我抱怨。

他道："你为什么这样迟缓？已经耽误了十五分钟，也许要坏事哩！"

事实上是那位老巡长耽误的，与我无涉，但是申辩也不便，我只得代人受过地含糊承受了。

霍桑向齐巡长打了一个招呼，说了几句，立刻拉了我在前先走。后面巡长和警士们化整为零地分组跟着，一同过了惠民桥，向南前进。霍桑一边走，一边向四面张望，凡看见往来的人，都悄悄地仔细打量。警士们也奉命静默，真像行军夜袭，大有所谓"衔枚疾走"的光景。

霍桑附着我的耳朵，说："我方才独自出来，就是先来打探党窟的所在，做一个最后的确定。我防你不明情由，要跟我来，故而悄悄地溜出来。你知道打探的事贵乎神速秘密，人多了往往反而败事。这一点请你原谅我。"

我道："那么党窟的所在地，此刻你已确定了没有？"

霍桑点头道："是，就是东台寺的后殿。快到了。我很害怕，也许会错过了时机。赶紧些吧。"

在加速脚步下，我们走过了永宁桥，便渐渐地折向东行。过桥之后，路灯渐见稀少，两旁的树木反见浓茂起来，加着蓬蒿杂列，密密层层，道路很觉难辨。那晚的月光被一层浮云遮蔽着。风过处草木簌簌地颤动，黑夜中见了，仿佛鬼魅结队作舞。我本来带着怀中电筒，但霍桑不许用，后面二十名警士所带的凸面警灯，也都把灯光掩住了，不敢放一丝光线出来。

在暗路上疾走了一阵，大家都有些气喘喘。霍桑扯扯我的袖子，向前指一指。我抬头一望，隐约望见前面有一所黑巍巍的房屋，想必就是所说的东台寺。

霍桑忽自言自语："他既然没有出来，也许还在那里？"

我不知霍桑所说的"他"是哪一个,也不便问。到了离寺二三十丈远的地点,霍桑立即传令停步。命令便像蚂蚁报信似的向后面传递过去。

他向齐巡长低声说:"这寺有前后两个门。党人的巢窟本来在寺后,但是前门也不可不守。你指派警士们分组守住,别太近,可伏在附近的树林底下。你听我的警笛吹一声,就派一半人进来,其余一半还得守着门。"

齐巡长答应着,便退后去指挥。

霍桑一手拉了我,附耳道:"包朗,你的手枪准备好。我们要进去破贼巢哩!"

## 佛殿上

紧张和刺激又袭上我的心头!我的精神提振到了最高度。我的每一条神经都像张在硬弓上的弦。眼前横排着一种严重的任务,我自然不能不拼着全力进行。我将手枪从袋中取出来,紧紧地握在右手中,鼓足了勇气,随着霍桑,绕向寺后。

寺的后门外面,有一方旷场,场上立着两株松树,又高又大,黑漆漆地矗着,望去很像是什么巨魁。一阵风过,松针松枝互相摆动,发出一阵子乱响。霍桑和我都穿着黑衣,在黑暗中行动,比较不易惹目。他首先偻着身子走近寺门,运用他的猫一般的眼睛,向寺门瞧一瞧。他回头招一招手,似乎叫我走近去。我急忙蹑步而前。

他附耳说:"没有看守人。"

"这样子疏忽?"我也低声答一句。

"这不是他们固定的巢窟,只是临时的集合地。他们也想不到立即会给我发觉。"

他更走近门，身子也偻得更弯些，伸手推一推门，又向我招招手。

霍桑低声道："寺门也虚掩着。真凑巧。"

我道："可是门里面也许有人。你得留意。"

霍桑把门一推，那厚重而黑旧的寺门，果然慢慢地应手而开。霍桑像刺猬般地蜷伏在一旁，略等一等。没有动静。他才耸起身来，将手中的电筒略略放出一些光，便伛偻着踱进门去。我紧紧地追随在后面，一同走进那黑洞似的门口。里面是一条狭长的通道，完全漆黑。平安地走完了这通道，我也用电筒略略照一照，是一座佛殿的背面。

一会儿，我们蛇行着转过殿背，便看见一尊大佛，威严可怕地高坐在石座上。霍桑一步一照，很注意佛殿的四角，防有党人伏在黑暗中，来一个出人不意的狙击。可是佛殿中完全寂静，不见一些迹象。我关了电筒，立在暗殿中敛神静听，也丝毫不闻声息。

霍桑向我挥挥手，又匍匐着进行，步向殿左的一扇门，很像是通侧殿的。我也走近去，正想用电筒照时，忽听得砉然一声，那侧殿的门吱呀地开了！我吃一惊。有人从侧殿里开门出来了吧？我立刻举起手枪，照准殿门，准备射击。霍桑又低声招呼：

"别慌。这是一座侧殿。开锁的是我。进来吧。"

我捏一把汗，暗中摸索，险些误伤了霍桑！我定一定神，跟着走进侧殿，不料一转眼间，忽不见了霍桑。

我停了脚步，不敢再前进。刚才霍桑明明先走，怎么忽然不见了？这里既然是秘党的窟宅，不会有机关地道吗？四围都是墨黑。我又冒险用电筒一照。一尊古佛面相比较慈祥些，是一座地藏殿，容积比大殿小一倍光景。我又照照地下，都铺着方砖，但见烛泪点点，却不见有一丝罅隙异象。奇怪！霍桑呢？我正想发声叫唤，忽见佛殿背后射出一线电光。我知道是霍桑，高兴地走过去。霍桑正探手在佛肚子里掏摸。

他回头来，低声说："别这样胆小。这寺里好像已经没有人。"

我说："他们不是在这里？你弄错了？"

"不是。他们已经走了。"

"我们怎么没有撞见？"

"也许另外有通路。时间太局促，我来不及进来细勘。"

"不会有地道秘窟吧？"

"不会。这里是党人们的临时窟宅，短时间断不能设备周密。"

我感到失望，问道："你想这里果真是党人们的集合地？"

"是。"

"现在他们都走了？"

"至少已不在这殿里。"

"那么我们岂不是虚此一行？"

"虽然，要是能得到些证据，也不能算白来。瞧，这些不都是党人们犯案的确证吗？"

他拍拍他的衣袋，又张开袋口，用他的电筒照一照。他的衣袋里装了许多小瓶，瓶中都是一枚一枚怕人的断指！

我禁不住咋舌道："唉！他们竟犯了这许多案子……这些东西你从哪里找到的？"

霍桑指着佛肚子里的一只铁箱，答道："这里。他们把断

指瓶藏在铁箱子里。"他又开了箱盖:"瞧,这里还有许多纸
笺。"他随说随将一叠白纸取出,又用电筒光照一照,随即又
卷好了放入袋中。

我问道:"这些纸笺是和那天包断指的一样?"

霍桑点点头:"是。……来,我们再到别殿去瞧瞧。也许
还有什么其他的证迹。"

他引着我从佛背后转出来,不到几步,他又突然住了脚
步。他伸手拦住我。我不明白原因,运目向黑暗的殿角中视
察,瞧不出什么。

砰!

声音从远处传过来,虽不震耳,可是入耳有些凛凛然。

霍桑低声说:"这是寺门关阖的声响。刚才我还听得推开
声……唔,大概有人来了。来,你跟我来……"

霍桑的语声未绝,已腾步跳到侧殿的门旁。我紧紧地跟随
着,一手执了电筒,一手举着手枪,屏息地等候。外面的大佛
殿上,果然有轻微的脚步声响,仿佛有一个人正从殿上走过
来。是齐巡长吧?不会。他不得到暗号,不会贸贸然进来。那
么是党人?……我的神经又加增了紧张。我听得沉重的脚声已
一步一步地走近侧殿的门口!

静一静。脚步声没有了——终止了。那人大概站住了在
诧异,因为侧殿门本来是锁着的,现在是开着,当然会引起
惊异。

静!是一种感到每一寸肌肉上有小爬虫在蠕动的静!可是
只有一刹那。继续的是动!是一种狮子搏兽般的动!

霍桑不等待那来人进门或退回去,便踊身跳出来:

"慢走!"

跟这吆喝声同时活跃的是他的左手中的电筒。电筒开足了光。他的右手里握着的手枪直注那门外的人。我也急忙开了电筒，定神瞧时，看见门口外面立着一个少年男子。

那人身材高大，腰杆挺直，穿一件白细夏布长衫，头上戴一顶草帽，足上着一双白帆布胶皮软底鞋，浑身雪白。我更瞧他的面貌，略带些黑色，似乎已饱尝了风日的滋味。但他的五官很端正，一双炯炯有神的黑眼压在两条浓眉下面，一个直鼻子镇住了一张紧闭的嘴。猜度他的年纪，在三十左右。

这少年的手中也执着一个电筒，但因着霍桑的一喝，并且有手枪对住他，电筒中没有放出光来。

我端详那人的时候只有一瞥的工夫。这一瞥间，他给予我的印象，他像是一个学界里的教员。可是我们却把他看作凶犯。会不会弄错？

那人不慌不忙地先开口："两位先生，要找我吗？好，请你把这可憎的东西放下吧。唉——是你，霍先生，正是你！前几天你打伤了我们的同志，今天可犯不着再这样了。我们到里面去谈。"

霍桑向那人细瞧一瞧，点点头："很好。你倒很爽快。我本来不打算动武。"

他果真把手枪放下，退一步，让他走进来。我虽也垂下了枪口，但仍握在手里，防他有什么诈变。那少年开了电筒，稳定地走进地藏殿来。他随即将电筒的机钮扳住了，放在一张佛前的供桌上。我们也照样扳住了电筒，三条光线合在一起，殿中便豁然明亮。那人又从佛座旁拖过两把破旧的椅子，请我们坐下。他自己也坐在供桌前面的拜垫上。

他先婉声道："你们今夜到这里来，我着实佩服你们的胆力。霍先生，二十八日那天，我曾到你的旅馆里去看你，可惜没见面。后来你果然找到我们的所在，我们都很惊异。你遭了挫折，到底能够自己设法脱身，此刻又再接再厉，这种机敏勇敢的精神的确了不得！"

我暗暗奇怪，又暗暗内愧。我们正怀疑谁是那晚上救援我们的人，他倒说我们自己设法脱身。真是不可思议。不过那个访霍桑不见而退回去的西装客人，此刻总算有了着落。

霍桑摇手道："不必说废话。我问你，你是不是断指团里的团员？"

那人道："正是。"

霍桑道："那么利涉桥卫善臣的命案是谁犯的，你总知道。"

那人笑一笑："那案子就是我做的。不但这一案，最近还有金丝湾里的那个下台的军阀倪树松，太平巷里的土豪张国植，我都到他们家去过一次，也都留下一个纪念。不过姓卫的是致命的，所以张扬开来。倪张两姓，只断了他们一枚左拇指。他们既然不敢声张，就也掩藏过去了。"他从衣袋中摸出一个小瓶来："霍先生，恕我冒昧。那卫善臣的右拇指和倪树松的左拇指，我已经先后寄给你。这瓶里的断指是太平巷里张国植。我直到今天破晓的时分才做成功。现在一并交给你，让你做个证据。"

霍桑接过瓶来，略瞧一瞧，答道："你既然这样子坦白，倒可省不少口舌。但是杀人得偿命。你为什么专干这种犯法勾当？"

那人仍镇静如常，答道："不瞒你说，我是准备着牺牲才干的。"

这个人连犯四案，可算凶险之极，但他的语声很镇定，措词很文雅，他的仪表又文绉绉的，似乎不相称。

霍桑答道："你杀了人，又盗了人家财产，死是你应得的代价，还说什么牺牲？"

那人的面孔一沉，庄声答道："霍先生，我想你还没有知道我犯案的宗旨哩。不然我所说的牺牲，你也不得不承认。"

霍桑顿一顿，问道："我的确不明白。你们这样子杀人断指，到底有什么宗旨？"

那人忽然立起身来，正色道："霍先生，我相信你也是一个明达的人，不妨和你谈一谈。凭着牺牲的决心，用暴烈的手段，谋社会的根本改造。这就是我们同志们所抱的宗旨。"

"社会改造"和"牺牲决心"似乎都是近来叫得响的新名词，怎么这个杀人凶犯也运用得非常熟练？这究竟是一幕什么戏？我简直摸不着头脑。

霍桑的容色也庄严了些，慢慢地答道："改造社会是一件光明正大的事，可是方法尽多着，怎么一定要利用暴力？"

那人点点头，重新坐下来。

他说："好，我来解释给你听。照我们的见解，我国所以积弱不振，主因虽是吏治不澄清，法令等于具文，和一般领袖人物的私而忘公，渎职失察，其实社会本身也太麻木，也都负着姑息养奸的罪。举一个例，那一班贪官奸商，凭着权位和搜刮压榨的手段，弄得了巨大的造孽钱，一朝退出社会，便可以造屋买妾，任情纵欲，安享他们的尊荣。这班人原是社会的害敌。但是现社会中教育不普及，舆论不健全，丧失了清议的权威。一般人对于他们，只有容忍默认，没有相当的制裁。更坏的现象，有些穷昏了心的愚人，只因为他们有钱，不管钱里面有血腥，还去趋奉献媚！因此，他们更无所顾忌，逞着一时的权位，便丧尽良心，贪图下半世的快乐。这样上行下效，就越弄越糟！社会上充满的是享乐淫逸的现象，正义反归于消沉，弄得死气沉沉，不可收拾！这就是社会全体的罪！"

语声停一停。霍桑也默默地不插口。议论很激烈，但是并不是无的放矢。我的观念也不能不修正。这个人不能和一般的罪犯同样看待。

那少年继续说："我们见到了这层，认为若要谋根本的改造，对于这一班害物，非实施严格的制裁不可。我们没力量推进上层的政治，只有从底层着手，使社会间孕育一种制裁的力。换一句话，这是一种釜底抽薪的办法，斩断这班害物的退路，不许他们在社会上容身。如此，他们觉得既没有了归路，积了钱也不能在社会上作威作福，自然会敛迹一些。霍先生，你说对不对？"

又静一静。空气有转变，不再是紧张和恐怖，是一种严肃的愤慨。

霍桑沉思了一会儿，应道："你们的动机也许很纯正，但这样的手段究竟不免于过激。一方面你们虽说为社会造福，一方面却破坏了法律和社会的秩序。你们也应该顾到啊。"

那人道："破坏法律和社会安宁的罪，我们也承认。因此，万一案情发作，我们都情愿牺牲一身，做我们的主义的保证。因为在现今社会，若没有了这个保证，一则要生匪类的假冒心，二则会累及无辜的平民。所以今晚上我既然碰见你，我情愿伏法，绝没有一句推诿的话。"

语气很坚定，那人的眉宇间也呈露一种慷慨义勇的神气。霍桑低沉了头，像是在思索什么。我乘这暂时静默的机会，禁不住插一句。

我道："你的话语很光明磊落，可是你们替社会造福，怎么反杀害当地的慈善家？又劫取他的许多财物？照现状而论，有些近乎报仇图财——"

那人回过脸来，接口道："你不是指卫善臣吗？你以为这姓卫的是个名实相符的慈善家吗？不是！他实在是一个社会的公敌！我们杀死他，就要贯彻我们的主张，执行我们的制裁！包先生，请不要误会。"

## 惨　别

这里是一种开展，也是一个激变。

当我们着手探案的时候，原以为被害的是一位大慈善家，加害的是一班凶残的悍匪。我们本着锄暴奸恶的旨趣，才出来冒险捕凶。不料听了这少年的一番话，我才像大梦初醒。凶徒竟是一个志士，而被害的善人倒变作了社会之敌！情节太诡异，完全出于我们的意料。

空殿中又静寂了。地藏菩萨固然只听不开口，连霍桑也像省力似的让我代替他质疑。我停一停，又提出一句话。

我说："如果他真是一个假慈善家，自然死不足惜。可是你有什么凭据？"

那人道："我们的定例，当犯案之先，必须详细调查。这卫某的底细，我们也完全查明白。他起先曾做过一任靖江县知县。当光复那一年，他便满载而归。他到上海之后，连娶了两个小妾，抽大烟，赌博，任意挥霍，他的不清白的宦囊渐渐地花尽了。他就凭着绅士的资格，勾结了污吏政蠹，组织一个乐济善堂，假托举办慈善事业的名义，暗中却克扣中饱。别的莫说，但看他的年纪已近六十，但在最近的三年中，又连买两个年龄可以做他的孙女的妾，就是他假公济私的成绩。慈善性的捐款是什么样的钱？一厘一毫不是都与灾黎穷民有生死关系的吗？他却抹杀了良心，把济饥救死的血钱，来满足他一个人的兽欲！包先生，请问这样的人，留他在社会里，是社会的福还是祸？"

少年志士的一股不平之气直从他的两目中射出来，凶光灼灼地叫人不能逼视。我回目瞧瞧霍桑，他依旧端坐着不声不动，脸上也现出一种严肃的神气，显然在和那人表示同情。是的，我相信除了那泥塑的偶像以外，谁听了这一番故事，都会表同情。

少年继续说："我们的宗旨，你们两位总已明白了吧？所以那些贪吏、劣绅、奸商、土豪，都是我们制裁的对象。第一步从事严密的调查；调查确定了，就给他一个警告；方式是截断他的一个左拇指，并指定他捐助某一医院，学校或教养院等若干元，数目并不一例。要是他遵从了，确有洗心革面的表示，我们也就给他开一扇自新的门。要不然，我们就进一步彻底地制裁他——处死他，再截断他的右拇指。这是我们制裁奸恶的大概情形，虽有时略有出入，大体总是这两个步骤。"

制裁是严厉的，方式是新颖的，在我的见闻中还是首创。霍桑仍静穆地不加批评。我料想这少年还有继续的解释，就也用静默鼓励他。

那人又道："我们对于姓卫的，起初也还望他悔过自新，没有杀死他的决心。上星期初，我们先寄信约他在玄武湖会面，警告他的行为；见面的时候，我断了他的一个左拇指，指定他捐给孤儿院五万元。这原是略示薄惩的意思。他脱身后却置之不理，捐款终于没有送去。我们一连写三封信去催他，都没有回音。后来他倒雇了两个武士守卫他的卧室，做消极的抵抗。我们见他这样，知道他没有悔过的诚意，就在上月二十八日的破晓时分，我一个人进去结果了他，再断了他的一个右拇指，并搜聚了三四万元的首饰。这就是我制裁卫某的原委。"

又是沉默。霍桑忽冷静得像石座上的地藏一般。这故事对于他一定也一样新颖。据我估量，他当然有同情，不过他并不表示。

我又问道："那么那天有几个人和你同谋？你们所得的赃款怎样分配？"

那人忽冷笑道："包先生，我想你所用的'赃'字，一定是对卫某说的吧？"

唉，我失言了！我有些窘。幸亏三个电筒的光并不强烈，不致暴露我的脸上的色彩；而且对方也不太认真，仍自顾自说下去。

他说："我们所得的款项，按例做三股均分：一股充党费，二股散给一般贫民，或捐助给真正纯洁的慈善团体。至于同谋的人，请不必过问。我已经说过，这一件事完全是我一个人做的。"

霍桑叹口气，开口了："你一个人干事竟能够这样子敏捷？"

那人微笑道："霍先生，你太抬举我。其实我犯案至今，本不止这三件案。先前在浙江的时候，我两次执行，一共犯过六案。不过他们问心内疚，都不敢宣布。所以到今天我仍能独往独来。现在我不妨将我犯案的证物一并给你瞧瞧。"他重新立起来，像要走向佛像背后去的样子。

霍桑止住他道："不必劳神哩！证物早已在我的袋里。是的，一共是七瓶。"

那人略现些惊异的神色："你已经把那铁箱打开了？"

霍桑点点头，又问："你们到底有多少团员？首领是谁？我想你不妨说一说。"

那人沉吟了一下，才答道："也好。团员的数目何止千百？因为凡是热血的青年赞同我们的宗旨，经过三个团员的介绍，就可以加入。所以各地都有我们的同志，谁也不知道同志们的确数。团员的资格分两种：一种是执行团员，一种是赞助团员。赞助的专司调查情报的职务，执行的专司执行惩罚。执行团员必须有冒险和牺牲的精神，故而数量上比较少一些。至于首领是没有一定的。照目下而论，我就是首领。"

霍桑诧异道："喔，难道你们有什么特别的组织？"

那人道："正是，特别得很。我们同志所最厌恶的是阶级制度，故而团中一律平等，并没有首领和团员的区别。不过当执行团务的时候，例由执行人召集会议，权做主席，所以可以称为临时的首领。"

"唔，这制度很新颖。但是临时首领怎样产生？

"起先本规定由各执行团员自认。后来因着同志们踊跃争先，个个情愿去执行，就定了拈阄儿的法子。每到一处，用拈阄儿法拈着了谁，谁就去执行惩罚，也就算是临时首领。"

"照这么说，临时首领不但要冒险执行，而且案发之后还负有牺牲的责任，是不是？"

"正是。我此番就要准备牺牲了。"

霍桑又赞叹似的舒一口气："如此，你的态度真是很光明的。但是你事前为什么派了人监伺我的行动，又寄断指来恐吓我？案发之后，你又为什么去恐吓卜良，叫他不要追究？那又明明是畏首畏尾的表示。岂不是言行相反了吗？"

那人道："霍先生，你说得不错。但其中也有原因。我们

的团规，凡到一个地方，至少须执行三件案子。此次我们调查
的手续才刚完毕，便听得你们两位到南京的消息。我防有什么
阻碍，便派徐同志来侦伺你们。后来我执行了第一第二案以后，
徐同志报告，果然有个姓何的打电话请你。我怕你出来侦查，
阻碍我的第三案的进行。起初我打算来看看你，和你开诚布公
地谈一谈，因为我一向听得你是富于正义感的，也许可以同情
我的行动，不干涉。可是不凑巧，你出去了，没有见面。据徐
同志的意见，认为你是在法律轨道上活动的人，跟你剖诚谈，
太危险。我听信了他的话，才想用恐吓手段制止你干预。不料
用这样的手段应付先生你，不但没有效，结果却恰得其反。这
实在是我们的失计。至于卜良一般的假貌绅士，金陵城中本不
止他一个。不过他们害民的结果比较起来还不及卫某那样厉害，
所以我们存着宽恕的心，暂免惩罚。但在第一案发生以后，这
里的每一个腐化分子都已先后接到过二份警告。这原是叫他们
改过自新，并没有制止他们追究。这一点你大概误会了。"

霍桑突地起立，严肃地说："唉，你的行动或许还有讨论
的余地，但是你本着牺牲的精神，为大众除害，动机是可敬
的。请接受我的敬礼！"他深深地鞠一个躬。

那人也立起来，回了一个鞠躬礼，说："霍先生，不敢当，
还有一层，可以表明我的素志。今晚徐同志到我的三牌楼寓里
去，问我是否发过召集的通告。我不曾发通告，就知道其中有
了变端，料想已被你看破了机关。我因着我的任务已经终了，
便立刻赶来自首。假使我果真畏首畏尾，没有牺牲的决心，此
刻尽可以脱逃，为什么反而自投到这里来？"

霍桑立刻伸出手来，紧握着那少年的手。

他说："我太糊涂，早知道这样，或是那天我们见了面，

我决不干。这件事要是不牵涉官厅，我凭着正义，也尽可以便宜处置。不过现在——"

那人忙接着说："霍先生，别为难，我得到了你的同情，已觉得虽死犹荣。我绝不想偷生。我对于你也很冒昧，原因彼此太隔膜，没有了解。不过我们并没有伤害你的意思。这一层你总也可以原谅。"他又走到我的面前，和我握手道歉："包先生，我也得请你原谅。"

他的一席长篇谈话，虽则我还有许多地方不明白，但他给予我的印象很深刻。我认为这人确是一个不可多得的血性男子。所以我和他握手的时候也郑重地向他称颂。

霍桑又问道："我们谈了许久，还没有请教过哩。我也想知道些你加入这组织的经过——"

一阵杂乱而急促的脚步声响，挫断了霍桑的说话。那声音仿佛有多人破寺进来。我们都瞧着那扇通正殿的门。为首进来的就是那个同来的齐巡长，后面跟随着四个警察。我才知我们坐谈太久了，把那寺门外守伏的警察完全忘掉。霍桑见了齐巡长，正待走近去发言，那少年忽抢先开口。

他道："我叫樊百平，北大毕业，曾当过中学教员，现在是一个杀死卫善臣的凶手。你们既来拿我，我可以跟你们去，可是别啰唆。"

他的话虽说是对着警察们说的，一半却明明是在回答方才霍桑的问句。齐巡长一时还不敢动手，眼望着霍桑。

他说："霍先生，我们守候了好久，老是不听得警笛声。我看见这个人急匆匆走进来，怕寺里面有什么变端，故而擅自进来瞧瞧。"

霍桑点头道："不妨。我已经和他谈过一会儿。他就是杀死卫善臣的正犯。你们可把他带回去。不过他虽犯了法，情形有分别，不能和寻常的凶犯一例看待。你们应得小心伺候，不可无礼。其他的事我明天会告诉秦厅长。"

齐巡长行了一个举手礼，就回头向樊百平瞧着，但并不动手。樊百平不作一声，取了电筒，回身跟着巡长就走。四个警士也跟随着。他走到侧殿的门口，又突地回过头来，向霍桑瞧了一眼，似乎算告别的样子。他在这一回头中，使我留下了一个很深的印象。我看见他的脸色惨白，双眼中也有些水汪汪。这不是畏怯，是一种同情的知己们诀别时的情感的流露。他显然感到再见无期，便有无限心事都从这回头一瞧中透露出来！我见了他这副神气，不知怎的，一阵子心酸，眼眶里也注满了泪潮，几乎忍制不住。

霍桑忽在我的肩上轻轻拍一下："包朗，时候已经不早，我们也得回寓哩。"

我定一定神，答道："是。现在是什么时候？"

霍桑道："十二点半已过。我们快走。我还要干一件要紧事哩。"

于是大家从供桌上拿起电筒，一同走出寺来。


## 一封信


我们离开东台寺时，天空中的阴云越积越厚，不但星月绝迹，还像要下雨的样子，比赴寺时更觉暗黑。前面有一团灯光，距离已相当远。一个热忱为公的志士已给无情的法网络住了，此刻既已踏上了死路，眼见得没有生机。他既然为了社会牺牲，社会又应得怎样对待他？我随走随想，想起了无数不可解答的疑问，不知不觉地脚步迟了些，落在霍桑的后面。

霍桑催着道："快走啊！胡思乱想成什么事？我们还有正事。"

我放开脚步赶着他，问道："你还有什么事？"

"我要赶紧去释放一个人。现在案情明白了，不愿再连累别的人。"

"那个人是谁？"

"他叫徐守桐，就是你所最欣赏的人！"

"我何曾有姓徐的相识？你还开玩笑？"

"谁和你说笑？你到了旅馆，自然会知道。"

我怀着疑团，用急速的步子，跟霍桑走过了几条半明寂静的街路，不一会儿就到达旅馆。旅馆门外有两个人守着。灯光显示出他们是两个便衣警察。霍桑上前去和他们说了几句，两个人各鞠了一躬，便回身离去。

霍桑咕哝着说："还好，省一次麻烦。"他一直进旅馆去。

我还是莫名其妙，只得随着他一同上楼。进了房，我再耐不住。

我问道："旅馆门外的两个人是警察署里的人吗？你对他们说些什么？"

霍桑道："他们是惠民桥派出所里的。方才我派他们在这里守候徐守桐。幸亏徐守桐乖觉，没有回来。我也省掉一番口舌。"

他把一身黑衣卸下来，摸出了应用的东西，放在桌子上，随即开了房门，唤茶房取水。

我又问："这徐守桐到底是什么样人？是不是樊百平所说的徐同志？"

霍桑笑道："是，你猜着了。"

替工茶房姚纪才送脸水进来。我们彼此洗抹了一会儿，换上了衬衫，又把窗一起开了。霍桑将椅子移近窗口，就坐下来吸烟。我的胸中疑团层层，恰像天空中的云阵一般，积累得无从疏散。我也就坐近霍桑的旁边。

我说："霍桑，这一出悲剧虽已闭幕，我还有几个疑点。你不能不给我解释一下。"

霍桑笑道："嗯，你又来了！我想今晚上我若不解释给你听，你一定睡不着！"

我也笑道："是的，我承认你猜到了我的心思。现在我先问你。你第一次怎样探知党人的会所，我至今还怀着疑团。"

霍桑不答，忽起身取出记事册，从册中寻出一张纸条递给我。

他答道："你去瞧。这纸条里面藏着线索。我就是从这里面寻出来的。

我接过一看，是一条从报纸上撕下的破裂不整的新闻纸。我读了一会儿，没有头绪。那上节是各团体集会的新闻，下节是明矾行市的记载，上下两节不相联串，又都没有起结，实在寻不出什么意义。虽然上节新闻里面有几个人名和团体的名称，然而他们和这案子不像有什么关系。一会儿我想到那纸边上撕碎的几个半片字，或者有什么隐语，可是推索了好久，终究不能解开这个疑团。

我说："霍桑，爽快些说出来。别再把哑谜给人家猜了！"

霍桑笑道："你还没有寻出来？"

"实在瞧不出什么。"

"那么你把新闻中每一个字模仔细瞧瞧，有没有特异的地方？"

我果然重将纸条细看，忽然惊喜道："得了！那上节的第一行第三个'晚'字，左下角上有一点黑点。不是有关系吗？"

霍桑道："对。你再瞧下去，那有点的字共有多少？"

我仔细一寻，共得六字，就是"晚十二本到会"。

霍桑看见我指了出来，说："是的，这六个字就是断指团团员们借用着通信息的。演绎出来，意思就是：'晚上十二点钟到本会来。'你现在想必可以明白了。"

我想了一想，答道："意思果然明白了。但这样的通信可算得太新颖哩！"

霍桑道："你总知道团员们既然干着杀人的勾当，他们的通信，秘密是最重要的。这一条报纸就好在不落迹象，随便丢在什么地方，不会教人家注意；即使落在人家的手里，若不细心看，一时也许也瞧不出关系。因此，他们用这法子通信，实在是最秘密最妥当的。不过从报纸上选择相当合用的新闻，未免要费些功夫。但瞧报纸上第四第五个字的颠倒，便可见要找得完全合用的新闻不是一件容易事了。"

我点头道："你说得很是。但是这纸条你从什么地方得到的？"

霍桑忽放下了纸烟，张着眼，问道："包朗，你怎么这样子健忘？在二十九日那一天的下午，我不是和你一同出外去的吗？我们走出这房门口时，你可记得我曾在地上拾起一条报纸？"

我接着道："唔，是的，我记得。这纸就是你那天拾得的一条？"

"正是。当我拾得的时候，也不觉得有什么机密，险些随手把它弃掉。幸而一转念间，我有些怀疑，才将它留在记事册中。后来我变了初计，不往三牌楼去，先到江口茶馆里去，坐下来细细地研究那纸条。结果我瞧出了他们的秘密。"

"唉，我记起来了。那天回寓之后，你告诉我你得到一种意外的发现。你就是指这秘密通信说的？"

"是。"

"那么你当初为什么不明白地告诉我，却让我闷在鼓里面？"我的语气自然带些悻悻然。

他含笑说："这是一种重要的机密文件啊。机密当然不可轻易泄漏，尤其是在事前。你不能原谅我吗？"

我默默地点了一支纸烟，吐吸了一会儿，又提出质问：

"我还不明白。当时你所得的也不过这一条秘密信。照说，信上只有六个字，又没有地址，你怎么就能够知道他们的地点是念佛寺？"

"这秘密信本来只是一种线索，进展和收果自然还得凭脑力去发掘，然而它的价值却不小。我就从这线索上探知那受信的人；进一步又靠着那人的引导，才知道团员们会集的所在。"

"那么这受信人是谁？他怎么会把这样的秘密信落在我们的房门口？"

"他是被团员们派在这里侦伺我们的。他的名字就是我方才说的徐守桐。"

我迟疑道："这徐守桐究竟是谁？你还没有告诉我。可就是——"

霍桑接口道："对，正是他，就是你所赏识的李四！"

我呆一呆，觉得耳上一阵发热。

我说："李四就是断指团团员假装的，我实在想不到！你又从什么地方瞧破他的？"

霍桑吐出了一串烟，眼睛仰望着窗外乌黑的天空，微微叹一口气。

他说："包朗，你我相处了这几年，论理你的阅历也应该加增些了。我常常说，当侦探的最重要的工作，就是观察——其实观察是研究任何科学所最不可少的条件。观察的实施就需要'谨细'两个字。我之所以能够瞧破李四，也没有别的诀窍，只着重了一个'细'字。当李四初做替工的时候，他对你非常殷勤。这是因为他要维持他的地位，以免中途更换，耽误他的使命。我就觉得他的态度不很自然。因为我自问生平不搭架子，并无使他远而避之的理由。但他每次见我，总不敢把眼光直接向我。我既起了疑心，就开始搜集证据——这也是一般科学家的应有步骤。我觉得他时常躲在门外偷听我们的谈论。我曾经对你约略提起过，你却疑我有什么酷意，竭力袒护他。那就是你犯了不仔细的病，眼光也便被他蒙起来了。"

我有些抱惭，问道："你说他偷听我们的谈论，有什么证据？"

霍桑笑道："你这问句就可算是你不仔细的供认！你可觉得我们每次唤他，他总是应声而进的？这显见他时时伏在我们的门外。有时我觉得他在门外，故意地突然唤他，他出不意地进来时，总未免带些惊惶的颜色。这样几次，我就确信了他来做替工是故意的，一定怀着某种目的。后来我得到断指，就推想到这李四和它有某种关系。我又拾得了这条报纸，仔细推索，便假定这纸条必是李四所遗落的。他既然时常在门外偷听，或者当他送断指进来的时候，他本将断指的纸包放在袋里，后来听得我的呼唤，他突然进来，急急将纸包取出，就把袋里的纸条带出来，遗落在地上。不过那时候我虽疑心李四，还不敢确信他就是断指团里的人。

"我从江边茶馆中回来时，询问旅馆账房，那起先的茶房赵二为了什么事请假。据说赵二因害了重病躺在家里，所以叫李四来替。我又打听得赵二的住址，悄悄地寻到他的家里，想查问一个实在。不料赵二不在家。我又问他的邻居，据说在十天光景以前，不知道他从哪里得到了一注钱，一个人往上海去玩了。

"因此，我才断定李四实在是一个团员。他起先买走了赵二，投身进来刺探我们的行动，可称机敏之至。幸而我早早注意到，不曾中他的计，他倒反被我利用。老实说一句，这一次破案，我得他的助力正不少呢。"

我沉思了片刻，又说："那么二十九日傍晚，李四被捆缚在你的床底下，他的腿上又给戳一刀，那是他的苦肉计吗？"

霍桑深深地吸了几口烟，答道："是。你慢慢地听我说。当我把这纸条研索出一个结果之后，虽知道李四是一个团员，并知道他的同党要约他会面。但我还不知道他们的会合地在什么地方。我想要偷偷地跟了李四一同去，纸条上又没有约会的日期，不知道已经会过了没有。所以我一时还没有把握。直到我回到旅馆，看见李四被刺，才恍然明白。原来李四的被刺本是一出把戏。什么刺腿哩，被缚哩，和留下的刀哩，警告书哩，都是他一个人玩的，实际上并没有什么别的团员进来过。

"你说得不错，这是他的苦肉计。它有两种作用：一则用这计策坚定我们的信任；一则因为那一天晚上，他要赴同党的约，借此可以告假脱身。这两层计谋既然都被我看破，我先时的疑团就也迎刃而解了。"

我诧异道："唉，霍桑，经你一说，便觉得路路都通。这样一件神秘的事，你竟一目了然。你真可称得独具慧眼了！"

霍桑道："你别说笑话，只是你自己不细心罢了。你可记得那天下雨的时候是在四点钟以前？但据李四说，他在四点半钟进来关窗，才被党人缚住。那天是东北风，假使李四的话是真的，那么雨下了半个多钟头，窗还开着，东窗口里应得被雨打湿。怎么当时并不见一点雨点？即此一层，就可知李四说谎。其实他明明早已进来，安排好一切，不过防我们生疑，才以关窗为名，掩饰他进房的嫌疑罢了。"

"心细如发，目光如炬"，似乎尽可以移赠霍桑，决不致近乎夸张。他的解释又句句恰中情理。我实在没话可辩。

霍桑继续道："除了这一层，还有三个辅佐的疑迹，助我构成那假定：其一，缚手的绳结，显然是他自己用牙齿咬着打的；其二，足印也只有他一个人的，故而我知道没有别的人；其三，我料想那地板上的血迹，不是人血，而是什么动物的血。你想他的腿部的伤口只有一寸多长，又不很深，哪里会有这许多血？"

我点头道："是，说破了果然都非常明显。当晚你是跟了李四一同去的吗？"

"正是。那晚上我料他必要往团员们的约会所去。九点四十分时，我就出去，匿伏在旅馆外面；等到十点半时，果然看见李四出去，我便跟在他的后面，一直到念佛寺里。假使那晚上不是杨凡通有妒功的心，这回事早就可以结束了。"

"第二次破获东台寺的机关，你仍旧靠着李四做引线，是不是？"

"是。不过这一次我是主动，不是乘机。我知道第一次的机会是偶然的，不容易再得。我就想仿照他们的秘密，假作一次通信，约他去聚会。他若使中了计去，我又可以得知他们的新地点了。"

"那假通信你怎样投寄的？"

"这就是个困难点。我本来不知道那秘信怎样寄法，也不知道约会的日期怎样表明。因此我从多方面探伺，一面又注意他所交接的人。

"一号的傍晚，有一个乡人装束的人来访李四，交谈了几句，那个人匆匆便去。我料这个人是同党，特地尾随他去。不意到了惠民桥相近，那人忽然不见。我失望回来，但已料到新迁的机关大概在惠民桥近边。

"这样过了两天，我再没有别的机会。我很着急，因为我瞧李四的情状有些疏懈，似乎将要离去了。直到昨天三日的清早，李四偶然出去。我悄悄地开了他的房门进去搜查，果然搜得两个邮寄的信封，封面上都写着：'本埠江口，中华旅馆，徐守桐收。'却没有房间的号数，又没有寄信人的名姓；左边各写了一个日期，一封是六月二十六日，一封是六月二十九日。我更瞧邮局的印章，却是二十五日和二十八日，都是先发一日。我才知道这封面的日期不是发信日期，而是约会的日期；又知道他们是用改名寄递的方法，以保持秘密。原来旅馆中的常例，凡信件上不写房间号数，或不知姓名，他们必照例插在收信袋里，以便本人看见了自取。"徐守桐"三字，旅馆中人既不知道是谁，又没有房间号数，势必也放在袋里。李四看见了，自然可以乘机取下。这方法使人不知不觉，岂不是再妥密没有？"

我连连点头，应道："正是，真巧妙。信面上写日期原是应有的事，虽然日期和邮印相差，但不注意的人自然不会去细细地比较。况且信内又是秘密的隐语，即使被人收得了，也不会被瞧出破绽；就算瞧出来了，李四也并不直接负责。唉，这方法实在是万无一失！"

霍桑道："是啊。当时我看见了那两个信封，便把字迹摹下来，仍旧悄悄地关好房门出来，不使他生疑。随后我立即买了几张白话报，寻出了一节新闻，依样葫芦地约他本日（三日）晚上十点钟到会。但是我还不知道他中计不中计，所以我临行的时候，请你相助。一面我去跟他，一面请你等到相当时候，去叫警察。幸而他并不疑心，一直领我到东台寺去。我见他进寺以后，好久不出来，以为同党们也许就寄顿在寺中，所以我就奔到惠民桥去取援。谁知徐守桐到了寺里，看不见同党，就从别路退出来，再到三牌楼——这地点本是我最初的目标——樊百平那里去报告。樊百平觉悟到出了岔子，才到东台寺去自首。以后的事，都是你目击的，我不必细说了。后来我明白了案情，所以急急赶回来，就防再连累了他。不料他很乖觉，至今不回来。我想他再也不回来了。"

我笑道："徐守桐这个人真好笑。他特地来侦伺你，却被你一再利用。你还说他乖觉呢！"

霍桑道："你别轻视他，但看他在这里，你始终没有怀疑他，就是他胜过你处。并且他在我接包件的时候，一看见我的签名，便能够模仿下来；后来他就利用这签名来骗你，你也瞧不出假，也可见他的技能并不平庸。"

"那么第一次他们的机关破露之后，他为什么再来这里给你做引线？"

"那就因为那时樊百平所预定的第三案还没有完毕，他们对我还放心不下，不得不再派他来。况且我第一次虽则失败，我的手段却非常缜密，他自然想不到我已经看穿他的机密。所以平心而论，徐守桐的干才委实也不是寻常人所能及的。"他停一停，看看天空，叹口气，"可惜的是他对于我抱着一种偏见，才造成这样的后果！"

我问道："什么偏见？我不明白。"

"樊百平说，他在二十八日傍晚来看过我，因为徐守桐的劝阻，才没有再来。徐守桐认为我和他们一定处于对立的地位，剖诚相见太危险。他分明误解了我的态度和旨趣。要不然我当然不会给这种劣绅奔走，樊百平也不致做法网中的牺牲品。"

"我想樊百平求仁得仁，不会有什么怨恨。"

"是的。不过说句略迹原情的话，这样一个热血有为的青年就此牺牲掉，社会间减少一份活力，国家损失一份元气，我不能不惋惜！"

从正义的基点上说，这惋惜我有一致的同情。可是事实如此，也只有徒唤奈何。我又把话题拖回来。

我说："霍桑，我看这徐守桐虽不能了解你，但他给予你的助力却不小。假使此番没有徐守桐来这里，你进行这案子怕也不能这样子顺手——"

霍桑忽止住我道："包朗，这话太无意识。你总知道侦探家的手段本不是一成不变的，要相机而行。假使这案中没有这一个徐守桐，又安知没有另一个徐守桐？我相信只要我的脑子不停滞，总可以寻得入手的线索。你得知道探案不怕没有线索，只怕有了线索白白地放过它。包朗，你想你的话是不是应得修正一下？"

我赔笑道："不错，不错。我本是说笑话，你不要太认真。现在我再要问一句。那晚上你和我被禁在念佛寺里以后，那释放我们的人究竟是什么人？"

霍桑忽立起身来，把烟尾丢了。他的脸沉下了，又显出怀疑和诧异的眼光。

他道："包朗，我也不知道。这一个疑团，我至今还不曾打破。刚才我听樊百平的口气，他以为是我们自己走脱的。我真觉得惭愧。明天我去看他的时候，要再问一个仔细。时候不早了，我们应得安息哩。"

第二天早晨，霍桑将搜得的断指和包纸等物一起毁灭了，但留下卫某的一指，预备带到警厅去销案。

午膳时分，霍桑从警厅里回来，秦厅长告诉他，樊百平已经照实供了一遍。但据上峰的意见，南京城里的士绅阶级最近正感到某种恐怖，有些人人自危，这件事如果宣布出来，势必更要引起一般人的恐慌，所以请霍桑严守秘密，只算是寻常的盗案。

霍桑叹息道："这样神圣的牺牲，却用一个'盗'字来诬蔑他！你道可怜不可怜？"

我也很抱不平，可惜爱莫能助，只得彼此叹了几口气。事情大体上都有了结束，只有那个开了密室的门释放我们的人究竟是谁，霍桑虽去问过樊百平，仍旧没有端倪。这天午膳罢后，邮局里忽然来了一封信，这疑问才算有了着落。

那信说：

霍桑先生：

你前次破了假江南燕案，替我洗刷了难受的丑名，我很感激你。那天晚上，我从这里经过，会见了几个断指团团员，忽然听得你被他们拿住在念佛寺里。我知道他们不过想拘禁你，本没有害你的心。因此我悄悄地起来，把你们放了，做个现成人情。现在我有些勾当，马上要离开这里，改日再图相见。祝你健康。

江南燕上

这封信引起的反应，是使霍桑沉下了脸，低垂着头，好久没有说话。

一会儿他才缓缓地说："唉，包朗，这一回事实在太出我的意料！"

我应道："解放我们的人竟是这个人，真叫人索解不得！你想他有什么用意！"

霍桑道："谁知道？照眼前看，这举动不能不说是他的好意，不过在我们未免有些难堪。他说现在他有些勾当，或者我们又有什么事要干哩。你的身体既然已经复原，天气又渐渐地热起来了，不便再游山。我们不如早些回上海，做一个准备才是。"

过了一天我们便动身回上海。那天朱雄来车站送别。秦厅长也特地差人送了一只金表给霍桑，因为霍桑不受他的酬金，厅长无奈，只赔偿了他在格斗时打碎的手表。

七月十五那天，朱雄从南京到上海来，带给我们一个秘密的情报，说南京的地方监狱中最近盛传着一件逃监事件，逃走的是一个新近进监的少年盗犯。有个管监的法警一起失踪，是否得钱卖放，或是出于同情，传说得不清楚。因为这件事不曾公开宣布，详情自然无从知道。朱雄很怀疑这逃犯就是樊百平，我也但愿是他。

霍桑也高兴地说："要是果真是他，我想不久我们总可以得到他的消息的。"

# 怪 电 话

## 求救声

我虽不会有过精密的统计，但约略地计算一下，在已往的十多年中，我的日记上所记的老友霍桑的探案成绩，总得在一百件以上。在这百多件探案之中，霍桑固然都是各案中的主角，但那警察总厅的侦探长汪银林，也往往在案中占着重要的地位。汪银林的思想虽不及霍桑的敏捷，关于侦探学上的常识，如观察、推理和应用科学等等，也不能算太丰富，可是他知道爱惜名誉。他的办事的毅力和勇敢，也和他的短阔肥硕而近乎臃肿的身材一样，在侪辈中首屈一指。这里所记的一件案子，居于主角地位的是汪银林，我和霍桑只是从旁相助的配角。但是案情的迷离奇诡，当时不但蒙住了汪银林的耳目，连我们俩也几乎走入歧途。

那是个盛夏的傍晚，我还没有结婚，和霍桑同居着。我们因着破获了一件康福衬衫厂夏经理的勒索案子，特地到警厅中汪银林的办公处去，证明一二种疑点。

这天是星期日，恰是汪银林的值日，所以他仍照常办公。我们到他那里时，恰在一阵雷雨之后。炎热蒸笼般的空气，经过了一次迅雷骤雨的洗涤，陡觉凉爽得多。主人供给的一满杯冰水，又调整了我们的内脏的温度，使我们的身体上感觉得舒适异常。霍桑和汪银林谈了一会儿，银林忽牵到了那时候流行的绑票案子的问题。

他皱着眉头道:"这班可恶的绑匪越捉越多,他们的范围也越发扩展,说起了真教人头痛。昨天一连出了三起绑案,内中有一起,所绑的只是一个小烟纸店主人!今天的报告还没有来,我不知道会不会再增加些!"他把右手握着拳头,在桌边上击了一下:"霍先生,我希望你能想一个斩草除根的方法,把这一班东西扑灭干净,上海社会才有安宁的希望。要不然,那真越弄越不成话,报纸上的批评也越觉难堪,我这地位也快站不住了!"他仍把握拳的手撑在桌边,眼睛盯在霍桑的脸上,似在等他作答。

霍桑吸着一支国产的白金龙纸烟,两手交抱着肘骨,靠在椅子上。他凝视着书桌上的两个空汽水瓶,默然无言。电灯光映照他的面容,沉着没有表示,但非常庄严。

一会儿,他才抬起头来,缓缓答道:'这是一个最严重也是最困难的问题。我看这种层出不穷的案子,根究它的主因,一大半还是生计问题。多数人都穷极无聊,社会上又恰有这种不良的趋势,因此有些抱着'饿死不如犯法'观的人,便不顾危险地模仿着乱干。你得知道罪案正像疾病一样是有传染性的。假使这班匪徒真是有组织的,内幕中有个设计的人发令指挥,那倒容易办了。我们只需擒住那个匪魁,便可有完全扑灭的希望。现在却——"

铃铃铃……铃铃铃……

书桌上的电话铃声突然大震。霍桑就顿住了不说。汪银林急忙将听筒取起。

汪银林向着听筒说:"喂,是的。你哪里?……吉庆里三弄,姓沈?……什么事?……唉!……唉……什么?……"他

的话越逼越紧，他的眼睛张大了，脸色也跟着变异。接着他仍紧紧握着听筒，忽又自言自语："怪了！怪了！怎么……怎么？唔，还是个女人呢！唉！电话挂断了。"

汪银林说这几句话时，那电话的听筒虽仍紧紧地贴在他的耳朵上，但他的说话并不是向发话管口里发的。我和霍桑都很惊异，坐直了身子，准备听他的后文。汪银林急急在电话箱上摇了几摇，又重新发话：

"电话接线部吗？……对不起。这里是警察总厅。请问刚才挂断的是什么号数？……五一六七三……好，谢谢。"

他把听筒挂上了，回头来向我们瞧着。他的手仍靠在桌子边上，眼睛不住地眨着，似乎有一种惊奇难解的问题，却又不容易出口。

霍桑问道："什么事？你听得了隔壁戏？"

银林答道："是。奇怪得很。起先是一个女人的声音，跟我问答了一句，忽而有一种极猛烈的震动声，仿佛那听筒突然脱手了，触在墙壁或地板上！接着隐隐有一种杂乱的脚步声，又像有个女人喊救命，末后咯的一声，电话挂断了。……霍先生，你道奇怪不奇怪？"

霍桑问："你听清楚是个女人？"

银林点点头："是，北方口音。"

"没有男人声音？"

"没有。我听得喊救命的也是女人。……霍先生，你想是什么把戏？"

霍桑把烟尾丢了，从椅子仰起身来："根据这些声音推测，分明有一个女子正要打电话报告，却被什么人从中用暴力阻断了，但瞧末后那听筒突然给挂上，再没有别的说话，可见那打电话的女子已经屈服。对不对？"

"对，很合理。"

我也同意汪探长的看法，因为霍桑的推想的确是明显合理的。霍桑已立起来。

他说："银林兄，你不是已经查明了那打电话的人的电话号数吗？快把电话簿查一查，究竟是个什么样人。"

汪银林连连点头，站起来翻检那电话簿，翻到了五一六七三号。

他大声道："唉，不错，正是姓沈。大沽路吉庆里三弄二十七号，沈兰英……"

霍桑接口道："唉！沈兰英？不就是那个中华舞台的女伶白玉兰？"

我一听得白玉兰的名字，便记起伊是一个唱青衣的女伶，这几天报上正登着大幅的广告。伊已经休假了一个星期，有一出新排的《十三妹》将在明天晚上开演，伊将重行登台。白玉兰的年龄还只十七岁，面貌很美丽，唱功演技也不错，登台虽还没有多久，因着捧场的不少，却已声誉鹊起，前途很有希望。

霍桑又说："银林兄，你不能耽搁，赶快去瞧一瞧才好。"

汪银林点头道："是。霍先生，包先生，你们俩如果有兴，不妨一块儿去瞧瞧。"

这邀请是多余的。那奇怪的电话早已引动了我们的好奇心，即使银林不说这一句，我们也会毛遂自荐。

## 空屋中

天色已经黑了。密云还没有散。晚风一阵阵扑面，很觉凉快。马路经过了雨水的冲洗，还是湿润润的。不到数分钟，我们的汽车已到达大沽路吉庆里口。那时候大沽路上还有若干没有建筑物的空地，比较冷静。那吉庆里共有八弄，除了中央一条总弄以外，两面都有侧弄可通，真是四通八达。我们接得电话赶到这里，前后不过二十分钟光景，料想也许还有机会瞧得见这一幕话剧。汽车到总弄口刹停时，霍桑首先跳下来。

他忽指着地上说："这里有汽车停过。瞧，这两条车轮的痕迹还很新。莫非鱼儿已经漏网了？"

汪银林忙道："唔，我们进去瞧。"他首先引导，向第三弄里奔过去。

三弄里都是两上两下一侧厢的石库门屋，一共有八宅。我们找到了二十七号门前，不觉都呆了一呆。这侧弄中有一盏电灯。电灯光照见二十七号的前门上贴着一张刻板的黄纸招租。汪银林回头瞧瞧我们，又用力在门上推一推。门动都不动，明明是在里面闩着的。

汪银林作诧怪声道："怪事！这里竟是一宅空屋！"

奇怪，空屋里会有人打电话求救？闹玩笑吗？有人会向警察总厅开玩笑吗？而且打电话的又是个女子？太不可思议！

霍桑走前一步，俯着身子向门隙中瞧了一瞧。他拍拍汪银林的肩膀。

他低声说："慢！侧厢里面有灯光哩。你且站在这里，让我们绕到后门去看看。"

汪银林答应了。霍桑引着我兜到四弄里去。他数到了二十七号的后门，先在门口瞧一瞧，便上前去轻轻推门。后门上虽装着一把耶耳牌子的弹簧锁，却没有锁着，应手而开。我从霍桑的肩上向里面一瞧，完全黑漆。霍桑先探头向里面倾听了一下，似乎没有声音，重新退出来。

他低声向我道："你去叫汪银林过来。我们一同进去。"

我重新绕到前门去招呼汪银林。等到我们一同回到后门口时，霍桑已走进屋子，站在门里面等待。他的右手中执着一支随身的手枪，左手中执着一个电筒，似乎已经察验过一会儿。我随着银林站住在后门口，鼻子里嗅到一股油腻气。

汪银林低声问道："怎么样？"

霍桑答道："这里是灶披间。我已经瞧过。楼下几间完全没有人。这后门口和门口的内部，有两行进出的足印，虽是深淡不同，还可以分别得出。瞧，不是还相当清楚吗？现在你们向靠右一边走，不要踏乱了。"

他说时扳亮了电筒，在灶披间的水泥地上照着。我看见后门口的中央和左边，都有新鲜的男女足印。

砰！

那是一种关窗的声音，其势很急。我揣度它的来由，像是从楼上传出来的。

汪银林忙把身子一蹲，低声道："楼上有人哩！"

霍桑仍很镇静地说："我们先上楼去。楼梯在中间的后面。我来领路。"他旋转身去。

汪银林先跨进门口。我尾随着，顺手将后门关上。霍桑亮着电筒，领导到楼梯脚下。

他回头道："你们跟着我的脚印走。梯级上也有足印，别踏乱。"

他一级一级地用电筒一亮一隐地照着上楼。我们屏息静气地跟在后面。霍桑的电筒既不敢始终亮着，光力又不充足，除了有一条光线间歇地亮一亮以外，四周都被黑暗困住，看不见什么，耳朵中但听得屋外的风声呼呼啸着，似乎先前的雷雨还有继续之势。这时我所感觉到的是阴森、清凄和恐怖。汪银林的右手插在袋中，分明也准备着什么兵器。我呢，手无寸铁，无从戒备。唯一带些自私性的慰藉，是我跟在最后，即使有什么危险，似乎不致先让我徒手抵挡。

我们蹑足走上了梯头，楼上也像楼下一般，仍全无声音。我仔细听听，只有打牌和喧笑的声音隐隐地从左隔壁屋子里透过来。楼梯头有一条短短的通道。霍桑走到中央一间的门口，先站了一站。他把执在右手中的手枪放入袋中，腾出手来，握住门钮，向里面一推。门也没有锁。霍桑顺手把电筒的光线照射到里面。

这房间是空的，不但没人，连家具也没有。地板上除了许多零碎的破物和垃圾以外，有几个尖小的泥水足印。显见这屋子迁空后，还没有洒扫整理。承尘下的电灯已经卸除，电线仍荡在空中。

汪银林道："那里还有次间和厢房。会不会有人伏在里面？"

霍桑道："我瞧那足印有进有出，不像再会有人藏匿。但你不妨进去瞧瞧。"

汪银林也摸出一个较小的电筒，向次间里走去。我仍和霍桑留在中间。霍桑把电筒的光照射到四壁和地板上面，像要找寻什么。一会儿汪银林回来了，摇摇头示意。

霍桑说："我早料他们已脱身哩。"

汪银林说："那么，怎么刚才还有关窗的声音？"

霍桑把电筒照着前面的窗口："瞧，这窗没有闩拴住啊。刚才的声音一定是这扇窗被风力所引而自动关上的。下楼去吧！我觉得下面有许多地方值得注意。"

汪银林指着地板上的足印，又道："这分明是时式平底女鞋的印子，而且是在雷雨后印上去的。但这女人为什么在这空屋中走来走去？"

霍桑道："唔，谁知道？但下面次间和厢房中的印迹更奇怪。"

我们三个人重新下楼。走进了客堂，我便看见侧厢中露着微光。次间中果真也空虚无物，不过广漆的地板已经扫过，和楼上堆满了垃圾的情景不同。厢房地板的一角粘着一支洋烛，已点去了小半，却依旧亮着。次间地板的中央，足印纵横杂乱，好像是有人争斗过的样子。我的眼光瞧到侧厢的壁上，一只话箱还没有拆除。

汪银林也利用着电筒，说："这里的足印男女都有，果真和楼上单是女人的印不同。"

霍桑道："不错。但我看见楼下客堂中只有男子的皮鞋足印，却没有女子的足印。分明那男子经过了客堂，从天井中兜到这侧厢里来的。"

汪银林疑惑地说："其实进了后门，从那楼梯后面的次间侧门穿到这厢房里来，比较穿过了客堂，从天井里绕道近得多。"

"是啊。但这男子竟绕了一个圈子。这一点就值得注意。"

"什么意思？你可是说这一男一女不是一块儿进来的？"

霍桑点点头道："正是。我还觉得那男子是一个以前不会到过这屋中来的生客——他不熟悉这屋子的通道。"

他又走到次间中央足印较多而杂乱的地方，把身子蹲下来，从衣袋中摸出一面放大镜来，一手执着电筒，一手拿着放大镜，在地板上仔细察验。汪银林走进侧厢里去察看那电话箱。我袖手旁观，觉得这回事真像这屋子的环境一般，不知是什么把戏。

不一会儿，我忽听得汪银林在侧厢中发出惊呼声音：

"唉！这里有一个证据哩！霍先生！你来瞧瞧，墙壁上的擦伤痕迹和地板上的足印，不是和你刚才的猜想合符了吗？"

"唔，那很好。"

霍桑应了一声，仍跽伏在地上，但抬了抬头，并不动身，似乎他正全神贯注地在察验什么，不愿因此分心。

我走到汪银林所指的电话箱前，果见地板上有两个并立的女子足印，特别清晰，似乎那女子在天井中站过，回进来后就打电话，故而她在这里所留的印比别处更加明显。电话箱底下的淡绿漆的墙壁上擦去了一小块石灰，颜色很新鲜。

汪银林用手背在他的额角上抹了一下，指着那电话听筒的发话口的一端，说："包先生，瞧，这里也有些石灰。可知这听筒刚才果曾跌落下来，曾在墙壁上撞击过一下。"

我应道："这样，可见霍桑先前的推测当真已没有疑惑。"

"血！……血！……"

霍桑在次间中的呼声，含着充分的吸引力，立即将汪银林和我吸引到了他的旁边。

他忽挥手阻止道："小心，别走近！这里的血点很多！……唔，还有别的东西！"

两道大小不同的电筒光集中在次间中央的地板上，照见斑斑圆形的血点，一共有十数滴，分散在多处。

汪银林说："这样看，这里面也许还有血案。我还以为这又是一件单纯的绑票案。"

地上有血，情节果然严重了些，但汪探长草率地便下断语，似乎未免过早。

我问道："霍桑，还有什么别的东西？"

霍桑指着一处，说："你瞧，这是什么？"

那是一小堆玻璃碎屑，聚成一个小小的圆形。

我脱口道："这是一块手表的玻璃蒙子，已给人踏碎了。"

霍桑答道："不错。但我还瞧得出这表面在被踏碎时是覆着而不是仰着的。"

汪银林接着说："这一定是在搏斗的时候，彼此拼命相搏，从而把手表的表面打碎。现在我觉得那经过的事实已经非常明了。"

霍桑直立了身子，把放大镜放在袋里，又拂一拂裤膝上的灰尘。

他问道："你的意见怎么样？"

汪银林道："我觉得这还是一件绑票案，当时曾动手扭殴，还流过血。你可赞同？"

霍桑点头道："唔，很近情。你且说说你所推想的经过事实。"

汪银林说道："据我推想，有一个女人先进这屋子，接着又有一个男人进来。伊因着畏怕那人，故而打电话到警厅里去求救。可是电话才接通，那男人便上来阻夺。于是电话筒脱手落下了，彼此便争扭起来，结果也许有一人打破了鼻子。那时间那女人的呼救声和地板上的挣扎脚步声，都曾间接地传进电话听筒。末后，那女人到底屈服了，那男人就挂好听筒，挟着那女子出外，乘了汽车逃去，那人临行时很匆促，故而连蜡烛都没有熄灭。"

霍桑不下断语。他一边缓缓地点头，一边走近壁角，又俯倒身子，用放大镜细验地板上的蜡烛。

他说："这支蜡烛是那女子带进来的。烛上还留着两个细小的指印。"

我问道:"这女子是谁?可就是白玉兰?"

汪银林忙应道:"当然是白玉兰。伊打电话时,自己说姓沈。还有什么疑惑?"

我道:"那么,伊既然已经迁移了,为什么又带了蜡烛到这里来?"

汪银林皱着眉头,答道:"伊也许有什么约会,或是——"

霍桑接嘴道:"慢!这个到空屋里来的女子果真是白玉兰吗?这也得有个证明。我看我们应得立即往中华舞台去问问。如果伊不曾被绑,我们能够和伊见见面,就可以明白进来的是不是伊,和伊进来有什么目的。"

我同意说:"对,这是应有的步骤。"

霍桑说:"那么,银林兄,现在我们分头进行。你到中华舞台去探问。让包朗兄去找寻这弄里的看守人,问问这一家究竟几时迁出,又迁到了哪里去。"

汪银林应道:"很好。霍先生,你到哪里去?"

霍桑道:"我还得在这里察看一会儿,也许另有什么发现。你如果有什么消息,不妨就借用这个电话和我联系。"

我和汪银林仍从后门里出来,走到吉庆里口,彼此分手。汪银林坐了汽车往中华舞台去,我也找到弄口看弄人的门楼上去。

门楼上只有一个四十左右的扬州妇人在吃夜饭,就是那看守人的妻子。据说伊的丈夫叫王大,此刻被朋友邀去喝酒了。伊日间在纱厂里做工,但知道那迁出的二十七号一家真是唱戏的白玉兰,并且就是在这一天迁出的。白玉兰迁往什么地方,伊不知道。

我问道："屋子迁空以后，白玉兰可曾重新进去过？"

那妇人似乎怕多事的样子，摇头道："我不知道。我已经告诉你，我回家的时候已经在上灯过后。"

我又道："我知道迁空的屋子总是锁着的。这二十七号的屋子可也照例下锁？"

妇人仍不着边际地答道："那自然。"

"这样，这屋子的钥匙，自然是你们执管的。假使有人在锁屋以后再进去，不是要向你们来拿钥匙的吗？"

"唔，那也不错。不过钥匙是老头子管的，我不知道。"

这妇人相当圆滑，竟找不出一句负责的话。多问也徒费唇舌，我一时又没法对付。我说："好。现在你快去找你的丈夫回来。二十七号空屋里已经出了一件重要案子。我们要向他问话，不能耽搁。"

我下了门楼，回到二十七号屋去。后门仍虚掩着，我推开一瞧，灶间里面黑暗无光。我以为霍桑还在次间里面，不料我摸索到次间中时，烛光已熄灭了，也完全沉黑。我愕住了。

"霍桑！"

我叫了一声。没有答应。奇怪，他又上楼去了吗？

扑通！

这声音发生在楼板上。有人在楼上打架吗？我不觉暗暗吃惊。我给黑暗包围着，一时又不知道应留应退。

"包朗，别害怕。"

那叫我的声音是霍桑，但是那是从后面灶间里发出的，似乎他正也从后门外面进来。

他又接着道："楼上的声音大概是有什么野猫从窗口中跳了进来。"

我道："霍桑，你在外面吗？"

他的电筒早已放亮，穿过了次间的侧门，向我站立的次间中走来。

他答道："是。我到左右邻居去问过，都说没有听得刚才的呼救声和搏斗声。"

我说："那左邻正在打牌，闹得厉害，当然不会听得。"

"不错。但右隔壁有一个老妇，正卧病在楼上，也说没有听得什么声音。"

"这也是楼上楼下间隔的关系。况且上海的住户大半都是自顾自的，即使有什么声音，也不容易引起旁人家的注意。"

霍桑不答，但微微皱着双眉。

他问我道："你探得了些什么？可已知道白玉兰新迁的地址？"

我把查问没有结果的情形告诉了他。

霍桑说："那么我们把这个看守人王大找回来后，也许就可以知道那个带蜡烛进这空屋的女子是不是白玉兰。"他又把电筒照在次间中央的地板上，继续道："这里都是男子足印。"他顿一顿："这男子和女子的足印，我都已照样描下来了。"他说时忽又俯下身子，细瞧那电筒光照亮的所在："唔，这是什么毛呀？"

我果然看见地板上有两片羽毛："怕是鸡毛帚上落下来的鸡毛。"

霍桑摇头道："不，不是鸡毛。"

我又道："那么一定是野鸭毛了。谅必是枕头中或被褥中——"

这时侧厢中电话机的铃声忽然琅琅响动。

霍桑忙立起身来接电话。电话果然是汪银林从中华舞台里打来的。他说白玉兰还没有下落，但已查明了白玉兰新迁的地址，在贵州路多福里六号，他已准备直接往那里去，我们如果没有留在空屋中的必要，他叫我们也一同去看看。霍桑答应了，就领着我离开空屋。我们走到弄口，又向门楼上看看。门楼锁着，扬州妇人不见了。那守门的王大显然也还没有回来。我们不便等待，就直接往贵州路去。

## 矛盾点

我们到了白玉兰家里，汪银林已先在那里问话。客堂里都是红木的新家具，布置还没有妥帖。一个少年男仆和一个中年女仆正在安放椅桌。和汪银林接谈的是一个五十多岁的男子，穿一件半新半旧的蓝纱长衫，弯着背，耸着肩，头上还留着一条小辫。他有一双松鼠的眼睛，面容苍白而带青色，瘦得似乎只剩一把骨头，显得他是一个鸦片鬼，而且资格已经很深。这人就是白玉兰的父亲，名叫沈承福，果真是一个只会消费而不能生产的瘾君子。我们经汪银林介绍了一句，就坐下来旁听。

沈老头子答道："汪探长，我委实不知道。兰英出去的时候已经断黑。伊没有说明往什么地方去。我们至今不见伊回来吃晚饭，也正自挂念着。"

汪银林道："伊出去时的形状怎么样？"

那留辫子的男子兀自皱着双眉，似乎答不出来。旁边那个年纪四十上下正在抹方桌的女仆忽然回过身来，插口代答。

伊说："我看见小姐出去的，模样很急促，好像忽然记起什么事，怕错过了时刻。"

汪银林乘势回头问道："伊没有告诉你到哪里去？"

女仆道："没有。伊一句话也没有说。"

"那时伊穿什么衣裳？"

"穿一身纯白云锦纱的西式衫裙。"

"可曾戴什么首饰？"

"唔……我记得伊的右手上有一只钻戒，左手上另有一只镶钻的手表，这手表是伊天天戴的。"

霍桑也插口道："你可记得那表的大小怎么样？可是比这双角大些？"他摸出一个双毫的银币给女仆瞧。

女仆道："不见得大，正和这银角仿佛，也许还小一些。"

霍桑又问道："伊穿的什么鞋子？高跟皮鞋，还是平底鞋子？"

女仆迟疑道："这个……这个我没留意。但小姐只有一双黑漆皮的高跟皮鞋，平时是难得穿的。"

霍桑道："那么你去瞧一瞧，伊的漆皮皮鞋是不是还在。"那女仆转身去时，霍桑又唤住伊："喂，你再拿伊的本国鞋子来，让我们瞧瞧。"

那女仆答应着走向客堂后面去。汪银林又重新向兰英的父亲沈承福问话。问题关涉多方面，一大半是属于家庭情况。我们才知兰英已没有母亲，但有一个后母，和两弟一妹。这一家门现在都靠着兰英生活。承福是天津人，先前本是做古董生意的，一年前因着兰英进了舞台，进款一天天丰起来，他也就不再做事，终日在家里吞云吐雾。

一会儿仆妇已取了一双月白缎子绣黑花的女鞋出来，并说黑漆皮的高跟皮鞋还在。霍桑点点头，把他所描绘的足印纸摊开了，接过了女鞋，在纸上合了一合。

他说："长短的尺寸是相同的，不过鞋底阔狭有些不同。"

汪银林接嘴道："这已没有疑问。况且伊手上又有钻戒和手表，更足以引动匪徒的眼。"他又问那老头儿道："你们在迁居以前，可曾接得什么恫吓或勒索的信件？"

沈承福摇头道："没有啊，不过时常有些不三不四的信，向我兰英说些肉麻话。兰英都一概不理。"

"喔，这些信在不在？"

"没有了，我都拿来烧了。不过我还记得几个常来信的姓名——一个叫什么说梦生，自称是大学生，一个叫俞杞年，一个叫柳风……唔，还有一个姓沈，一个姓戎，名字我都记不清楚了。"

霍桑说："伊既在舞台上露色相，不消说总有些倾慕的戏迷们。但这里面可有挟索的口气，或商借金钱的事？"

"这倒没有。他们都是单相思，胡闹。兰英年纪还轻。老实说，我们都靠伊过活，当然不让伊有什么勾勾搭搭。"老人的嘴牵一牵。

霍桑点点头："那么你女儿平日完全没有男朋友来往？"

"完全没有。不过……不过……"

"不过什么？"

"近来有一件事似乎很可疑。"

"什么事？"

"据黄妈说，有一个少年男人，常在我家前后门外溜来溜去，形迹很可疑。"

汪银林立即回转头去，瞧着那正在抹椅的仆妇，问道："这个人是你瞧见的？你说得详细些。"

女仆道："那是一个小伙子，约二十岁，有时穿西装，有时穿本装，打扮也不像下流人。不过他的模样鬼鬼祟祟，并且总是在上灯后小姐上戏院去的时候在我家的门口出现。小禄也看见过好几次。"伊指一指那少年男仆。

"对，相貌很漂亮。"男仆附和了一句。

汪探长又问："你家小姐可也瞧见过这人？"

仆妇道："见过的。有一天我告诉小姐，指给伊瞧，伊说不认识。起先伊也不放在心上，后来好像有些怕他。"

"唔，怕他？伊怎样怕他？"

那老头儿似乎不甘放弃他的谈话责任，抢着回答：

"汪探长，这是实在的。据兰英说，在上礼拜天的晚上，伊从戏院里回来，时候自然是深夜了。伊又看见这个人跟在伊的车子后面。兰英不禁怕起来。伊特地叫醒了我，告诉我。我们就商量，搬到这热闹的地方来。因为大沽路实在太冷静了。"

汪银林显然认为这一着在案中很有关系，非常高兴。他又查问那少年的状貌。据女仆回答，那人的身材比我矮些，脸色很白皙，常戴着一副黑色的眼镜。他的面貌和装束确很漂亮。霍桑也问起白玉兰平日交往的人，据说除了戏院里的三五个同事以外，伊跟静安寺路静安村三号的李三小姐，新闸路九十号的张姨太太和中南村九号的冯太太时常往来。霍桑叫沈承福到这几个地点去问问，他的女儿今夜曾否去过，若使得到了伊的信息，赶紧到警署去报告。

我们从白玉兰家出来时，一路谈着。汪银林又告诉我们他刚才曾在大沽路吉庆里总弄口的几家店铺里探询过一会儿。在大雨以后，确有一辆黑色的轿式汽车在弄口停过。他又调查过，这吉庆里的住户并没有自备汽车。因此白玉兰被人在汽车上绑去的想法又得了一种印证。但霍桑仍默默地不置可否。

汪银林问道："霍先生，你的意见怎么样？现在你打算怎样进行？"

霍桑在热闹的街旁站定了，显着疑惑不决的样子。

他答道："我看这案子很困脑筋。内中有几点现象和事实矛盾。我解释不出。"

汪银林忙道："哪几点？"

霍桑答道："我们姑且假定到空屋里去的女子果真是白玉兰。伊进空屋里去有什么目的，我们也姑且不谈。但伊为什么打电话到警厅里去？如果是某种性质的幽会，那当然是双方愿意的，伊为什么惊扰警察？假使果真是被绑而报告，但后来怎么又自愿跟着那男子一同出去，又很帖服地同上汽车？"

汪银林惊疑地问道："你知道伊是自愿一同出去的？"

"是。我相信如此。"

"有什么根据？"

"你们总也瞧见，那女子和男子的足印，在走出后门口和经过灶披间的时候，脚步并无停顿，又匀整不乱，绝没有拉扯挣扎之状。这就是并非强迫的明证。并且那男子只有一个人，伊上汽车的时候，也并没有呼喊和脱逃的情形。否则伊如果出于被迫，难保不喊叫抵抗，那势必要引起人家的注意的。这种种现象都是和强迫的推想相反的。"

"这并不难解。那人若使利用着凶器恫吓，女子们胆小，自然不敢和他执拗了。"

霍桑仍低首不答，一边缓步进行。我们走到贵州路的岔路口时，他忽又站住："银林兄，我总觉得这里面太矛盾。这疑点必须先设法澄清一下。包朗，你且回去，顺便到吉庆里去问问那王大。银林兄，我们暂时分别。我觉得有一点和你的推想并不冲突，不妨先进行。你最好先能查明那黑色汽车的踪迹。这一着也许很重要。"

## 匿名信

我们分手以后，我依着霍桑的话，枵腹从公地重新往大沽路吉庆里去瞧那王大。王大已被他的妻子从酒铺中找了回来。他是个四十七八岁的矮胖子，穿一身黑拷绸的衫裤。这时他的脸上红得异常，开口时酒气直冲。但他说话还算清醒，也不像他的夫人一般地不负责任。他说这天傍晚白玉兰果真往空屋里去过。在四点钟下雨以前，全屋已经迁空，王大先将楼下几间略略打扫，随手将后门锁上，准备下一天再收拾楼上。到了上灯时分，白玉兰忽然重新赶来，向他借用空屋的钥匙。王大把钥匙交给伊以后，叫伊还给他的妻子，他自己也就往酒铺里去。故而以后的事情，他都不知道。

我问道："这钥匙伊后来可曾交还？"

王大道："我已问过我的老婆，沈小姐事后并没交还。我正自担忧着，少了钥匙，我可赔不起。"

"伊向你取钥匙时，有几个人？"

"我只看见伊一个人。"

"伊可曾告诉你伊为什么要再到空屋里去？"

"这个……我不清楚，伊只说要再进去瞧瞧，也许伊怕漏掉什么东西。不过我觉得那时候伊的形状很急促，说话也不多。"

"伊进去以后，你可曾看见有没有别的人跟伊进去？"

王大摇头道："先生，我没看见。我已经说过了。我交出了钥匙，就往酒铺里去。因为小秃子约我六点半到丰泰，时候已经迟了。"

我又问道："你的老婆呢？"

"我刚才已经问过伊。伊也才回家，上了门楼，不曾下来过。伊也不知道。"

他的话路很清楚，不像说谎。我又想起了白玉兰家里仆妇的话。

我又问道："那么近来几天中，沈家门外，你可曾瞧见有什么形迹可疑的人？"

这句话似乎提醒了他。他低下了他的肥圆的头，举着右手在额角上拍了两拍，似乎触发了什么。

他答道："是的，我看见过一个年轻男人，差不多天天来，好久了，很可疑……唔，先生，像是吊膀子！"

他的语声减低了，嘴牵一牵。接着他又描摹那少年的形貌状态，和那仆妇所说的果然相同。我对于他的见解不加批评，但觉得这个可疑人物已有了印证。除此以外，王大也说不出什么，我就辞别回寓。

我在车子中寻思，这件案子开场时很兀突，现在经过了逐步的侦查，已查明不少要点：第一，证实了白玉兰果真回到空屋里去过，可见那打电话求救的女子一定是伊。第二，我们知道有一个形迹可疑的少年男子，对于白玉兰有所觊觎，无论动机怎样，总是带些诡秘性质。事后我们又在空屋中发现男子的足印和搏斗的痕迹，显见这案中的主角谅必就是这个可疑的少年。把这两点合起来推想，这很像是一件异常的绑案。那男子经过了多日的守伺，忽见白玉兰单身回进空屋里去，以为机会到了，就趁机会动手；动手时甚至流血，那白玉兰说不定还有生命的危险。

我这想法，就事实上推断，自以为很有成立的可能，不过霍桑对于这一层不一定会赞同。他因着那灶披间和后门口的整齐不乱的足印的证明，假定那女子出后门时是出于自愿的。既出自愿，那绑案的推想自然根本不能成立。从他的假定上着想，那女子既然自愿跟着男子同去，当然不是绑票，却近乎两相情愿的私奔。那可疑的少年，打扮既然像上流人物，也许果真像王大所想象的因着恋爱问题，而不为财的问题。不过这个解释同样有一个矛盾点，霍桑自己已经提出过，就是那女子既出愿意，室中何以有搏斗的痕迹？伊起先又为什么打电话求救？难道搏斗和求救的是另一个女子吗？但屋中所留的足印，却只有一男一女。这又引起了另一个矛盾！种种推想愈分析愈觉幻复，我承认我的脑力实在不能解释。那么莫非汪银林所说的那男子持枪胁迫的推想果真有成立可能，而霍桑的观察力却偶有失错，他的怀疑在实际上并无其事吗？

推想没有结果，可是越想越热，越热却越觉昏迷。幸而夜风拂着我的面颊，肃清了我因内心烦郁而流出的汗液。不料我回到寓里，又有一种意外的发展。

据我们的仆人施桂说，即刻在信箱中收得一封匿名信。我接近一瞧，信封是寻常本国纸，中间两条红线，信面上并无地址和寄信人的姓氏。只有中间一行，写着"霍桑先生"四字。那是用毛笔写的，不过笔是破笔，潦草不整，背后也没有邮花。里面的信笺是一张寻常的有光八行笺，纸质很劣，也没有具名。笺上写着两句道："你眼前进行的案子，于你有害而无益，说不定会是盛名之累！快放弃了吧，免得后悔！"

我把那信仔细推索了一会儿，觉得文气还顺，不像是不通文墨的人写的；语气虽似温婉，却也威厉，又像劝告，又像恫吓。这回事假使真是一件绑票案，这个绑票匪倒不像一个穷极无聊的粗坯，而是一个有智谋通文墨的人物。并且他居然敢向霍桑下警告，也可见得他的胆子并不太小。但假使这是一件粉红色的私奔案子，这男子既已达到了目的，远避不遑，怎么还这样来投警告信？我问施桂，曾否瞧见那投信的人。他答称没有，但信的投到就在我回寓以前的一刻钟内。

我没法查究那投信的人，自然只有等霍桑回来解决。可是过了一会儿，霍桑仍不回来。汪银林担任调查的白玉兰的踪迹和黑汽车问题，也都没有消息。分明白玉兰的失踪已成了事实。

晚餐时间本来早已错过。我等霍桑不归，就先进晚餐。晚膳罢时，恰敲十点钟。我忽然接到中国新闻通讯社的电话，探询白玉兰的失踪是否实在，并且有无下落。我觉得否认了也许会引起意外，就据实答复，白玉兰的踪迹还没有确耗。我暗忖我国的新闻事业的确进步了，这件事发生了还不到三四个钟头，料想明天报上，这一节新闻必将引起全上海人的注目。霍桑和汪银林的责任也骤然加重了。因为万一失败，他们俩的名誉也将因此扫地了！

十一点打过，霍桑方才回寓。我看见他的目光炯炯，颊骨上泛着红润的颜色，神气上似乎很得意。

我忙问道："霍桑，怎么这时候才回？你往哪里去的？"

霍桑缓缓地脱了衣帽，又用白巾抹了抹面部的汗液，在那张坐惯的藤椅上坐下来。

他先提出反问："包朗，你的成绩怎么样？让我先听听。"

我说："进空屋里去的确是白玉兰，已不成问题。"

　　我将和王大的谈话说了一遍，又告诉他那个天天去窥伺的少年，王大的见解，目的是色情。霍桑不下断语，但低垂了头吸烟，像在深思。

　　我又问道："你究竟忙些什么？有没有结果？"

　　他答道："我跑了不少路，累得很，此刻我才从一品香来。对不起，我没有邀你同去。"

　　"你到一品香去侦查案子？"

　　"不是，我去吃饭。"

　　我不禁有些疑惑："有人请客？"

　　霍桑摇头道："不。我一个人去的。这可算是一顿小小的庆功晚饭。但时间晚了，我料想你已经在家里吃过了，没有邀你，故而我不能不向你道歉。"

　　我惊喜道："什么？庆功晚饭？这案子可是已经破获了？"

　　霍桑仰起些身子，取了一支纸烟烧着，又把身子靠到他的藤椅背上。

　　他答道："这还没有。不过案中的要点，我已经探明，所以我自己觉得很高兴。"

　　自然这答语会使我"欢喜万分"。可是我正要问问探得的要点是什么，忽又被霍桑的惊讶声所阻住。

　　"唉！这封信哪里来的？"

　　他的眼光已瞧见了书桌上那封摊着的匿名信。我就告诉他施桂发现这信的经过。霍桑重新仰起身来，取了信细细瞧了一瞧，他把那信笺折叠了封好，藏入他的日记簿中，似乎他很看重这封信。

　　他说："我瞧这写信的人是受过相当教育的。他所以用这廉价的笺封，明明要借以掩饰他的真相。你瞧，这几个草字虽是破笔所写，写时又故意潦草，但那字的劈顿，都很苍劲有力，分明这人曾在书法上用过功。假使我假充是一个书法专家，说一句内行话，他的字很有些赵字气息呢。"

"你瞧这个人有什么干系？他可就是这案中的主角？"

"当然有干系，至少也是这一出戏剧中的重要角色。"

"你已经知道了这个人的真相？"

霍桑略停一停，从椅子边上拿起一把一面顾墨畦的山水一面沈筠章的草书的折扇，展开了缓缓扇着。

他吐了一口烟，才答道："包朗，你姑且耐一耐。我现在只能告诉你一个轮廓。我只知道这个人是个多智诈而善于设计的人，寻常的侦探也许不是他的对手。"

我道："这人究竟是不是一个绑匪？还是——"

霍桑忽摇摇扇子："我老实说，这案子是什么性质，还缺少实际的佐证，我还没有十分把握。"

"那么，你方才怎么说你已经探明了案中的要点？你说的要点又是什么？"

"对不起，我在证实以前，还不能宣布。但我想至多再等十个小时，这疑团一定可以打破。"

卖关子？至少也有些嫌疑！说得宽容些，这是他的沉痼难治的癖性。照我的本意，恨不得立时查明它的内幕。这到底是件绑票案，还是私奔案？但霍桑既然说还不能决定，他能决定的又不肯宣布，我除了练习一下忍耐功夫，还有什么办法？

十一点半，汪银林的电话来了。接电话的是我。据汪银林说，白玉兰果真失踪了。伊的同事们和平日往来的几家，他都曾去调查过，都说伊这天并不曾去过，故而伊的踪迹至今没有着落。关于那黑色的轿式汽车，在大沽路河西路转角的一个站岗警士，曾经瞧见那汽车从大沽路方面驶出，向北去。这晚上汽车经过那里的不多，故而那警士还记得清楚。不过那汽车的号数，他也没有留意。所以若是希望因此查明这汽车的下落，还没有多大把握。我也将我从王大那里探得的消息告诉了他。

汪银林的电话才停，接连打来的是远东通讯社的社长王小舟。霍桑听得是探询白玉兰的消息，立即将电话挂断，并不回答。接着又是中华舞台的张经理打电话来探听消息，他要知道白玉兰的失踪是否有生命危险。因为《十三妹》的新戏下一天晚上就要开演，主角白玉兰若没有下落，未免尴尬。因此，那张经理东探西问，急得像热锅上的蚂蚁。但霍桑的答语使那经理获得了若干安慰，连我也暗暗惊喜。

他轻描淡写地说："张经理，我可给你保证。白玉兰不会有生命的危险。伊不久一定能照常登台。你不用慌。不过明天晚上的戏目，伊也许要误期，那可说不定。"

我惊异吗？当然！但霍桑究竟凭着什么，竟如此大胆地说这种负责的话？白玉兰的生命真没有危险吗？那么这真是件桃色的纠纷吗？要不要再问一问？他的答语无疑还是"还没有到宣布的时期"。只索性再忍耐一夜吧！

## 意外举动

第二天星期一早晨，热度照样很高，风却已敛迹。霍桑起身很早。他从循例的寒暑无间的清晨散步回寓以后，先问我有没有电话。我回答没有，问他是否等汪银林的报告，他摇摇头。他上楼去换了一身本国装束，穿上了一件白熟罗的长衫。我不知他有什么用意，他还是缄口不说。我们刚在进早餐的时候，汪银林传来一个报告。这倒是出我意料的。

白玉兰已经回家了！

这消息在我自然要加上"惊奇"的评价，但在霍桑看来，一定在他的意料之中。可是不！我瞧他接电话时的神情，也一样出乎他的意料。因为他接电话以后，并不兴奋，反而呆呆地瞧着那条宁波土产的花纹地席。这真使我莫名其妙！

我问道："霍桑，你的见解不是证明了吗？这当真不是绑票案哩。"

霍桑皱着双眉道："我原料不是绑案。不过……不过伊此刻自己回去，而且回去这么快，我可没有料到！"

"伊既非被绑，自然要回去。你怎么反觉诧异？"

"是，我委实觉得很诧异，伊怎么就能回去？"他有些像回答我，又有些像自言自语，"好吧，包朗，现在别说废话，快到多福里去，听听伊说些什么。这个闷葫芦大概立刻可以打破了。"

可是变化太多了！事实的结果又和霍桑的希望相左。我们冲破了早晨的骄阳，满头大汗地赶到贵州路多福里，见过那娇小美貌的白玉兰以后，不但不能把这闷葫芦打破，却反把案情变得更幻复了些！

那时汪银林已经先到，正在那全副红木家具陈设已经楚楚的客堂中，向白玉兰查问上夜里经过的事实。时间还早，那鸦片鬼显然还在做梦。

白玉兰穿一件茄花色薄纱旗衫，襟角上缀一球白色的紫薇。伊的旗衫的袖子很短，露出一双雪白柔滑的玉臂。伊右手指上一双钻戒，不过一克拉大，左腕上一只镶细钻石的小手表，表面是完整的，比我们看见的碎玻璃小得多。伊的身材娇小玲珑，面庞略带长形，白皙而细腻，两条弯弯的细眉，一双灵活的美目，猩红的唇，细直的鼻子，头顶上盖着一头未经剪鬌的美发，神情间还有一种天真稚气的美。

伊坐在汪银林的对面，手中执一方绯色的丝巾，当作扇子般地徐徐挥着。伊看见我们进去，也不起身，只把灵活的俏眼向我们俩瞟一瞟，脸上露着些诡异的神气。汪银林站起来和我们简短地招呼。我们又像上夜里一般地采取旁听态度。

伊自顾自问道："汪先生，你有什么凭据，说我给人家绑去？我全没有这一回事啊。"

伊的语声很清脆，有些音乐美。可是汪银林并没欣赏的兴趣。他有些不自在，把惶惑的目光瞧瞧霍桑。霍桑坐在伊的斜对面的红木靠椅上，正在偷眼窥察白玉兰。他也显着疑讶的神气，似也猜不透其中的奥妙。我觉得很窘，不能不暗自纳罕：伊没有被绑？那么被绑的又是什么人？假使完全没人被绑，怎么又有打电话到警厅里去的女子？太奇怪！

汪银林又找出一个问句："那么你昨夜里往哪里去的？"

白玉兰仰起了伊的一双美目，向汪银林平视了一下，又低了下去，用丝巾抿着伊的小嘴。

伊说："我到哪里去，何必告诉你？"

"我要查一查。"

"我的事要你查？笑话！你又不是我的爸爸！"

窘态再度在汪探长的脸上表演。他摸摸他的肥圆的下颌，咽了一口涎沫。

他庄容道："沈小姐，对不起！这回事不能不请你说明白。昨天晚上我们在你的吉庆里二十七号旧屋中查出了许多证迹，明明有一个女子给人绑去。"

"可是被绑的并不是我。干我什么事？我已经说过好几遍了啊。"

"不错。不过我们知道昨天傍晚六七点钟时，你曾回到你的旧屋中去过，不能说完全没有干系。所以你昨夜里的踪迹，不能不告诉我。"

白玉兰抿着嘴，偷偷地向汪银林眨了一个白眼。伊略顿一顿，才冷冷地回答："我偏偏不说！看你把我怎么样。"伊的小嘴也努了起来。

负气吗？不是。我看孩子气的成分居多。不过局势确有些僵。汪银林的眼睛瞪住了，咬着嘴，搔着头皮，分明不知道怎样对付。怎么办呢？伊如果坚持着不说，汪银林能强迫伊说吗？假使对方不是个女子，他说不定会参用些恐吓的方法。可是伊是个不满二十岁的女孩子，这时又当着我们的面，这办法当然"此路不通"。幸亏霍桑放弃了旁听态度，插身进来，方才解除了这个重围。

霍桑婉声道："沈小姐，请你原谅。我们来侦查，并不是要干涉你个人的行动。你得明白，我们真正的动机，就写着顾全你的安全。因为你是个社会上人人注目的艺人啊！"

语气变换了，含着充分的恭维。恭维是容易给人接受的，何况对方又是个天真的孩子？伊向霍桑瞟了一眼，又抿一抿嘴，负气的局面摧破了。

伊说："我已经说得再清楚没有。我实在没有给人绑架过。"

霍桑忙应道："是的，你的话我们当然可以相信，但就法律的立场说，最好还得有事实的证明。你得知道一个人被绑了，如果出了赎金赎回来，在法律上也是有处分的。你若是坚持着不肯说明你昨夜的行动，人家岂不要疑心你被绑后出价赎出来的？这样，你岂不是平白地犯了法？"

白玉兰又移过目光，向霍桑瞧了一瞧。伊似乎已感觉到霍桑的语气温婉而含威力，有不能不遵从的光景。伊又将绯巾掩在口上，低头沉吟了一下，果真改换了口气。

伊反问道："你们一定要我说吗？真讨厌！"

霍桑赔着笑说："是，很抱歉。不过你尽可放心，你的行动要是有秘密的必要，我们一定不给任何人说。"

"那倒用不着。昨夜我是跟静安村李总长的三小姐往卡尔登舞场去的。"

好像一把构制纤巧的小锁，被投进了一枚适当的钥匙，嘀嗒一声，锁簧跳动了。这是我当时的印象。

霍桑点点头，顺水推舟地问下去："那么你什么时候回来的？"

"约莫两点钟过后。"

"出去时是什么时候？"

"我记得离家的时候，约莫六点钟。"

"你离家后直接往李小姐家里去的？"

白玉兰顿一顿，摇头道："不，不是。我先到旧屋里去过一次。后来三小姐开了汽车，接我一块儿去。"

黑暗中又透露了一线光明。伊已经承认一部分。我的调查也得到了证实。汪银林像一个退伍的兵士嗅得了火药气，又跃跃欲试地想显显身手。

他接着问道："你到旧屋中去干什么呀？"

白玉兰又作不耐声道："这一点跟你们毫无关系。你们何必这样子唠叨？"

老兵士上了阵，第一炮就不响！伊的语调中恢复了强硬意

味，白眼又连续地丢向那胖子方面去。僵！第二个礁石又来
了，霍桑能再度解围吗？

霍桑果真把身子凑向前些，又作婉和声道："沈小姐，我
已经说过，我们所以仔细查问，原是为着你的安宁，并无丝毫
恶意。现在你幸而平安，我们也放心了。但是这里面一定另有
曲折。你若使不说明白，将来另生枝节，在报纸上登出来了，
到底是于你有损无益的。现在请你把经过的情形仔细说一遍，
免得发生不必要的误会。沈小姐，你懂得我的意思吗？"

白玉兰又像受了霍桑的催眠。伊踌躇了一下，点点头，手
中的丝巾依旧缓缓地挥着，脸上又显出一种谅解的表示。

伊说："好，既然如此，我也不妨告诉你。昨天我们迁到
了这里，什么东西都是搅得一团糟。爸爸不管事，我真累死
了。傍晚时我忽然觉得我的右耳环上镶着的一粒珍珠失落了。
那是一粒牛奶珠，值五百多块钱。我自己也不知道落在什么地
方，可是料想起来，多分是在旧屋中整理东西时丢落的，说不
定已给佣人们拾了去。我就决意先往旧屋中去找一找，如果没
有，再打算向小禄跟黄妈查问。因此，我在雷雨过后，并不声
张，独自回到旧屋里去。

"那时候天快黑了。我记得旧屋中的电灯已经拆卸了，就
顺路买了一支洋烛，向看弄的王大拿了后门钥匙，点着蜡烛进
去。我在楼上的卧房里找了一回，不见珠子，又走到下面来
瞧。我正找到天井中时，忽然听得厢房中的电话响起来。

"原来前天我虽已报告电话局剪线拆装，但因着昨天星期，
局中没有派人来拆。我想那打电话的人一定没有知道我已搬
家，找我有什么接洽。我就带着蜡烛，重新走进厢房中去接电
话，我才知是静安村李三小姐。伊是在新新公司里打来的，要

来看我。伊知道我仍在旧屋里，叫我略等一等，伊的汽车立刻就来。我答应了，就重新在那厢房中找寻。寻了一会儿，我果真在厢房的壁角中找着了那粒珠子。厢房的地板已给人扫过，这珠子没有被人扫去，我自然很高兴。这时我忽听得前门上的铁环响动，知道三小姐到了，就匆匆从后门出来，连蜡烛都忘了熄灭。我刚走出空屋的后门，三小姐也已绕到后门。伊邀我往卡尔登去。我本来不答应，告诉伊我匆匆出来，爸爸还不知道，新屋中的电话也没有装好。伊却拉着我就走，不肯放。伊说我的休假要满期了，下一天要唱新戏，不如痛快玩一夜，又说夏天晚上迟归些也不妨，伊可代我回复我爸爸，绝不会有什么问题。我拗伊不过，只得跟着伊去。我给伊拉拉扯扯，匆忙间连空屋的后门都没有锁，钥匙也没交还王大，还在我的手袋里呢。"

伊的故事告一个小段落。伊举起了白嫩的纤手，掠一掠额角上的半月形的美发，樱唇上也露出一丝笑容，仿佛伊的回忆中有什么甜蜜的印象，不期然而然地现出一种娇憨的笑容。汪银林张大了眼睛，向霍桑瞧瞧，似乎他认为这故事不在他的想象的范畴之内，有些疑信参半，要征求霍桑的批评。霍桑却敛神地倾听着，并不理会他的视线。我不知道他是否不察觉，还是防汪探长再来一个不响的炮仗，故意装作不看见。那女孩子的音乐声音又响起来。

伊又说："我和三小姐在卡尔登吃了晚饭，伊碰见两个朋友，谈谈说说，非常有兴。他们又邀我一同跳舞。我不会跳，他们又硬教我跳，闹了一会儿，他们又拉我出去兜了一会儿风，直到夜半后两点钟过后，三小姐才送我回来。我回来之后，爸爸告诉我大家都很替我着急，还有人疑心我给匪徒绑了去。我还以为是笑话罢哩，谁知道竟是真的。但这就是我昨夜里的经过情形，一句没有假。别的事我都不知道。"

是的，这故事完全出我的意料。我相信汪银林也和我一样，甚至霍桑也不一定例外。据伊的说话，简直完全没有这一回事。那么我们三个人又忙些什么？汪银林在电话中得到的报告，和在空屋中发现的种种迹象究竟是事实吗？还是做梦？伊说话时，贯串流利，又不像是临时假造得出的。那么这里面真是另有一个女子吗？这个女子是谁？无影无踪，我们又到哪里去找？

汪银林的嘴也哆开了，他又瞧到霍桑的脸上。霍桑起初本振作精神地听伊，听到后来，他的头忽而逐渐地低沉下去。这时他的两手交握着，他的凝定的目光注射在地板上面，依旧不理会银林的求援电信。他不是也陷进了困境了吗？

前面是一团黑漆，至少也有一层浓厚的雾障，我委实看不见出路。聪明的读者们，能给我指示一下吗？

我在这无聊的当儿，偷眼瞧瞧白玉兰，伊脸上先前的笑容已经消减，蹙紧了柳眉，又像露出厌烦不耐的神气。伊用丝巾抹着伊的额角和头颈，好像感到太闷热，要立起来逐客，却又不敢开口。我本想乘机发出一个冲到了咽喉间的问句：伊昨夜碰见的两个李三小姐的朋友，男友还是女友，伊怎么想起了还觉有趣。可是我终于没有这种勇气！

这难堪的静默延续了一分钟光景，霍桑忽点了点头，从袋中摸出表来，突然地失声惊呼：

"哎哟！我的表坏了！……唔，我得立刻去修理哩！"

他霍地立起来，向白玉兰点一点头，又向我们招招手。我们就在这闪电方式中攻破了重围，从伊家里出来。

我以为那修表的话是借此落场的幌子——是霍桑打破僵局的一种托词。可是不。他这句话竟是真的。因为我们到了外面，上了汽车，他便吩咐汪银林的司机驶往浙江路正丰街口的余昌钟表铺去。

汪银林舒了一口气，问道："霍先生，你想这女孩子的话实在吗？"

霍桑作简语道："是，完全实在。"

"那么昨夜又是什么一回事？"

"老实说，我此刻正和你一样困在葫芦中！"

车厢中静一静。汪银林叹一口气。

他作失望声道："唉！这件事初看似乎很平淡，可是想不到有这奥妙的变化……霍先生，你想这个闷葫芦可还有打破的希望没有？"

霍桑回头向我瞅了一眼，又似向我安慰，又似回答汪银林的问句："希望当然有！人是靠希望生存的！……别性急。我相信这谜团快要打破哩。"

我的精神振起了几分。汪银林的失望神气也给这几句话扫除了。

他高兴地问道："霍先生，当真？什么时候才可以打破？"

霍桑在衣袋中拍了一拍："等我这只表修好以后，大概总差不多了。喂，车夫，就停在这里吧。"

汽车停了，他忽然向着一个卖水果的小贩扬一扬手，又点了点头，急急穿过马路，直向那转角上一爿余昌钟表铺奔去。他这举动太突兀，也近乎神秘。我当然想不出有什么意思，但也跟着他奔到马路的对面。霍桑已经先走进钟表铺去。我和汪银林跟到里面。他正摸出了他的那只准确不差分秒的瑞士钢表，向那修表匠谈话。

霍桑说："请你给我把这表较一较准。"

修表匠道："可以。快慢呢？"

霍桑答复了一个"慢"字，忽又回头招呼我们："你们走到里面来。站在门口，会妨碍人家的生意。"

我看见他的两眼闪烁，脸部的肌肉完全紧张，精神上异常兴奋。我一时摸不着头绪。他怎么有这个变态？葫芦里究竟卖的什么药？

修表匠又问："一天慢多少呀？"

霍桑答道："这是不能以天计算的。每一个星期约莫慢三十秒钟——"

他忽然住口，眼光直射出门外。我也回头瞧去，看见外边走进一个少年来。他身材不高，穿一件白丝纱长衫，戴一顶新式巴拿马草帽，脚上镂孔白鹿皮皮鞋，脸上戴着玳瑁边粗脚黑色的眼镜，容态很潇洒。

他一直走到修表匠面前，问道："我的表面配好了没有？"他拿出了一张修理单。

那修表匠听了霍桑所说一星期只慢三十秒钟的话，正皱拢了眉峰，似乎有些为难。这时他便旋过头去，先招呼那进来的少年。他接过单纸瞧一瞧，点点头：

"唔，你的手表已经配好了。"

他说着，便开了壁上的玻璃橱，将一只挂着的金手表拿下来交给少年。少年便取出皮夹来付钱。

霍桑似乎觉得不耐烦，乘这当儿，把他的钢表从表匠的桌子上取起，重新纳在袋中，嘴里自言自语地咕噜着："慢得太少吗？不容易修理，是不是？算了，我暂且将就些吧。"

那少年拿了手表，交付了修费，回身走出门去。霍桑忽然表现一种奇突的举动。他跨前一步，拍着那少年的肩膊。

他婉声说："喂，对不起，请你换一个角子。"

少年回头瞧时，看见霍桑的手掌中承着一个双毫。他呆了一呆。他的视线一接霍桑的脸，又怔一怔。

他作诧异声道："你……你是谁？怎么向我换这双角？"

霍桑笑嘻嘻地说："我是元章野味铺里的伙计。昨晚上你不是在我们铺子里买过一只麻雀吗？你把这个铅质的双角给我们的伙友，我们还找给你十个铜元哩，是不是？"

动作既然太奇特，说话又像给人猜谜。汪银林的手在牵动，一双黑眼却呆定了。我也除了呆瞧以外写不出当时的情绪。

那少年停了脚步，一时答不出话，只顾向霍桑呆瞧。他要溜，情势上不可能。他仿佛在怀疑，霍桑的打扮不像是野味铺的伙友。

霍桑接着道："这双毫是铅的。你不相信，我们不妨到铺子里去质对。"

他不等那漂亮少年的答复，便拉着他走出钟表铺去。我和汪银林也迷惘地跟踪而出。在走出门口的当儿，霍桑突地旋转身来，低声说了一句："银林兄，这果真是一件绑票案！"

他又抢前一步，走到那少年的身旁，伸出了右手，拉住了少年的左臂，迅步穿过马路去。那少年的脱身的企图落空了，便像醉人般地被扶着进行。霍桑走到了我们的汽车旁边，拉开了车厢的门，正要把少年推上车去。那少年已感觉到不妙，便站定了想抗拒。我和汪银林恰正赶到，利用这现成的机会，用手一推，便把那少年推上了车。他们三个人并肩坐，我坐在对面。霍桑立即吩咐车夫，驶回爱文路我们的寓所去。车辆动了，那少年变了脸色，还想挣扎呼喊。

霍桑向他说："知趣些静一静吧。别吃跟前亏！"他咯咯地笑了一声，又回头向汪银林道："银林兄，这是不是一件绑票案？现在我们三个人权且做了绑匪，这个绑票案子的设计人倒反而做了被绑人！"

雾障稀薄了一些，我开始看见些眉目。霍桑所以把这个人押上车来，就因着他有主谋绑票的处分。不过他怎样知道这个人，又为什么采用这种滑稽的方式，却完全出我的意料。

那少年被夹在霍桑和汪银林的中间，动弹不得，骇汗满额，两只眼睛不住地眨着。他听了霍桑的话，似乎已领悟了几分。他点着头。他的口吻张动，像要答话，又说不出口。霍桑从衣袋中的日记册中，取出那封匿名信来，授给少年：

"对不起得很。承你的情，给我这一封信。现在请你收回吧。唔……我想你在书法上大概是用过些功夫的。你不是常临赵松雪的《枯树赋》的吗？可是这封信，写得太不高明哩。"

少年的诧异的眼光注射在信上，他的手不期然而然地伸出来接受，他的嘴里发出一种低低的惊呼声。

霍桑又说："现在你总明白了我是什么样人了吧？这两位我也来给你介绍一下。这一位是我的老朋友包朗先生；你左手的一位就是侦探长汪银林先生。"

他点点头，说："是的，我认识你们。"他把手中的那封信用力团皱。他咬着嘴唇，把眼光转向汪银林一边去。

汪银林开口道："那更好。你叫什么名字？"

少年定了定神，从袋中摸出一只精致的名刺皮夹来，取出了三张，分给我们三个人。名片上印着"宋梦江"三个大字，片的左角又有"别署说梦生"五个小字。

我说："你是常在小报上投稿的说梦生吗？我记得你善于写剧评，是不是？"

说梦生向我回目一瞧，点了点头。

汪银林又说道："唔，你总算是一个著作者。怎么做出这绑匪的勾当来？"

那少年辩道："我没有绑什么人啊。"

汪银林怒容道："你还赖？我们已完全知道哩。"

自然，这分明是一句虚言。他已经知道些什么？怕连他自己也不能回答吧！他自从和霍桑交识以后，可算是力趋上流，他的态度和习惯都已改善了不少。可是此刻他那双三角形的眼睛又露出了本相，鼻子里也发着哼声，还使我想象到他当"包探"时的那种神情。要是换一个环境，除了这抽象的表情以外，说不定他会利用更具体些的动作，来发泄他的闷气。那少年正要辩答，霍桑早从中调解："敝寓到了。我们到里面去谈。"

## 妙　计

霍桑对待宋梦江的态度很和婉，并不把他当作罪徒般看待。我们一行人进了我们的办公室，霍桑先开了窗，又移过了一座电扇，开了机钮。接着他也一样有礼貌地让座敬烟。宋梦江却谢绝不吸。过了一会儿，霍桑才婉声向宋梦江说："刚才汪先生说，我们一切都知道了，这是实在的。你昨夜里的行动，我尽可以代替你说明白。不过这一套把戏有什么用意，我想来想去，还弄不明白。你是不是打算和白玉兰私奔？"

宋梦江涨红了脸，摇头道："不，不……我并无此意……

我……我也没这福分！"

"那么你跟伊开玩笑？还是想借此恫吓伊？"

"不，不是！都不是！"

霍桑吁了一口气："唉！真神秘！这真是一件困人脑筋的玩意儿！"

汪银林吐了一口烟，厉声说："你究竟捣什么鬼？还不快些自己说！"

宋梦江用一块手巾在鼻子和嘴唇上揩了一揩汗，又顿了一顿，才用足气力说："我想捧捧伊！"

我插口道："唔，捧捧伊？你对于白玉兰的捧场文字，我也看见过。这又算什么？"

宋梦江答道："是啊。不过用文章捧，现在成了滥调，已经穿破了，没有多大效力。因此我才想出这……这一种滑稽的方法来。"

滑稽方法？什么意思？我还是不明了，汪银林也没有例外，例外的是霍桑。

他忽击掌道："哈！这真是一种捧角的妙法！亏你想得出来！你真是个有想象力的著作家！——包朗，你可曾读过今天的报纸？各种大大小小的报上不是登着白玉兰的免费的特别广告吗？……哎哟！我们都做了造成这广告的有力分子！银林兄，我来介绍，这广告的设计人，就是我们这一位宋梦江先生。他的脑海中翻起了一阵微波，就使那些新闻记者和警探们都忙着给他奔走。你想，这样的头脑怎不叫人钦佩！"

是恭维吗？还是讽刺？我从他的声调上辨别，似乎后者的成分居多。宋梦江也已感觉到，他现着不安状态，把手中执着的那封团皱的信扬了一扬。

"霍先生，我原招呼你不要干。我知道我这把戏势必逃不出你的眼光，故而……"

我觉得这句话说出来未免会使汪银林难堪，也许会发火。这少年的意思，分明以为瞒不过霍桑，却一定瞒得过官家侦探。自然霍桑是绝顶机敏的，忙从中剪住。

他说："你别夸口。你这种小小的把戏，莫说瞒不过我，任何人也都瞒不过，真是太不自量力！"

汪银林用足了忍耐功夫，冷冷地说："你真有本领！我佩服你！现在快把经过的情形说出来！"

宋梦江顿一顿，带些羞怯地说："汪先生，这件事闹得如此，我真对不起人。此刻回想起来，实在太无意思。我是一个戏迷，对于白玉兰的色艺更是十二分心折。不瞒诸位说，伊的歌喉，伊的美貌，伊的身段表情，差不多已把我的灵魂都吸住了。我抱着一种单方面的爱，曾费了无数笔墨，捧伊的场，想得到伊的青眼。可是伊绝不理睬我。我的痴心还不死，每晚上总悄悄地陪着伊到戏院里去。有时在散戏后，我还暗暗地护送伊回家。不过我到底没有胆，不敢接近伊。

"昨天晚上，我照常到伊的寓所那边去。我知道昨天伊还在休假中，不知道伊要不要出外，故而我比平时去得早一些。不料我到伊门外的时候，忽然看见前门上贴着招租。平日我从学校里回家，吃了早夜饭，总是风雨无阻地到伊那边去。可是前两天中我因着发烧害病，不曾去瞧伊，所以不知道伊是几时迁居的。我正在惊疑的当儿，听得里面电话的铃声。我从门缝中一瞧，还有灯光，才知里面还有人。我觉得前门闩着，就候在后门外面。不多一会儿，我果然看见伊从门口出来，穿的一身白，真漂亮！我本想冒一冒险，上前去招呼伊。可是那时候忽然另有一个漂亮的女人到来。这女人我也认识，姓李，住静安寺路静安村三号，平日常跟白玉兰往来。她们见了面，所谈的话我都听得。白玉兰昨天才搬家，那李小姐也和我一般没有知道。李小姐邀伊往卡尔登去。白玉兰回答伊出来时没有告诉家里的人，谢绝了不去。姓李的却不肯放，拉着伊一同去。我本来也想悄悄地跟她们去的，但我知道李小姐有汽车，我追赶不上，可惜望尘莫及。

"我在伊家后门外踌躇了一下，看见后门没有锁，这才触动了我的念头。我觉得伊一时既然不会回家，家里的人又不知道伊的踪迹，这空屋中却还有电话。如果我利用这个机会，使伊的名字在社会上哄传一回，对于伊的前程不是很有益处的吗？因为现在绑案很盛行，假使白玉兰也有被绑的消息传到外面，势必要引动全上海——也许全国——的人的注意。于是我就假设了这一种被绑的把戏。我料想这件事不会有什么危险，至多是个误会。等到误会的事情查明白，白玉兰的名字一定已喧登各报。我的目的也就完全达到了。你们想，我既然不必冒什么险，又可以安然脱身，何乐而不为？可是我不料终于被你们窥破。"他沉下了头，微微地在叹气。他又补充说："这是我经过的事，现在很后悔。我以后的举动，你们既然都已知道，我也不必再说了。"

这少年的想入非非，的确说得上绝无仅有。因此，他的想象力的丰富，也可以想见。只是他有了这样的头脑，不写些有益的文字，为国家社会效劳，却枉费在无聊的捧角和单恋上面。这种病态现象委实是我国现代青年的通病，也是国家的隐忧！我们若不彻底地改换一个观念，中华民族的前途真是非常危险！

霍桑吐吸了几口烟，缓缓点头道："不错，以后的举动，我们可以推想而得。你当时既已定了假戏的计划，就想利用着电话做你的宣传。你为着要迷乱人的眼目，和增加发现人的惊奇起见，特地往元章野味铺去买了一只活麻雀。回进了空屋以后，你就把麻雀杀掉，把麻雀的血洒在地板上面。可惜你洒血时，身子蹲得太低了，并且那血点大小一例，分布得太匀，这就未免弄巧成拙。因为照这样的血迹，很像有一个人割碎了手指，却偻着身子在室中蹀方步地打旋——那人跨了一步，留下一两滴血，接着又缓缓地进行。若使是受伤而激射出来的血，往往凝集一处，或作注射状的直线形，并且大小也不同，四周溅染的细点也必指着一顺的方向。总之，你的作假的把戏，在专家眼中原是不值一笑的。"

汪银林和我听得都很出神。宋梦江也不回答，微微地点着头。霍桑继续说下去："你在布设了种种疑迹以后，又利用了电话报告警署。这方法实在非常巧妙，亏你设想得出。你假装的女子声音也居然十二分相像，瞒过了汪探长的耳朵。你委实很聪敏。可惜聪敏误用了，也许要断送你的终身哩！"

汪银林睁着双目道："你这样子捣鬼，难道你也会唱青衣？"

宋梦江避去了汪银林的目光，嗫嚅道："是，我学过旦角，会得做小声音。我等电话接通以后，就把电话的听筒在壁上触了一下；又把脚在地板上踏了一阵；又把嘴凑到发话管口，轻轻地装作女子的声音喊救命；接着才重把听筒挂好。我正想回出来时，瞧见了我自己手上的手表。我想白玉兰腕上也是戴着手表的，不如做得更像些。我就把表的玻璃面取下来，放在地板中央，用脚踏碎了，装作争斗时打碎的样子。我从后门里出来以后，仍在第四弄那边守着，料想不久会有警探们赶来。等他们来了，我再把这消息送到报馆去。

"一会儿，我看见你们三位果然来了。我曾在报纸上见过霍先生和包先生的照片。我怕起来，怕这件事劳动了霍先生，很可能戳穿我的把戏，那未免弄假成真。于是我在小店铺里随便买了一套信笺，借了一支破笔，写了那一封信，亲自送到这里，投在门外的信箱中。其实我现在回想，这一着也是愚不可及。像霍先生这样的人，当然不会因着这一封短信，便束手不干。但我当初还自觉得计。我回家以前，打了几个电话，把这消息通告了几家报馆和新闻通讯社。今天清早，各报上果然都载着白玉兰被绑的新闻。我以为我的计划完全成立，更得意非凡，却不料就在一小时内，我忽然模模糊糊地被你们捉住了。"

雾气消散了，晴光照耀着空间，一草一木一虫一鸟，都已毫无遁形地显露了。谜团一刺破，我的久蓄的郁闷也得到了舒展。汪银林暗暗地点着头，仿佛瞧戏法的人瞧出了内幕中的诀窍。

他道："这样说，这件事只有你一个人在那里捣鬼，白玉兰是完全不知道的？"

宋梦江答道："正是。伊完全不知道。但我希望总有一天伊会知道……知道我的苦心！"

汪银林的鼻子里哼了一声，冷笑道："唔，我也希望你有这么一天！不过你的苦心，还没有苦足。你得跟我往警厅里去走一趟，先下些本！"他立起身来，向霍桑点点头："我要去销差了。别的话回头再谈。"

汪银林走到宋梦江面前，带着难看的苦笑向他点一点头。宋梦江倒也没有畏缩的态度，似乎他有宗教徒殉道的热诚，只求目的达到，无论什么代价，他都愿意付。他立起来，向霍桑和我鞠了一个躬，坦然地跟着汪银林走出去。

我换了一支烟，向霍桑说："霍桑，今天能不能破一回例？你大概要等汪银林来了再解释吧？可是我实在再耐不住。"

霍桑放下了纸烟，笑道："还有什么解释？这个哑谜你不是已经完全揭破了吗？"

"我要知道你怎样看穿这是一出假戏。"

"唔，这问题我当时也完全料想不到。后来我根据了几种要点，经过了推理分析的过程，方才解决。"

"你根据哪几种要点？"我一步不放松地追逼着。

霍桑呼吸了几口烟，像在把他的思绪整理一下。

他说："第一，出后门口时的足印整齐不乱，并无停顿挣扎的迹象，可以证明出门时男女各走各路，并无强暴行动。这一点我已经说明过。进去时的足印，男和女所经过的地方既然各不相同，显示出他们并不一起走。你也早已知道。第二，次间中搏斗的足印虽是杂乱不堪，但经过我仔细察验，那杂乱纵横的足印都是男子的印！那女子的足印只在室中穿过，并不见搏斗的痕迹。这样，可见一男一女搏斗的想法也已不能成立。第三，那女子如果被劫受殴而呼救，左右邻居怎么都没有听得？这也是一个和事实相反的要证。于是我就假定那争殴而呼救的事并非事实，也许是假装出来的，就是有什么人凑在电话筒发话管边低低地喊一声，邻居们自然听不见。第四，我又瞧见地板上圆整而四周没有溅染细点的血迹，和那块踏碎的表面，也都足以证明是假造的。你当时不是也瞧见的吗？血滴很多，但一点点都圆整，不像是从脉管里激射出来的，却像是一个人蹲下了身子很安静地滴在地上的。想一想，这现象可合理吗？还有那表面覆在地上，碎屑都聚在一起，仍旧是圆形。这分明是先把表面平放在地上，然后故意用足踏碎。若使在搏斗时打碎，或落在地上而践碎的，就绝没有这种样子。因此种种，我才断定这完全是一出假把戏。”

“可是你也没有料到这是一幕单恋的话剧？”

“是。我真想不到！我还以为是一男一女约会着私奔，外表上却装作被绑的样子。我所以预料这白玉兰不久必能重露面目，是因为伊既在戏剧界上唱得很红，势不致就此隐没。我才敢向张经理保证。谁知道竟是一种想入非非的捧角方法！唉，包朗，一个知识青年为着色情的追求，竟会异想天开到如此地步，那委实是出我意料的。”

“今天早晨白玉兰自动回去，你也没有料到？”

“是，我想不到伊今天就会回去。我以为白玉兰是人人注目的人物，因着热恋受阻而私奔，不能不躲几天，才能凭着‘既成事实’而重行露面。那男的却是没人知道的，尽不妨随时露脸。今天早晨我换了装束，就准备去等他。只要一见他的面，这迷魂阵立即可以攻破。所以我昨夜里应许你十个钟头的限期，也不是没有根据的。”

“你知道他今天早晨一定要到余昌钟表铺里去？”

“是。昨夜回来时我就知道了。”

“你怎么知道的？我还不明白。”

霍桑弹去了些烟灰，笑一笑，答道：“那是容易明白的。你可记得昨夜我和你曾在次间地板上发现了几片羽毛？你说是鸡毛或野鸭毛，我觉得都不是，是麻雀毛。我因此联想到地板上的血迹也许就是麻雀的血。后来我和你们在贵州路岔口分手以后，跑了不少路，方才证实了我的看法。我往几爿野味铺去探听，曾否有一个少年买过一只活麻雀。我果然在浙江路元章野味铺中查到了，确有一个少年买过麻雀。我又从他们嘴里探出了这少年的衣服状貌。我就进一步往附近的钟表铺去询问，有没有如此状貌的少年来装配手表的表蒙。因为沈家的黄妈说，白玉兰的手表比双毫银角还小些，可见那碎表面是男子的手表。手表是随身应用的东西，又和有盖的表不同，一刻少不得玻璃。我料想他既然把表面牺牲了，一出来后，势必就要到钟表铺去装配。我问了几家，果真在正丰街口查着了。我又知道那表面还没有配好，约定今天早晨去取。

"这是一个绝妙的线索，我当然不肯放过。我还以为从这条线索可以追踪白玉兰的下落，所以我就近雇用一个小贩在钟表铺外守候，叫他守到收市为止，今天早晨再一早到那里去守候。如果看见他，跟着下落通知我。原因是我怕那少年急不待缓，不到约定时间就去取。不料他自以为他的计策万无一失，绝不防半途破露，故而直到约定的时间，他才到钟表铺去取表。我出他不意，亲自把他捕住，那是你瞧见的了。"

到这里为止，一切都已豁露，每一个疑团也完全有了解释。但在霍桑说明以前，我竟完全处在幕中。我怎能不佩服霍桑的敏锐的观察和缜密的分析和推索？

我感喟地说："这宋梦江总算是个知识分子，做得出这样的事，委实太没志气了！像他这样的年纪，又有这样敏慧的思想、清丽的文才，不给国家社会尽一份力，偏偏在单恋上用功。真可惜！"

霍桑也微微叹了一口气："原是啊！其实现代的青年像他这样的正多着！他们好像认为人生的进程中，只有一个恋爱问题值得注意，其他可以一切不顾！这颓唐的人生观不打破，我们的国运真危险呢！"

　　大家静默下来，各自默默地吸烟。时间将近午刻，寒暑表在急剧地上升。霍桑又拿起那把扇来。我觉得无聊，又随便发问。

　　我说："霍桑，你想宋梦江的痴心的单恋会有怎样的结果？"

　　霍桑丢了纸烟，冷淡地答道："谁知道？谁又管他？不过汪银林受了他一番戏弄，他眼前不能不先付些相当的代价！"

　　那天下午，中华舞台印了几万传单，在大街小路四处散发，声明白玉兰所主演的《十三妹》并不改期，白玉兰也照常登台。上海社会本有一窝蜂的风气，人们得了这一惊一喜的消息，当真万人空巷地都冒暑去瞧伊这一出新剧。傍晚时汪银林送来了两张戏券，约我们去瞧戏，并商量别的绑案问题。我和霍桑也破例地去饱一饱眼福。

　　这一晚中华舞台里挤得水泄不通，而且一连几夜都是如此。白玉兰的声誉因此奠定了稳固的基石。

　　我觉得白玉兰在平剧上果真有些天才，伊的前途确有希望。我又想起这一回事也仿佛是一出喜剧，不但伊做了剧中的主角，连霍桑汪银林和我三个人，也化身变作了剧中的配角。不过我们虽费些心力，登了几次场，还算没有受着喝倒彩。那编剧的宋梦江先生却不幸劳而无功，判了六个月的监禁。

　　这喜剧的经过情由，当时有几张小报上曾约略披露过。不过白玉兰知道了以后发生过怎样的感想，和宋梦江片面的苦心曾否如愿以偿，或是他终于陷在痴妄的深谷，我们既然认为没有注意的价值，也不值得查究，所以也没采入我的日记。

# 断指余波

## 不可思议

这一幕小小的活剧，当时曾给予我一种恐怖和憎恶的刺激。这刺激残留的印象并不因时间的间隔而淡漠。这时我握笔记叙，我周身的肌肉还禁不住簌簌地起栗。

事情发生在我和佩芹结婚那年的秋季。婚后，我已和霍桑分居，但我在从事著作的余暇，仍不时和霍桑往来。有时候霍桑逢着疑难案件，常特地约我去相助，我也仍旧跟着他往来奔波，直到案事了结，才重新恢复我的文字生活。

那天下午，我因着我佩芹的弟弟——小名叫铭文的——高佩雄，在我家里吃饭，我陪他多喝了几杯酒，脑子里有些昏沉沉，就定意搁一搁笔，休息半天，乘空去瞧瞧霍桑。我离家时，佩雄还和他的姐姐在楼上谈话，没有回医校里去。

我的新寓在西门，换了两部电车，约莫费了三十分钟光景，才到爱文路我们的旧寓。霍桑不在寓中。据施桂说，他不久就要回来，就开了办公室门，让我进去。

办公室中的景况还是老样子。书桌上的书报依然不大整齐。一只胆瓶中插着一枝白蜀葵，旁边的一只瓷盆中还有半段切好的荡藕。我取起来嚼了几片，又从烟罐中抽出一支白金龙，走到窗口的一把藤椅边坐下来，烧着了烟，缓缓地吐吸。

这时我虽然做客，但楼上还有我的床榻，我不时也住在这里，差不多还有一部分主人的资格，故而丝毫没有客气和顾忌。窗槛上摊着一本书，是一种研究人类血液的著作。我取过来读了几行，觉得没有小说那么有兴味，就丢过一旁。我默默地吸烟养神，约莫吸到半支，正自有些不耐，猛听得门铃声响。我忙从藤椅上立起来。霍桑回来了吗？不是。我记得我进来时没有下闩，若是霍桑自己，何必按铃？脚步声非常急促，越发不像霍桑。砰的一声，室门开了。走进一个人来，果真不是霍桑，却是我的妻弟高佩雄。佩雄那年刚十九岁，在上海医专二年级。他的身材不十分高，穿一套灰色哗叽西装，白衬衫，蓝领带。他的略带苍黑的脸上有一双活泼的眼睛，面貌挺秀不凡。那时他将草帽拿在手中，两目大张，嘴唇也开而不合，呈现一种惊慌的颜色。

我怔一怔，急忙问道："铭文，你还没有回学校里去？"

他摇了摇头，不开口。

我愈觉惊疑。我记得我离家时他还在楼上。此刻他为了什么事赶来？又为什么有这种状态？莫非佩芹有什么急病？或是有其他的变故？

我又问道："佩雄，为什么这样子？可是我家里出了什么岔子？"

佩雄忽走近我些，低声答道："不是，不是。我……我遇到了一件奇怪的事！……真奇怪！……真是不可思议！"

我瞧着他的脸，答道："哼！你又要来玩闹？"

佩雄忙挥挥手，正色抢着说："姐夫，别弄错。这不是玩闹的事。你瞧，这是什么？"

他急忙从他的外褂袋中摸出一样东西，承在手掌中，送到我的眼睛面前。我不由倒退一步，骤然间感到恐怖和憎恶。

那是一枚从人手上割下来的指头！断指的颜色非黄非黑，我真描写不出，只可说是一种刺目的死色。那断割的一端又另有一种黝黑的猪肝似的颜色，更觉得可憎可怕。

我皱着眉峰，问道："这东西你哪里来的？莫非——"

佩雄把断指放在书桌上，接嘴道："姐夫，别心急，我说给你听。刚才你出来以后，我和姐姐谈了几句，我也就回校里去。我坐的是第五路电车，到南京路口下车，预备换三路电车往舢板厂桥。谁知我第二次上车以后，买了票子，把手插在这袋里，忽觉得袋中有什么冰冷的东西触我的手指。我摸出来一瞧，就是这一枚可怖的断指。姐夫，你想我怎能不惊奇？故而我急急地赶来看你，请你或霍先生解释一下。"他摸出一块白巾来抹他的额汗，又向室的四隅瞧瞧："霍先生呢？是不是出去了？"

我不即回答，又仔细瞧瞧他的脸。他的颜色果然非常庄肃，还有一种急于求解的神气。

我沉吟了一下，答道："铭文，别慌。我看这东西一定是你的同学们偷偷地放在你的袋里的，目的无非和你开开玩笑。你们不是正在实习解剖吗？"

高佩雄连连摇头道："不是。我起先也这样想。但是我还没有回到校里，这假定当然不能成立。"

"怎知道不是你在早晨离校以前，他们已经把这东西偷放在你的袋里？只是你自己没有觉察罢了。"

"也不是。我在你家里吃午饭时，曾把这件外褂脱下来。那时我怕袋中有东西掉落，曾在袋里摸过一摸，并没有什么。不但如此，我从你家里出来，上了五路电车，也曾将车票塞在这袋里，也明明没有这个东西。"

他的语气很坚决。他瞧瞧桌上的断指，又瞧瞧我，呼吸似乎很短促。我仍保持着镇静，企图找出一个头绪。

我说："铭文，你姑且坐下来。慌张没有用。"

他果然坐在一张藤椅上，又用白巾抹他的鼻子和嘴唇。

我问道："你的确记得你第一次的车票是塞在你的右手的袋里的？"

佩雄道："是，就是这同一的衣袋。你想这冷冰冰的东西如果早已在我的袋里，我怎么会不觉察？"

"你在电车上可曾遇见熟识的人？"

"没有，一个都没有，这就是最奇怪的一点。"

我低头寻思，又道："这东西一定是有人放进去的，不足为奇。奇怪的是那人把这断指放在你的袋中，究竟有什么作用？开玩笑？还是要恐吓你？或是……"我说到这里，顿住了说不下去。

我的妻弟接口说："姐夫，还有什么？你可是说……"

我仰起头来，问道："你有什么意见？"

佩雄疑滞似的说："唔……这个……这是我个人的私见，对不对，不知道。"

"你姑且说出来听听。"

"姐夫，好几年前，你和霍先生不是破过一个叫作断指团的秘密党的案件吗？"

我应道："是。那虽是一个秘密党，不过他们的宗旨并不和一般的匪党相同。"

"不错，我看过你写的那本《断指团》，团党中不设首领，组织上也别开生面。"

"是的。但是自从那年破获以后，这班人至今没有消息。你难道说他们复活了不成？"

"复活不复活，我不知道。但你想他们会不会因着前次的失败，特地来复仇——"

我忙摇头答道："不会。我们当时曾对他们表示过相当的同情。那个执行人樊百平虽给霍桑捉住，但是那是他自投的，后来他好像曾逃出来——"

佩雄忙着说："对了，他既然越狱逃出来，自然要来报复。"

"不。他曾和我们俩握过手，并没有恶感。"

"这也难说。无论如何，他们的团体终究是被你们俩破坏的。这一来已尽够有报复的可能。"

我继续反辩："即使照你的话，他们应当在我和霍桑身上报复，怎么会寻到你身上来？"

"话虽不错，但他们谅必知道我是你的亲戚。也许有什么人本要难为你，故而守伏在你家门外。我既然从你家里出来，那人料知必和你有关系，所以就在我身上先下一个警告，你想对不对？"

我仍疑惑地说："如果如此，我先走出来，他们应当先注意我啊。"

天气虽不算热。但困惑给予我的烦躁，仿佛加重了我的为酒力所困的脑子的迷糊。我觉得我的额角上有些汗，伸手进白帆布西装的衣袋里去，想取一块手巾。奇怪！有一种冷冰冰湿滋滋的东西接触我的手指。我仔细一摸，不由不直跳起来。

我的衣袋里也有一枚手指！

## 也是一枚断指

惊异吗？自然。我甚至有些恐怖。我强制着把那东西从衣袋里取出来，向桌子上一丢。真的，是一枚断指！这一枚比佩雄的一枚略为长些，那可憎的颜色是彼此相同的。

佩雄瞠目道："哎哟！越发奇怪了！姐夫，你想你说的党徒们报复的话不是更加近情了吗？"

我不回答，坐下来做迅速地追想。这东西什么时候进我的衣袋的？我从我家里出门时，记得曾摸出这块手巾来用过；上了电车又不曾遇见相识的人。真是太不可思议！

佩雄喘息道："姐夫，你也是坐电车来的吗？你坐哪一路电车？"

我应道："我先坐第五路，到了南京路口又改乘第二路。"

佩雄连连点点头道："对，对。我也坐过五路电车。一定在这一路车上，有什么人暗中和我们为难。"

我又沉吟着不答。办公室中便静寂无声。果真有党徒们报复吗？这难道就算一种警告？我追想在电车时的情形。车中很挤轧，有两个人曾贴紧地坐在我的右旁。若说有人乘间把这可憎的东西塞在我的袋里，事实上原是可能的。但这报复的猜想终究太空洞。断指团复活，我怎么事前一点儿没有风闻？霍桑可已有什么消息？莫非这断指团始终不曾解散，不过在别处活动，我们不知道，现在他们到了上海来，怕我们干涉，又先发制人地向我们警告吗？

砰！前门开动了，又有响亮的皮鞋声音格格地直闯进来。是霍桑。

唉，我可以省绞些无谓的脑力了。

霍桑进了办公室的门口，立定向我和佩雄打量，似乎我们俩一起在他的室中是出乎他的意料的。

他点点头，含笑道："什么风把你们俩吹到这里来的？真难得。"

我笑不出，只微微点了点头，依旧坐着。佩雄也扮着鬼脸，静默地瞧他。霍桑脸上的笑容也收敛了。

他低声问道："什么事呀？你们俩一块儿来——"

佩雄抢口道："不，我们不是一起来的。霍先生，我们……我们有一件奇怪的事，要等你解决。"

霍桑仍站着。他的锐利的眼光瞧瞧佩雄，又回转来瞧我，一时似也莫名其妙。他的唇吻张动，好像要发问，可是不说出来。忽而他的眼光射到书桌上面，他也不由失声惊诧：

"唉，这两枚断指哪里来的？"

他奔到桌子前，急忙将两枚手指收起来，丝毫没有怕肮脏的样子。

我乘势答道："我们正为着这两枚东西要等你来解释。"

霍桑将断指承在他的左掌中，右手早已从他背后的一只裤袋中摸出一面放大镜来，仔细将断指察验。他的眼光在熠熠地转动，又点点头，分明他已经找出了什么。

他喃喃自语地说："一枚是食指，一枚是小指。断割的时候血运已经凝结，显见那个人已经死了。嗯，指皮枯黯，指甲中留着垢腻，可以推测那人的生前是个苦力。奇怪，包朗，这东西你们到底哪里来的？"

他把断指和放大镜都放在书桌上，沉着地坐下来。我便把佩雄的经历和我们谈论的话一五一十地向霍桑说了一遍。霍桑敛神倾听，不岔口答话。等我说完了，他低垂了头，眼睛凝视在地席上。一会儿，他才仰起头来，从衣袋中摸出纸烟，擦火烧吸着。

室中又一度静默。佩雄目不转瞬地注视着霍桑。我也不例外。他有规则的吐烟动作告诉我他的思想机构又在那里工作，而且似乎已有些头绪。

他忽把纸烟从嘴里取下，向我们说："你们所拟想的这动作出于断指团的报复，的确有几分近情。我这几天得到一种情报，这一班党徒果真有死灰复燃的风闻。"

"唉，真的？"我有些吃惊。

佩雄也抢着问道："霍先生，这班党徒真有复活的消息？"

霍桑点点头："真的。不过我只听得他们企图复活，却想不到竟会来向你们寻仇。"

我说："他们既然要恢复活动，报复的事就算不得稀罕。那么我们也应当有个相当的防范。"

霍桑道："那自然。我总有办法。现在我要问一问。你们对于那个把断指放在你们袋里的人可有些端倪？"

佩雄摇头道："我一丝没有觉察。"

我也说："这一着真难说。因为我在电车中的时候，除了两个人紧贴在我的右边以外，还有好几个人和我摩肩而过。"

霍桑道："那么我们姑且假定，这两枚断指，你们都是在五路电车上得到的。"

佩雄点点头。

我答道："我们起先也这样子推想。"

霍桑道："既然如此，我们就可更进一步推想。你们俩既然先后出来，虽同样坐过五路电车，但并不是同一部车，这就可知这两枚断指绝不是一个人投的。"

"对，很合理。"我应一句。

霍桑继续说："不过据我观察，那两枚断指似乎是从一个人手上割下来的。这一点倒有些费解。"他斜过目光瞧佩雄，佩雄呆瞪瞪不答。

我说："我看这不见得难解释。这两枚断指也许真是从一个人手上割下来的，却分派给两个或两个以上的党徒，以便乘机投放。那两个人势必伏在我家门外，看见我和佩雄先后走出来，他们也就分了两起，跟在我们的后面。等到上了电车，车中乘客拥挤，党人们自然有机可乘了。"

霍桑暗暗点头，似乎赞同我的解释。他又瞧瞧我的妻弟。佩雄还是那么沉默。

霍桑又道："你的见解如果不错，就有一个连带的疑问。假使那复仇的党人果真像你所说的不止一个，或有两个以上，那么他们绝不会放弃了我，单单和你们两个为难。我觉得我的寓所门前，不见有什么可疑的人，并且刚才我也坐过电车，我的袋里怎么没——"

他说到这里，他的右手不期然而然地伸到他的青哔叽的衣袋中去。一刹那间，他的手突然抽出来，向上一扬，便有什么东西落在书桌上面。他的身体也禁不住直立起来。

霍桑摸出来的竟然也是一枚断指！

## 依样葫芦

这发现太惊人！我诧异得说不出话，连霍桑不易动摇的定力也几乎保不住。自然，佩雄更感到惊怪。他的静默破坏了，也直立起来。他惊诧的眼光和霍桑的互相接触了一下，高声喊起来：

"哎哟！霍先生，你……你这一枚哪里来的？"

霍桑不答，偻着身子看那摸出来的手指。那是一枚大拇指，颜色微白，又有些浮肿的样子，和我们俩的两枚不同。霍桑细瞧了一会儿，忽低声向我们说话：

"这件事弄大哩。你们轻声些。我记得了。当我下电车的时候，果真有个人跟我下车。现在想起来，那个人的确很可疑。你们等一等，我出去瞧一瞧，外面有没有人埋伏着。"

他蹑足走出去。我和佩雄面面相觑地站着。我看见佩雄的脸色越发惨变，额上的汗在蒸发，连嘴唇上的血色都完全退尽。他的嘴唇忽微微颤动，好像要和我说话，但是终于开不了口。我觉得他怪可怜，可是一时也想不出什么慰藉的话。

一会儿，霍桑又轻轻地回进办公室来。

他喘息说："这屋子外面左边第三棵树和右边第二棵树的背后，各有一个人伏着。若不是今天你们来警告我，我险些遭他们的暗算。"

我回答道："这两个人是断指团团员？"

"当然。"

"他们有什么目的？"

"那是很显明的。他们第一步既已把断指做了警告信，第二步自然要我们的性命！"

佩雄忽失声道："什么？他们要害我们的性命？"

霍桑做简语道："那是必然的步骤。"

我看见这孩子着急得厉害，忙辩解道："这也未必一定如此。铭文，你尽可放心。他们如果要伤我们的性命，早就可以下手，何必用这断指来玩什么把戏？"

"姐夫，你……你想他们要怎样对付我们？"

"我料他们的用意至多想恫吓我们，叫我们不要再和他们作对，以便他们可以在上海重新活动。"

霍桑摇头道："包朗，你别打如意算盘。他们所以用断指做警告信，无非要显示他们的态度光明，要叫我们知道伤害我们的是断指团，不是别人，使我们死一个明白！"

"哎哟！霍先生，现在怎么办？"佩雄的声浪也颤动了。

霍桑仍镇静地说："那也不用害怕。他们既敢寻上门来，我也决不退缩，少不得要给他们知道些厉害。我——"

砰！……砰！……

两响枪声从窗口传进来，引起了佩雄带着哭声的锐呼。

霍桑忙喝令道："别慌！你们快把身子蹲下来！别乱动，也不要声张！"

我慌了，向裤袋中一摸，没有带手枪。霍桑却早已摸出一把手枪，曲着身子，探头向窗外隙望。佩雄蹲伏在一只沙发背后。

砰！……

窗外的枪声又一响。霍桑举起手枪，奔出办公室去，显然要进击那行刺的匪徒。我正想跟霍桑同出，预备助他一臂，忽被佩雄一把拉住。

他喊道："姐夫，你不要去！这件事怎么……怎么会弄假成真？"

我停了脚步，问道："嗯？弄假成真？你这话什么意思？"

佩雄向书桌上指一指。"这……这两枚手指原是我……我和你开开玩笑的——"

我惊怪道："什么？开玩笑？你——"

佩雄忸怩地说："真的。我告诉你。这两枚东西本是我从校里带出来，乘间把一枚偷放在你的衣袋里，想和你玩一下子。"

"唉！你这么年纪还是这样子顽皮！"

"昨天晚上有一个叫毕行素的同学，从一个被解剖的尸体上割下了两枚指头，偷放在我的被窝里吓我。我动了好奇心，想跟你和霍先生玩玩。谁知道事情会这么凑巧，竟会弄假成真！但是我今天一定要回学校去的。现在这样子，我怎样出去？姐夫，你想我怎么——"

霍桑踉跄地走回进来，手枪仍拿在他的手里。

我忙问道："怎么样？"

他说："匪徒已经逃走了，你们姑且定一定神。"

"你可曾瞧见那开枪的人？"

"瞧见的。我明明看见两个人向东西两面飞奔过去。我防别的树背后也许另有埋伏，我故而不敢深追。"他忽回头瞧高佩雄，"铭文弟，你不是说要回学校去吗？"

佩雄应道："是。"

"稳妥些，你不如在这里住一夜，等明天再走。"

"不能。我明天一早就有课。"

霍桑略一思索，点点头："那么不如趁早就走。否则他们如果再来，你出门去，就很危险。"

佩雄疑迟道："现在就走不会有危险吗？"

霍桑皱皱眉头，答道："这也难说。唔！我有一个法子。你若是能改装一下，也许可以避免危险。"

"怎么样改装？"

"那只有委屈你一下。"

"唔？"

"把你身上的一套漂亮的西装脱下来，我可以叫施桂借一件旧竹布长衫给你，装作我的仆人模样，他们就不会和你为难。俗语说，'冤有头，债有主'。他们要向我报复，绝不会寻到仆人们身上去。"

佩雄向我瞧瞧，似乎还犹豫不决。我没有表示，心中在责他无事生事，自寻烦恼，但也不便当场斥责他。

霍桑又说："铭文弟，你如果愿意屈一屈身份，尽管放心出去，我担保你没有危险。但是你得立刻就行，再迟我也保不住。"

局势压迫佩雄没有选择的余地。他心虽不愿，却势在必行。五分钟后，他穿上了施桂的一件褪了色的旧竹布长衫，偷偷掩掩地走出去。

霍桑目送他走出了大门，回到室中，重新烧了一支纸烟，默默地坐着吸烟，似乎他正在寻思什么抵敌的方法。我想起了佩雄所说的弄假成真的话。

我说："霍桑，这件事真可算得再凑巧没有。你还不知道我和佩雄袋中的两枚断指就是他——"

霍桑突然大声道："包朗，你今天喝了多少酒？可是还没有醒透？"

我怔了一怔，呆瞧着他，一时竟不知怎样回答。

霍桑继续道："你自己上了这孩子的当，难道想连我也睡在鼓中？"

我惊喜道："喔，你早已瞧破了他的把戏？"

霍桑吐一口烟："自然。你想他的故事既然如此诡诞不经，说话时的状态又明明带着假面，他又是个善于和人家开玩笑的孩子。你实在太糊涂哩！"

我涨红了脸，答道："我起先本也有些疑心，可是他的表演功夫真不坏，不知怎的，我竟被他诱进了迷阵。"

霍桑笑一笑："唔，我知道的。你的观察力虽不见得十二分高妙，但今天你若不是多喝几杯酒，那也绝不会轻轻地被他瞒过。"

"那么你在什么时候才瞧破的？"

"当他进这里来时，我恰巧回来，就在他的后面。我看见了他的鬼鬼祟祟的状态，就不禁引起疑心。后来你和他的谈话，我完全听得。我知道他的玩笑的对象不单是你，连我也在内。所以我就利用他的方法，依样葫芦地和他玩了一下子。谁知他太不中用，不耐玩，几乎要哭出来哩。"

我坐直了些，张目道："什么？后来的事是你假意拨弄的？"

霍桑努力呼吸了几口烟，点点头："包朗，你真太老实哩。你看见了我刚才的说话和举动，难道还辨不出真假？"

我的颊上有些发热，答道："虽然，但是你的衣袋中的那枚手指，还有窗外的三次枪声——"

霍桑忽把书桌上的小铃按一按。施桂应声走进来。他的脸上带着笑容，手中执着两支打火药纸的假手枪，走过来把枪放在书桌上。

霍桑含笑说："施桂，今天你扮演一个配角，着实玩得不错。喂，你把桌上的一枚大拇指重新放到化验室的仿阿墨林瓶里去。这是我们那年从南京带回来的纪念品，不能失掉。慢，还有两枚手指，你也一起保存了，免得丢在外面，再引起人家的惊疑。"

施桂答应了，取了三枚断指退出去。他正走到门口，霍桑又叫住他：

"施桂，等一会儿你把这一身衣服送到舢板厂桥上海医专去。"

施桂退出去后，霍桑丢了烟尾，开了抽屉，取出一套信笺信封。他先开了信封，又在信笺上写了几句。

他向我说："这孩子虽喜欢胡闹，胆子究竟还小。要是我不马上说明白，他今夜里一定睡不着。如果让尊夫人知道了，伊疼惜弟弟，不免要说我恶作剧了。"

他格格地笑了一笑，随手将写好的信笺递给我。我接过来默念。

那短信道：

小孩子：

今天的事大概足够给你上一课吧？你若要打破这小小的疑团，不妨就问问这送衣的人。

霍桑

# 官　迷

## 旧书中的新资料

有几个对于侦探似乎没有多大好感的人，曾有这样几句类似讥讽的话："侦探是靠罪案而生活的；所以罪案和侦探的名词始终连接在一起，永远不分离。"

寻味这几句话的含意，显然在抱怨侦探是一种可憎可厌的不祥人物；他的足迹所到之处，罪案便会跟着发生。一般地说，这话是不合逻辑的，可是就事实上说，我也的确没法否认。因为罪案和侦探，有时候真会像"影之随形"。譬如我和霍桑不论走到哪里，那种种不可思议的罪案往往会跟着发生。

那一次——那是"民国"二十年前后——我们往南京去，一则因着友人的请约，打算看看建都以后的新兴气象；二则我们因着工作的疲劳，趁机旅行一次，给我们的精神上来一下调剂。却也奇怪，就在这一次的旅程中，我们又遇到一件意外而有趣的案子。我记得我们以前每次出门旅行，也都有同样的经验。故而侦探和罪案是影形相随的话，我虽感觉不满，却也不能不完全承认。

人们离开了久居的所在，旅行到别处去，一旦置身在新环境中，事事物物都足引起注意和兴趣，真像翻开了一本心爱的新书，一字一句都含着新意，使人的精神上发生无量的愉快。我们此番旅行，开宗明义的第一章，就是在火车上的一页。火车中的情景可算是一种烂熟的旧书了。可是旧书中也有新句新意，只要人们自己去爬掘找寻。例如我们走进了车厢，车随即开了，霍桑把他的那件黑呢大衣卸了下来，衔着一支白金龙纸烟，默默地吐吸。约莫静坐了半个钟头光景，他便找出了许多资料。

他低声叫我说："包朗，你可曾看见对面第三排座上那个老头儿？……我知道他身上一定带着不少钱。……唔，他对面的那个高个子客人却是一个贩私货的人。大概是黑货吧？据我估量起来，那黑货总有三十多斤。"

我正靠着车窗闲眺那残冬的景物。田野中一片荒凉，连草根也都呈惨淡枯黄之色。田旁的树木都已赤条条地脱落干净，就是人家坟墓上的长青的松柏，这时候竟也黯黯没有生气。

我听了霍桑这几句话，把我的眼光收束回来，依着他所说的方向瞧去。那老者约有六十岁，穿一件蓝花缎的羊皮袍子，圆月似的脸上皱纹纵横，须儿已有些灰白。他对面那个穿黑呢大衣的男客，面色黑黝，身材魁梧，好像是北边人。

我微笑着答道："这是你的推想？你怎么能知道？"

霍桑把纸烟取了下来，缓缓弹去了些灰烬，仍低声说话："你也一样有眼睛的啊。"

"我的眼睛正在另一方面活动，不曾瞧见。你究竟瞧见了些什么？"

"我看见那黑脸大汉有一个皮包，起先本好好地放在吊板上的；接着他忽而拿了下来，移在自己的座旁；隔了不久，他又匆匆忙忙地把皮包换到他座位的下面去，踏在自己的脚下。刚才那查票员进来的时候，他还流露一种慌张的神色。这种种已尽足告诉我那皮包中一定藏着私货。并且我估量他的私贩的经验还不很深。"

"那个老头儿呢？"

"这更是显而易见了。在这半小时中，他的手已经摸过他的衣袋七次。有一次还显出惊慌的样子，似乎觉得他袋中的东西忽已失去了。其实只是他自己在那里捣鬼——瞧，他的右手又在摸袋了。这已是第八次哩！"

我重新瞧那老人，看见他的右手似摸非摸地在抚摩他的衣袋外面，目光向左右闪动，流露出一种过分谨慎的神气。

霍桑又附着我的耳朵说："你瞧，我们的右边还有两个西装少年。我猜他们的行囊中一定也藏些钱。"

我又把目光回过来。这两个人一个穿一件深棕色的厚呢外衣，里面是一套灰呢西装，头上的呢帽也是灰色。他的脸形带方，颧骨耸起，眼睛也很有精神。另一个面色较白嫩，眉目也比较端正，头上戴一顶黑色丝绒的铜盆帽，穿一套深青花呢西装，外面罩一件光泽异常的黑色镜面呢外衣，镶着一条獭皮领口。他们俩的年纪都只二十六七。那个穿棕色大衣的正在口讲指划。他的穿獭皮衣领的同伴却在敛神倾听，不时还点头表示领会。

霍桑又说："包朗，你瞧这两个人可有什么特异之处？"

霍桑的敏锐的眼光平日我本是很佩服的，不过像这样子片面的猜测，既没有方法证实，他的话是否完全正确，委实也不容易知道。我但向他摇了摇头，表示没有意见。

霍桑仍很起劲地说："我瞧这两个人所以穿西装，大概是含些风头主义的，说不定还是第一次尝试。你瞧，那个穿棕色大衣的人的硬领又高又大，和他的头颈显然不相称。他的同伴的领结，颜色是紫红的，未免太火辣辣，太俗气，扣打的领结，手法又不在行——收束得太紧些了。……唔，他们的一举一动都不自然。我相信他们的出门的经验一定不会太丰富。假使今天这一节车上，有什么剪绺的匪徒或骗子，着实可以发些利市——"

我不禁接嘴道："好了。我们此番旅行，目的在于舒散。现在你凭空里空费无谓的脑筋。这又何苦？"

霍桑微笑道："唔，你的话不错。不过我的眼睛一瞧见什么，脑子便会自然而然地发生反应，同时就不自主地活动起来。这已成了一种习惯。……对，我的确应当自制一下哩。"

他重新烧了一支白金龙，衔在嘴唇里，把双臂交抱在胸口，闭拢了眼睛，缓缓地吐吸。我又倚着车窗，恢复我的野望。不料霍桑的话声刚停，我们背后座上的两个客人忽而畅谈起来。我本想不理会，但是他们的谈话很有吸引力量，竟使我不能自主。

一个人说："现在火车上的匪徒真多极了——尤其是二等车中，更多这班人混迹。他们外表上都穿得很阔绰，谁也不会疑心他们是行窃的扒手。他们的手段都是神出鬼没的，眼睛一霎，老母鸡变鸭。……唔，着实厉害得很！"

另一个人回答："不错。上月里我也亲眼看见过一件窃案，很有趣。"

首先一人被引起了好奇心似的接口："有趣？唔，你说说看。"

第二人干咳了一声，答道："那时有两个客人坐在我的对座，一胖一矮。这两个人都是上流人打扮，外表上一无可疑。他们俩因着同座的关系，彼此攀谈起来，不久就渐渐熟悉了。一个身材较矮小的人便摸出纸烟来敬客。另一较肥胖的人略一谦逊，便接受了烟，从袋中摸出火柴来烧吸。他们且吸且谈，越谈越见投机。不料不多一会儿，那个受烟的胖客忽而语声渐息，闭了眼打起盹来。我起初原不在意，只诧异这个人怎么突然便睡。

"这样静寂了一会儿，忽而一声汽笛，苏州站到了。那个赠烟的矮子急忙忙立起身来，举起两手向吊板上去提取皮包。那个打盹的胖子，鼾声咻咻地已经好一会儿了。这时候他忽而睁开眼睛，也突然站起来。

"他冷然地说：'朋友，你拿错了皮包哩……慢！这里还有一副手镯，也请你带了去！'

"语声既终，接着是一种铿锵的声音打动我的耳鼓。我抬头一瞧，那赠烟的一客，皮包还没有到手，一只铜镯却已套上了他的手腕。原来那赠烟的固然是个骗子，但是那个表面上被骗的胖子却是铁路上的暗探。那骗子昏了眼睛，竟向泰山头上去动土，结果是自投罗网。你想有趣不有趣？"

故事终结以后，这车座的一角略略静默了片刻。我也听得很有兴味。

那第一个开口的人评论说："唔，果真怪有趣。我想那骗子利用的工具，谅必就是那支敬客的纸烟，是不是？"

"当然。"讲故事的客人答应着。

"但是那个侦探既然已经吸了他的烟，怎么倒不曾昏迷？"

"这一点我当初也怀疑过的。但据那侦探自己说，他接受纸烟以后，在伸手去摸火柴的当儿，乘机换了一支。那骗子竟粗心没有防备，才反而落进了侦探的圈套。"

类乎这样的故事资料，火车厢中真是一个最丰富的免费批发所。你如果高兴，一件件采集起来，结果一定会很可观。不过我并没有这种收集的企图，现在为"言归正传"起见，对于这种题外的资料不能不就此割爱。

# 怪　声

我们到达南京以后，发现各处的旅馆都已住满了人。新都的气象毕竟已改了旧观。后来我们就在一家中等旅馆里权且住下了。这旅馆名叫新大，位置在城中的集贤街，地点上还算闹中取静。当晚霍桑的好友费树声，就来请吃晚饭，畅谈了一会儿新都的景况，彼此非常有兴。费树声在外交部里担任重要的职务，见闻当然很丰富。他谈话很多，话题也渗透到各方面，我一时不能尽记。总而言之，政治的实施，市政的建设，社会的改进，一切都在振作发达的进程之中。

我们的卧室是四十号，虽然靠近马路，幸亏那地点比较僻静，睡时还算安宁，不过有一件事很觉巧合。我们在火车中瞧见的两个西装少年，也同住在这旅馆之中，并且就在我们的右隔房四十一号。当我们回去时，曾和那个穿獭皮领大衣和戴紫领结的少年相见。他似也认识我们，白嫩的脸上现出一些微笑。我后来知道这人叫杨立素，还有他的那个穿棕色大衣高颧骨的同伴，名叫马秋霖。他们大概也是找不到别的高等旅馆，故而才降格到这新大来的。

这一天晚上，我因着多饮了几杯酒，忽而发起热来；第二天早晨头痛如裂，热仍没有褪尽。我们本是为游历而来，忽然身子不爽，打断了游兴，未免有些不欢。

霍桑慰藉我道："包朗，你不必失望。姑且休息一天，明天等你身体健康了，我们再同游不迟。此番我们专诚是为游散来的，外面既不宣扬，当然不致有人来打扰。我们即使在这里多耽搁几天，也不妨事。"

霍桑所说的话和实际恰巧相反。这一天——2月19

日——的《金陵报》上，就登着我们到新都的消息，并且把我们所住的旅馆和卧室的号数都登得清清楚楚。

霍桑读过了报，皱着眉头说："这一定是昨晚上费树声所请的几个陪客漏出去的。"

我答道："有了这个消息，万一又有什么人登门求教，我们的畅游计划岂不是又要打岔？"

霍桑道："那也不妨。明天我们若能找得一个旅馆，便可以悄悄地迁移。"

这天上午霍桑应了费树声的请约，到外交部中去参观。我因着发热，就一个人留在寓中。心理学家说，人们的心理常会受身体的影响而转变。身体软弱或病魔的磨折，往往会造成种种偏于消极衰颓的幻想。我的身体既然不健康，精神上真也感到烦闷，而且真引起了不少遐思。但是也有一件实际的事引动我的注意。我听得隔壁四十一号室中，有银元的声音透出来，似有人在那里盘算款项。我不知道这两个人带了多少钱，究竟来干什么。不过上一天在火车中，霍桑就料想他们俩的行箧中一定有钱，这一点现果然已经证实了。

晚饭时霍桑仍没有回来。天气转冷了。我仍旧睡在床上，虽不致兴客店孤灯之感，但室中并无暖气设备，冷冰冰的寂寞寡欢，再也不能合眼。到了深夜十一点多钟，街上的人声静了，旅馆中的寓客也大半归睡。除了窗外呼呼的风声，一切的声音都已逐渐归于静止。霍桑仍不回来，我觉得翻覆不安。他今天整天在外面应酬，怎么这样深夜还不回寓？他明知我一个人在客店里卧病，如果没有必要，怎么这迟迟不回来？一种意念突然袭击我的意识。莫非有偶然发生的案子把霍桑留住了吗？……或是他竟不幸地有什么意外的遭遇？这是我的神经过敏吗？不。因为我相信一个处处圆到面面玲珑的人，不一定是一个纯粹的好人。在社会上做事，要是肯负责的话，一方面固然可以受人推崇，另一方面也不免会受人的嫉妒猜忌甚至怨恨。我们持续了十多年的侦探生涯，所受到的社会上的称扬固然不少，但暗中和我们结怨的人也未始没有。此番我们出门旅行，报纸上既已漏了消息，有什么歹人暗中向我们狙击，也不能不算是可能的事。

时计打过了十二点钟。旅馆的内外都已完全静寂，我兀自不能睡着。我的头仍在涔涔刺痛，鼻孔中依旧觉得热腾腾地难受。忽而有一种奇异的声音直刺我的耳官。我微微一震，便从床上仰起了身子，敛神倾听。旅馆中却仍死寂无声。我重新躺下去，自以为也许真是我的神经在作祟了。

嘘……嘘……嘘……！

那怪声又继续发生了！这声音幽哀而纤长，像是秋夜中怪鸡的鸣声，又像有什么人在低低地合唇而嘘。我默揣那声音的来源，就在窗外阳台下面的马路上。我因急急从床上坐了起来，披上一件灰鼠皮袍，轻轻走到窗前。我先把窗帘拉起了一角，向外瞧视。下面黑暗中有一缕电筒的光亮了一亮，正向我们的窗口直射；但一转瞬间那光又立即熄灭。我也急急把窗帘放下，蹲下了身子，心中十二分惊疑。

这是什么玩意儿？莫非我的遐想不幸成了事实，当真有什么人要来和我们为难？但瞧霍桑深夜不归，又加上这种怪声电光，岂不太凑巧？这当儿我的思潮起伏的速度，任何算学家都计算不出。我应得怎样应付？回床去睡？当然不可能。索性开了窗瞧一个明白？那也太冒险。最后我才决定主意，不如悄悄地下楼去瞧瞧，然后再随机应变。

我已忘掉了头痛，急急套上裤子，把皮袍的钮子扣好，又拔上了鞋子，末后还罩上一件大衣。我打开了旅行皮包，取出了那支常备的手枪，定一定神，就准备开门下楼。

我在打开房门以前，又疑迟了一下。这时候旅馆中除了看门人和值夜的茶房以外，旅客们都已睡了。我这样子惊惶地出去，假使那守门的人向我问话，我又用什么话回答？真会有刺客吗？还是我神经过敏？万一如此，会不会弄出笑话？这种轻举妄动，在我个人虽没有多大关系，但传到外面去，带累了霍桑的名誉，那岂不难堪？

这时候我又仿佛听得卧室外面的甬道中有轻微的脚步的声音。

声音也很奇怪，好像有什么人故意放轻脚步，含着偷偷掩掩的作用。更奇怪的，那脚步似乎到了我的房门外面便停止不动！

我的神经不禁紧张起来，一手握着手枪，挺立着不动，准备有什么人推门进来。隔了一会儿，房门却始终不动，可是我的本能上明明觉得门外有什么人站着！像这样子隔着一扇板门彼此敌对，我的精神上实在已忍受不住！我鼓足了勇气，右手握枪，左手猛握门钮，突地将房门拉开。

房门外面果真有一个人赫然站着！

## 惊 呼

我说一句老实话，这时候我的神经委实已起了异象，若非那人开出口来，也许要闯出大祸。

那人低声叫道："包朗，干什么？"

我呆了一呆，急忙收摄神思，把扳着枪机的食指放下了。我的眼睛因着从灯光中突向较黑暗的地方瞧去，一时实在瞧不清楚。那人似乎穿着黑色的西装，铜盆帽的边檐压得很低。可是我听得了那不会错误的声音，知道这个人正是我悬盼已久的霍桑。

霍桑进了门来，一边旋转身去轻轻地把门合上，一边把手按在我的肩上。

他低声问道："你的头痛好些吗？"他瞧见了我手中的手枪，又诧异道："怎么？你拿了这玩意儿要打谁？"

我一时答不出话来，向他呆呆地瞧着。他的面色也显得震骇不宁；他的惊讶的目光也一眼不霎地注射在我的脸上。

我问道："霍桑，你可曾遭遇什么？"

霍桑反问道："你指什么说的？"

"你不曾碰到什么意外——譬如暗中给人袭击一类的事？"

霍桑仍凝视着我的脸，缓缓地摇摇头：

"没有啊。你怎么有这个意念？"

"你为什么这样子深夜回来？"

"我因着树声的介绍，遇见了几个从前线回来的军官，听他们讲战事的经历，忘了时刻，撇你一个人在这里，很抱歉。"

"怎么电话也不打一个回来？"

"电话是打过的，可是这里的电话线坏了，打不通。对不起。"

"唔，事情太凑巧！"

霍桑拍拍我的肩，笑着说："身体上有了病，容易产生非非想。你凭空里疑心我遭遇意外，也就是——"

我接口说："这倒不是完全凭空。"

"喔，有什么事？"

"窗外的马路上曾发生过怪声和电光，都非常可疑。"我把经过的情形扼要地向他说了一遍。

霍桑听我说完，微微点点头。他卸去了外衣，把我送到床边，又婉声向我譬解：

"这也许是偶然的事，与我们完全无关。昨天你在火车上劝我不必虚费脑力，现在你自己的身子还没有健全，何必也瞎费心思？夜深了，快些睡吧。"

刚才的事还使我放心不下。我总觉得有些蹊跷。我又继续问话：

"你进旅馆来时，门外可有什么异状？"

"唔——没有。"

"那么你进来的时候，为什么有这种偷偷掩掩的秘密状态？"

"这个……这也是你自己多疑。试想半夜里回到公共的寓所里来，假使也像那些没受教育和不顾公德的人们一般，高声惊扰人家，我们的人格又在哪里？现在你别再多说。第一着你得快快地解了衣裳，闭目安睡。如果你再有话，恕我不客气，我也不回答你了。"

霍桑这种强制的态度，我实在不能——也没法——抵抗。我受了他的最后的训诫，心中虽不满意，也只能勉强遵命。

我睡不多时，忽而做一个噩梦，觉得有一个刺客进我们的卧室来行刺。我一惊而醒，揭开帐门，忽见霍桑的帐子也在那里颤动。

我呼道："霍桑！……你没有睡着？"

霍桑立刻低声答道："什么？你怎么还不睡？"

"我睡着了，梦见你被人打了一枪——"

"包朗，别再胡思乱想！快睡！天快要亮哩！"

我第二次睡时，比较酣适些，不料又被一种惊呼的声音所惊醒。我突然坐起来，下床瞧视，白漫漫的曙色已经在窗上透露。那惊呼声音就是从隔壁四十一号的马杨两个少年的室中发出来的：

"哎哟！……哎哟！……不好了！"

霍桑也早已从床上坐起，忙着穿衣服。他的语声也带着惊惶。

他道："唉，隔室中也许出了什么乱子哩！——包朗，别慌。快穿好衣服，不要再感寒气。你不如等一等，让我先去瞧瞧再说。"

这一次我不再听他的命令。我的好奇心既已被激动，自己也按捺不住。五分钟后，我已穿上袍子，跟着霍桑走到了隔室。

左隔室四十二号的一个瘦长的中年男客也被惊动起来，抢着奔进四十一号去。一个值夜的茶房正跑下楼去催醒账房。

那白脸的杨立素仍在连连呼叫："不好了！……不好了！……我的钱包不见了！"

那四十二号的中年寓客问道："有多少钱呀？"

杨立素道："四千五百元钞票，五百元银币，还有——"

这几句话还没有完，那高颧骨的同伴马秋霖忽也作声惊呼：

"立素，我的大衣也不见了。……唉！还有我的文书皮夹呢？"

"哎哟，不得了！"

"皮夹里面还藏着重要文件呢！"

"这……这怎么办？"

两个人的惊呼声音闹成一片；他们俩手舞足蹈的动作更助衬了气氛的混乱。

那四十二号瘦长的寓客，头发已有几茎花白，身上披一件玄绸棉袍。我瞧他的面貌很像有些头脑，又像是出惯门的。他一边把自己身上的衣服的钮子扣好，一边高声说话。

他道："喂，你们定定神。不要这样子慌乱，慌乱也没益。现在先得查明，这些东西究竟怎么样失掉的。"

姓马的忙应道："那当然是有人进来偷去的。"

瘦长子说："这失窃的事是谁发现的？"

那白脸的少年应道："我发现的。"

"喔，你听得偷儿进来？"

"不，我起先睡得很熟，不听见什么。刚才我起来小遗，忽见房门半开。我叫秋霖，秋霖还睡着。我记得这门是我亲手锁的，因此便知道不妙。我开了镜台的抽屉一瞧，我的钱包果已不见。这一定是这旅馆里有了贼哩！"

马秋霖附和道："不错，我们快去叫警察来，赶紧在这旅馆中搜一搜，也许还可以人贼并获。"

霍桑和我跨进这四十一号以后，只是站在那中年瘦长子的后面，旁观静听，并不发表什么意见。直到这时他方才开口。

霍桑说："这意见不错。但我们不妨先瞧一瞧，可有没有线索。现在先瞧瞧这房门，门既然锁着，偷儿怎么样进来？"

瘦长的四十二号客人似也赞同，大家都走到门口来察验。

那客人忽作惊喜声道："唉，这锁果真被什么东西撬动过哩。瞧，钥匙孔上不是有很明显的痕迹吗？"

霍桑低下了头，把锁孔的两面瞧了一瞧，又微微点点头。

他正要发表意见，忽听得房门外面一阵惊乱的脚步声音，从楼梯那边奔过来。

一个人嚷道："快去敲四十号的门！……快去敲四十号的门！"

我暗暗一惊。四十号是我们的寓室。难道竟有人疑心我们？霍桑的举动很快，立即把门一拉开了探头出去。

他接嘴道："我就是住在四十号里的。什么事？"

我的眼光也从霍桑的肩头上瞧去，看见那乱嚷的人是个秃发的矮子，就是这新大旅馆的账房。他一听霍桑的话，连忙住步。

他问道："你可就是大侦探霍桑先生……哎哟！还算巧！霍先生，这件事总要烦劳你老人家——"

霍桑插口道："别啰唆，你走进来讲。"

那两个失主和四十二号的寓客，都不期然而然地瞧着霍桑。似乎霍桑的姓名，他们早曾听得过，刚才却当面不识，此刻听得了账房的话，便都显出一种出乎意料的神气。

霍桑同账房道："王先生，这件窃案一共有五千多元的损失。这位马先生还有重要的文件一起被窃。"

账房急忙道："是，是——不过我们旅馆的章程是不负赔偿责任的。就像先生你有重要的东西交明我们，我们当然负责。若使并不交明，你们自己藏在身上或卧室中，我们怎能负得了责任？所以——"

杨立素睁着双目，厉声道："你的嘴倒厉害！人家失了东西，你开口便不负责任。这件事明明是有人撬开了室门进来偷的。偷的人不消说是在旅馆里。你既然蛮不讲理，我也不妨说你们庇护着偷儿，故意欺害我们旅客。并且——"

霍桑排解似的说："喂，这不是闹意见的时候。何必说废话？现在我们还须查得仔细些。假使这窃贼就在旅馆中，我们就得查明是什么样人，是不是什么茶房？或是其他旅客？或者竟就是这位账房先生——"

账房发急道："什么？是我？"

霍桑说："我原是假定地说，你别急。现在我们应得查一个水落石出，那才是正当办法。来，我们走出去瞧瞧，有没有来踪去迹。"

我们还没有走出卧室，忽然有一个茶房急步奔进来，向着那秃顶的账房报告：

"王先生，我们已发现了窃贼的出路哩！"

## 关　键

这报告的茶房名叫阿福，是一个短小精悍的人物。他的报告引起了我们深切的注意。

霍桑先问道："出路在哪里？"

阿福道："就在楼梯头对面的窗口里。你们跟我来。"他先回身退出。

我们一行人都跟在他的后面，走过了一道短短的甬道，直到近楼梯的一个窗口面前。那里有两扇玻璃窗，完全开敞。窗口上有一条麻绳，一直荡宕到下面；那麻绳的一端有一个铁钩，钩住在窗槛之上，另一端直拖到窗外的地上。窗外面是一条小街。偷儿在这条绳子上上下，当真是一条很妥当的捷径。

姓王的账房欢呼说："好啊！这可以证明白了。偷儿不是旅馆中的人，明明是从外面进来的。"

被窃的杨立素马秋霖都不服气地怒视着姓王的，但又面面相觑，呆住了找不出话。

略停一停，杨立素怒容满面地说："无论如何，你们总得负责。你一味想卸肩，我可不能让你打如意算盘！你们一定要赔偿我们！"

霍桑俯着身子在那窗槛上细细地察验，又探出头去，瞧那窗下的小街。

他回头说："你们怎么又说空话？据我看，这条绳子虽足以表明有人从外面进来，但旅馆里面一定有内线。"

这句话分明又使那账房十二分失望。他紧闭着嘴唇，两只胡桃似的眼睛向霍桑凶狠狠地瞧着。他的眼光中有一种明显的表示，仿佛说："真不识趣！我请你帮忙，你却反把责任归到我身上来了！"

他大声问霍桑道："你这话有什么根据？"

霍桑仍镇静地答道："你要根据？唔，有的。第一，这条绳子所以能够钩在这窗槛上，当然是有人先开了窗然后钩上的。像昨夜这样的天气，照我们的旧习惯，这两扇窗夜里总是关闭的。假使这里没有内线，这窗怎么会开？第二，这绳上的铁钩若说是外面丢进来的，就使钩得牢，也不能钩得如此稳妥，是不是？所以我敢说这开窗和钩绳的动作，都是里面的人干的。我说这里面有人做内线，难道说错了？"

账房的面色由白而变青，眼睛里几乎爆出火来，却兀自紧闭了嘴，又不能向霍桑发作。

马秋霖趁势道："现在明白了。我们的损失应得问你们赔偿。"他用手指指着那账房。

杨立素也附和说："当然，当然。我的钞票和银元一共有五千——"

霍桑忽剪住他们道："慢！赔偿责任，旅馆也不能担任，那是通常的惯例。我看眼前最切要的，我们应当责成王先生查明那个内线和偷儿，别的话还是少说为妙。"

王账房发急道："你……你叫我怎样去查？你简直要害我哩！"

杨立素瞧着旁边的阿福咕哝着说："这里的茶房有几个？都给叫来问问。……你——"

短小的阿福着了慌，期期地说："我……我可没有关系……昨夜里李长发请了假，我……我做他的替班——"

马秋霖大声说："哼！有个茶房昨夜里请假！这就值得注意——"

霍桑摇手道："你们别扯淡！这案子我自信很有把握。不过这旅馆中的人，都须听我的指挥。王先生，你可能办得到？"

秃顶矮子的目光一转，神色平静了些，忽又变了一副面孔，仿佛车轮上的橡皮胎，起先本是饱满满地打足了气，一霎眼间，气孔开了，立即软了下去。

他忙答道："唉，霍先生，那可以！那可以！只要你能给我查明白这件案子。"

霍桑点点头道："既然如此，大家回房去。这是公共地方，时候还早，别的客人还在做他们的好梦，不应再惊扰他们。"他又回头来瞧那两个失主："这案子大概不久就可以破获。你们都可以放心。"

我们回房以后，我正想问问霍桑所说的把握到底有什么根据。霍桑忽又单独地匆匆地退出，过了十分钟光景，我结束了我的漱洗工作，他才回进房来。他瞧见了我脸上的那种急于究问的神气，便一边洗脸，一边先向我说话：

"这件事情非常简单。你再休养一天，用不着多费心思。"

"我的热度已经退了，头也不痛。喂，霍桑，这件事我觉得非常蹊跷，你怎么说简单？"

"我自信不久便可将它破获，用不到你费什么脑力。"

"唔，你竟觉得如此轻易？……莫非这案子的内线就是旅馆中的茶房？"

"也许比你所说的更简单些。"他的嘴角上露着微笑。

我诧异地问道："什么？你可是疑心那四十二号的瘦长子……"

霍桑忽摇手止住我："轻声些。你别信口胡说。"

"那么你怎么又说十分简单？难道杨立素的款子实际上并没遗失，这只是一出假戏，目的在于诈索赔偿？"

"你越说越远了。不论杨立素的态度容色断不像是做假戏索诈的人，即使如此，他们的计划也笨极了。你想旅客们失了钱，随便说一个数目，旅馆主人便负赔偿的责任，世界上哪里有这样的法律？"

我再答不出话。霍桑所说的简单，在我眼中却是一个囫囵的谜团！我心中实在按捺不住。

我又问："霍桑，你的意见究竟怎么样？爽快些说一说，免得我牙痒痒的！"

霍桑已抹干了脸，正对着一面镜子梳理他的稀薄的头发。他听了我追究的问句，忽向镜子里嘻了一嘻，才慢慢地旋转头来答话。

他说："包朗，我想你自己一定也有某种见解。不如你先说一说。"

我略一沉吟，答道："是，我当真也有些意见，不过我跟你不同，不敢说怎样简易。"

"唔？"

"我觉得昨夜里我所经历的怪声和电光，似乎和这案子都有关系。"

"唔，这话很有价值。"

我很高兴："喔，你也赞同？"

他自顾自地继续问道："你可知道这里面的情由怎样？"

"这两个失窃的人，正如你先前所料想的挟着巨款。他们在火车中或别处偶然露了财，便被人尾随到这里。后来那人就买通了内线，着手干这案子。你想这推想可近情？"

霍桑忽摇头道："不，我不赞成。如果照你的话，这案子就很复杂，不能算是简单的了。"

我忙道："我原说你看得太轻易了啊。那么你的见解究竟怎么样？"

霍桑丢下了那只假象牙的发梳，微微笑了一笑："包朗，你的性急脾气委实没法更改的了——好，现在我不妨给你一个关键。这案中最奇怪的一点，就是那马秋霖的一件大衣同时失窃。"

"怎见得奇怪？那大衣不是也可以值钱？"

"是的，但你总记得那是一件棕色的呢大衣，已不见得怎样新。你想比那件獭皮领的镜面呢大衣，价值的大小怎么样？"

"虽然。但偷儿拿东西，顺手与否是一个问题，势不能从容地估价和挑选。"

"不错。但那偷儿既从绳子上上下，身上带了四千五百元钞票，五百元银币，已是很沉重，何必再带这一件累赘的大衣？"

"这话你说得太牵强。大衣穿在身上,未必累赘。况且你既说他有内线,那尽可等他下地以后,那内线才将赃物抛落下去,也不一定要穿在身上。"

霍桑又笑了一笑,点头道:"包朗,你的推理能力委实进步得可惊。不过这个内线既然把赃物抛落了下去,却仍让那根绳子钩住在槛上,窗也开着。这样一个助手,假使和你合伙干事,我想你也要尊他一声'笨伯'了吧?"

我经他一驳,觉得果真有些解释不通,不禁呆了一呆。

一会儿,我又道:"霍桑,你葫芦里到底卖什么药?这句话不是和你自己本来的推想矛盾了吗?"

霍桑似笑非笑地顺着我的口气问道:"矛盾?"

我应道:"瞧你现在这句话的语气,不是说这案中并没有内线了吗?"

霍桑又把眼睛合成了细缝,瞧着我笑了一笑。他正要答话,室门上忽而有很轻的剥啄声音。霍桑立即做了一个手势,叫我不要声张,随即轻轻地走过去开了门走出去。

## 训　诫

当霍桑开门走出去的时候,我心中仍疑惑不定。他起先既然说有一个内线,现在又说这内线太笨,好像是没有的,真使人莫名其妙,大概他先前所说的内线,并不是真正的见解,只是一种虚晃,目的在故意使人不防备。我揣摩他的口气,很像这件案子完全是旅馆中人干的,实际上并无外来的人。那窗口上的绳子,只是偷窃的人故布的疑阵。假使如此,那赃物也许至今还没有出门,因此他才看得如此轻易。不过他也太轻易了。他为什么不立即动手？赃物不会因着延搁而给乘机运出去吗？还有那行窃的人是谁？霍桑难道也已经知道了？那个一味卸责的姓王的矮子可也有些嫌疑？还有请假的茶房李长发有没有关系？

我的疑潮正自汹涌起伏的当儿，霍桑已回进来。我想继续向他问话，忽见他的目光灼灼地转动，显得很兴奋的样子。

他低声问我道："你的头当真不痛了？"

我立即应道："完全好了。"

"好。今天冷得多。你再加一件大衣，跟我去。"

"哪里去？"

霍桑忽附着我的耳朵说："取赃物去。"

我诧异地向他呆瞧着，但他的神气决不像开玩笑。

"赃物在哪里？"

"别多问。案子快破哩。轻些，别惊扰人家。"

他匆匆把身上的一套黑色细条纹的西装脱下了，打开皮包，换了一件深青素绸的灰鼠袍子。他为什么改装？可是我已没有机会发问。他已经首先轻步出室，我也照样跟着他下楼。

我们出了旅馆，向集贤街的东面走去。天气真比上夜冷得多，峭厉的北风吹在脸上有些刺痛。转了两个弯，霍桑在转角上站住。我一路默默地跟着，不知他的目的地何在。他忽向转角上的一爿茶铺指了一指。

他说："这是迎月茶楼。我们上去喝一杯茶。"

我们到了楼上，因着时候还早，除了有几个喝早茶的老茶客外，还不算怎样拥挤。有些人正在洗脸，有些人却在吃包子。但瞧他们那种安闲从容的神气，便可知道他们喝茶资格的老练。那近楼梯的一张桌子恰巧空着，霍桑就坐下来，泡了一

壶雨前。他的目光向四周溜了一下,忽而笑嘻嘻地向我低语:

"包朗,北风真帮我的忙!"

这句话太突兀。什么意思?我真想不出。

我也低声问道:"霍桑,你指什么?"

他摇摇头,又低声向我说:"我下楼去有些事。你等一等。"他随即站起来走下去。

我在无可如何的状态下默坐着,便先叫了两客包子,预备作我们的点心。我们探案以来,所经历奇怪的案子很多很多,但像这样似易非易没头没脑使人捉摸不着的案子,却还是第一遭。约莫过了六七分钟光景,霍桑才回上楼来。

我问道:"你在下面干什么?"

霍桑道:"我写一张条子,叫人送给那旅馆的王账房,通知杨立素到这里来领赃物。"

"到这茶馆里来领取?"

"是。"

"赃物就在这里?"

"是啊。你还没有瞧见?"

"奇怪!我怎能瞧见?……在哪里?"

霍桑忽向着一只靠壁的桌子指了一指。我回头瞧时,见一个人背向我们坐着。我不觉暗暗一震。这人穿一件西式的厚呢大衣,颜色是深棕色的,里面穿的却是一件黑布棉袍,有些不伦不类。我仔细一瞧,那大衣很像是那马秋霖所穿的一件。不过那人的脸又丑又黑,又瞎了一目,年纪已近四十,我却从来不曾见过。

我低声问道:"这是马秋霖的大衣?"

霍桑不答,但点点头。

我又问："是他偷的？怎么就穿在身上？"

霍桑作简语答道："北风！"他随即把一枚食指按在他的嘴唇上。

我暗忖这个人既然就是行窃的偷儿，霍桑为什么不马上设法捉住他？并且他又是用什么方法查明的？我正想再问，霍桑拉拉我的衣袖，似禁我作声。我抬头一瞧，忽见有一个穿灰色呢西装，戴灰呢帽子，不穿外衣的人急步走上楼梯。那人就是方脸高颧的四十一号里的马秋霖。他谅必是得了霍桑的消息，赶来领赃物了。看他急匆匆的模样，一幕小小的武剧，说不定会马上演出。可是这料想是错误的。马秋霖立定了瞧了一瞧，便向着那靠壁的桌子走过去，却不像有打出手的姿态。更出我意料的，那个穿深棕色大衣的人，也立起来向他招呼，彼此竟是相识的！

我禁不住低声问道："这两个人是串通的？"

霍桑摇摇头："别多话。好戏多着呢！你张开眼睛瞧吧。"他说完了话，忽又急急地走下楼去。

我一个人坐着，没精打采地喝了两口茶，包子送来了。我就一个人大嚼。包子是鲜肉馅的，可是送到嘴里，我只觉得有些咸味。"心不在焉，食而不知其味"，又多了一个例证。我一边吃，一边又斜过眼光去瞧那靠壁的桌子。那两个人坐定以后，彼此低头密谈。一会儿，他们的谈话的姿势逐渐变异，似乎彼此的意见有些冲突。接着，他们越谈越不客气，声浪渐渐高起来，大家都有汹汹之势。太奇怪！这究竟是什么一回事？语声太含糊，我又不便走近去听一个仔细。这一出哑剧真使我纳闷极了！

又隔了一会儿，局势更恶化了。我听得凳子移动的声音，那两个人都已立了起来，仿佛要动武了。在这当儿，我忽见霍桑疾步回上楼来，后面还跟着两个人——一个是穿獭皮领黑大衣的杨立素，一个是秃发的姓王的账房。

霍桑一直走到马秋霖的面前。我也早立起来跟过去。马秋霖旋转头来，他的面色突地变异，忽似骤然间罩上一重死灰。他看见我们恰巧围在他的左右，更现出一种瑟缩惊恐的状态。

霍桑含笑说："马先生，你跟你的朋友为什么闹起来？莫非你要向他索取杨先生的五千元？唔，我告诉你，他实在不曾吞没。那的确是冤枉的。"

杨立素惊呼道："唉，秋霖，你的大衣在这里了！我的钱呢？"

杨立素在那丑脸人的肩上推一推。那人像变作了一个木人。马秋霖脸上的死灰颜色也变成了白纸一般。他的嘴唇有些颤动，随即低着头默不发话。

霍桑代替他答道："杨先生，你要取还你的五千元吗？那不能如此容易。……喂，大家坐下来。……杨先生，你先说说你带了这大宗款子到这首都来，究竟要干些什么？"

杨立素把惊呆的眼光瞧着马秋霖，凝注着不动，显着一种惊疑不定的神色。马秋霖的头当然不曾抬起来。

霍桑又说："杨先生，你须老实说。假使不然，你的钱也休想取回。"

杨立素被这句话一逼，才把目光回了过来，慌忙道："霍先生，我老实说。我到这里来想谋个差使——"

"谋差使？那么这钱是运动费？"

"是。近来我听了秋霖兄的话，不禁有些官迷。想做一个官，威风一下。据他说，这里他有不少熟人，若能花上三千五千块钱，准可以弄一个县知事玩玩——至少也可谋得一个警察所长的位置。因此我弄了些款子到这里来谋干。不料他还没有接洽好，这款子昨夜里便失掉。"他指一指那丑黑的瞎子，"现在这个人既然穿着秋霖的大衣，一定就是行窃的贼。我的五千块钱就得向他——"

霍桑听到这里，忽而握着拳头在桌边上击了一下。接着他沉下脸来，厉声向杨立素呵斥。

他道："住！我想不到你竟是这样一个没出息的混蛋！"

杨立素的下唇坠落了，瞪着眼发愣。霍桑继续申斥：

"你明明是一个青年，怎么会有这样错误的头脑？你什么事不能做，倒想做官？你想做官是摆威风的事？你又想得出这种卑鄙的手段！你因着这错误的官迷，才会结交一个贼友，受骗子的骗！"他的眼光向马秋霖的脸上掠一掠："你不但头脑错误，你的眼睛也差不多瞎了哩！"

这几句训斥，说得上义正而辞严。那杨立素的身子突然缩小了些，目瞪口呆地瞧着马秋霖，脸上一阵红，一阵白，显得他心中非常羞恨难堪。马秋霖似乎冷得发抖，用低垂惊恐的目光瞧瞧那个穿棕色大衣的独眼同伴。这半瞎的人也着了慌似的只向马秋霖呆瞧。霍桑又另换一个训话的对象。

他说："马秋霖，你也算是个青年，怎么做起骗子来？我看你多少也受过些教育，怎么别的职业不干，却干这种卑鄙卖友的欺骗勾当？你简直太可恶！我想你干得这样老练，一定不是初次出手——"

马秋霖忽抬起了惨白的脸，颤声说："先生，不……不！我因为赌输了钱，才……才想出这个念头。这还是第一次……"

这时候那半盲人的目光向霍桑一瞥，忽而旋转了身子，想要开步的样子。

霍桑忽摆一摆手，冷冷地说："喂，朋友，安心些坐一坐吧。我一切都已准备好了。"

杨立素用手把半瞎子一推，那人果真很听命令地坐下来。杨立素睁视着他的同伴，马秋霖却仍垂着头发怔。霍桑立起来走到阳台边去，侧着身子向外面挥一挥手，随即又回身过来。

他又向杨立素说："孩子，你总算幸运，款子还没有落空。现在你可向王先生取了钱，再去读几年书，医医你的头脑。"他回头来向那秃发的账房瞧瞧。

那账房忽也变了脸色，着急道："霍……霍先生，我……我赔不起……你……你……"

杨立素插口道："唉，原来你也是通同行窃的！"他凶狠狠地瞧着那矮人，像要伸手揾他一下。

那账房急得额角上冷汗淋淋，几茎稀发在飘动，口吃地说不出话。

霍桑忙挥挥手说："杨立素，别乱说。他不是串通的。不过你的五千块钱，现在却存在他的账箱里。"

那账房的心头的重担，似乎还没有解除，他的张开的嘴唇继续在那里发抖。杨立素也张口呆瞧，似乎仍莫名其妙。我这时同样处在五里雾中，却又不便发问。幸亏霍桑并不故意刁难，略顿一顿，他便继续解释。

他同我笑一笑："包朗，你对于这件事本来比我先发觉。你听见的怪声和看见的电光，都是这位独眼朋友的成绩。我因着顾到你的身体，所以不告诉你。"

"唔？"

杨立素抢着问道："霍先生，这回事你究竟怎样查明的？"

霍桑说："事情是很简单的，也很凑巧。昨夜我回寓的时候，从旅馆的沿街的阳台下面走过，忽然遥见四十一号的窗口中丢下一个大包袱来。我立即奔前两步，看见有一个人站在窗下接包。那人一瞧见我赶上前去，便带着包袱慌忙逃走。我正想追赶，不料这时候楼窗上另有第二个包裹落下。我顺手一接，觉得相当沉重；又仰面一瞥，见丢包的是一个穿白色衬衫的人，就知道是这两个人中的一个。我略一思索，便已瞧破了这出简单的把戏。接着，我进了旅馆，到账台上把包打开来瞧了一瞧，一共是五千块钱，用一条长毛巾包裹着。我随即叫醒了这位王先生，把钱包交给他代为保存。

"我睡的时候还听得隔房的开门声音，分明有个人乘着值夜的茶房打盹，有什么动作。所以等到案发以后，那撬门绳子等种种故设的疑迹，我当然一目了然。不过我不愿使这个接第一个包的同党漏网，故当时不即发表。"他停一停，回头向我笑笑，仿佛说："包朗，这一点要请你原谅。"

我问道："你早就知道行窃的是他？"我指指发怔的马秋霖。

霍桑点点头："是。他先把自己的大衣丢下，明明是含着'苦肉'式的掩护作用，却不料'欲盖弥彰'，反而给我线索。"

我点点头，表示请霍桑说下去。

霍桑又说："我暗地里叮嘱茶房阿福，凡有四十一号寓客的电话通信，或是出外，或是有人来访，都须报告我知道。刚才这位瞎先生大概因着电话打不通，送一张条子到旅馆里来，约马秋霖到这茶楼上来会见。阿福先把那条子悄悄地给我瞧过，我们就赶来等候。风先生又帮助我，教他将赃物穿在身上，使我再来一个一目了然。现在这案子果然已毫不费力地破获了。"

　　这时有一个警察走上楼来，霍桑招呼了一下，取出一张名片，写了两句交给那警察。他又指着马秋霖和那半中半西打扮的独眼同党，叫警察把这二人带到警署里去。

　　五分钟后，那两个骗子已在被动局势下离了茶楼。霍桑在杨立素道谢辞去的时候，又向他进行最后的训诫。

　　他道："少年，你记着我的话，赶快回去，把你的错误的头脑洗涤一下。……包朗，你坐一坐。你的包子已经吃了吗？……好，等我也吃完了，我们马上去拜谒中山陵。"